Cuentos

Letras Hispánicas

Julio Ramón Ribeyro

Cuentos

Edición de M.ª Teresa Pérez

SÉPTIMA EDICIÓN

CÁTEDRA

LETRAS HISPÁNICAS

1.ª edición, 1999
7.ª edición, 2014

Ilustración de cubierta: George Grosz, *Escena en la Kufurstendamm*
© George Grosz. VEGAP, Madrid, 1999

© Herederos de Julio Ramón Ribeyro
© Ediciones Cátedra (Grupo Anaya, S. A.), 1999, 2014
Juan Ignacio Luca de Tena, 15. 28027 Madrid
Depósito legal: M. 47.294-2011
I.S.B.N.: 978-84-376-1717-6
Printed in Spain

Índice

Introducción

Julio Ramón Ribeyro.

«Como barco que sale en busca del naufragio»

solo frente a mi máquina de escribir, sin
coerciones ni apremios, sin jueces, ni público, ni ovaciones ni rechiflas, en la arena solitaria de mi página en blanco...

Quienes hemos sucumbido al hechizo de este peruano
flaco y socarrón, fumador impenitente, estamos tentados de
ver por doquier figuras y situaciones «ribeyrianas». A veces
el azar le reservó papel protagonista en alguna de ellas. En
diciembre de 1994 moría en Lima, sin poder recibir el *Premio Internacional de Cuento Juan Rulfo* que lo consagraba
como uno de los mejores autores de narrativa breve en lengua española. Extraña jugada del destino, para quien imagino repitiéndose aquella frase de Marguerite Yourcenar,
«muy pronto en mi vida fue demasiado tarde», traducida en
un perpetuo sentimiento de *décalage* e imposibilidad de
acordarse con el mundo.

Conversando con Abelardo Oquendo, en una tarde en
que los recuerdos hacían olvidar la grisura del cielo limeño,
me contaba las peripecias del busto de Ribeyro, donado por
su mujer a la municipalidad de la ciudad. Colocado primero
en una plaza, minúsculo, junto a la imponente estatua de algún militar (sin duda prescindible) y robado luego —quiero
pensar que por algún admirador apasionado. Yo recordaba a
Luder, su *alter ego* más cínico:

11

—Sólo verán aire en el aire —dice Luder—. He puesto tanto empeño en construir el pedestal que ya no me quedaron fuerzas para levantar la estatua[1].

Ribeyro también habrá sonreído.

Las biografías debieran inspirar desconfianza: no puede haber sino vana ficción en el intento de encerrar la vida de un hombre (consumida secretamente como toda vida) en unas cuantas líneas. Aquí las hilvané a menudo con la voz de Ribeyro, por si la trama de las palabras y de los años terminaba dejando ver un rostro.

Importa, por ejemplo, detenerse en sus antepasados familiares (hermosamente recreados en «Ancestros», de su *Antología personal*), porque algo explican acerca de ciertos motivos repetidos en su obra. Nace en un hogar de clase media limeña, en el seno de una familia que había dado al país ilustres letrados y hombres de leyes, pero que se encuentra por entonces en fase de decadencia. Ribeyro vive ya ese momento crepuscular, iniciado con su padre, no sin angustia y ciertas contradicciones que nos muestran a ratos una cierta complacencia nostálgica (como en «El ropero, los viejos y la muerte»), combinada, otras veces, con una corrosiva ironía. Este venir a menos en el orden social (y sus consecuencias: desclasamiento, marginalidad, precariedad existencial) se convierte en uno de los ejes sustentadores de toda su obra[2]. A ello debe añadirse la muerte de su padre, cuando el autor tenía quince años y en quien ha querido ver, alguna vez, el origen de su vocación por la escritura:

---

[1] J. R. Ribeyro, *Dichos de Luder,* Lima, Campodónico Editor, 1989, pág. 43.

[2] Comentando la interpretación que Pablo Macera hacía de él como epígono degradado de cierta casta social, anotaba Ribeyro: «Ignora también que no extraño en absoluto los privilegios mundanos e intelectuales de mis abuelos rectores y ministros y que más bien parte de mi actitud en los últimos años puede definirse como una resistencia y casi hostilidad a "seguir ese camino" (...) No conoce tampoco hasta qué punto carezco de una serie de sentidos específicos de la casta a la que me quiere asimilar: el de la propiedad, el del domicilio, el de la patria, el de la profesión, y hasta el de la familia.» En *La tentación del fracaso. Diario personal,* II, Lima, Campodónico Editor, 1993, pág. 45.

Yo he tenido muchos profesores de literatura. Pero he tenido solamente un maestro. Y este maestro fue mi padre (...) me acuerdo que un día me dijo: «Tú sabes que hay un escritor que es mejor que Dumas, y que se llama Balzac. Y hay un escritor mejor que Balzac, y que se llama Flaubert. Y un escritor mejor que Flaubert, y que se llama Stendhal. Y un escritor mejor que Stendhal, que se llama Proust.» De este modo abría para mí un panorama de lecturas verdaderamente ilimitado[3].

A los dieciséis años ingresa en la Universidad Católica para cursar los consabidos estudios de Leyes, pero pronto se sentirá atraído por discusiones iniciadas en el patio de Letras y que se prolongaban luego en horas nocturnas y algo báquicas en las reuniones del bar «Palermo». Son los años que corresponden a su formación como escritor: los primeros cuentos, las lecturas apasionadas de Kafka, Joyce, Faulkner. Surgirán de allí algunos cuentos, como «La huella», de clara atmósfera kafkiana, que Ribeyro no quiso recoger en sus colecciones posteriores.

En 1952, becado para seguir cursos de periodismo, viaja a España, donde permanecerá ocho meses. Después de ganar un concurso de cuentos convocado por el Instituto Español de Cultura Hispánica, se trasladó a París combinando sus ocupaciones de portero de hotel con un curso en la Sorbona. Comenzaba así un largo deambular por distintas ciudades europeas: París, Amsterdam, Amberes, Londres, Múnich. «Días intensos e inútiles», como anota en su diario, donde también se evocan sus variados trabajos (empleado en una fábrica de material fotográfico, vendedor de productos de imprenta, portero de hotel, recogedor de periódicos viejos...) y su pertinaz frustración de escritor en ciernes.

---

[3] En Wolfgang Luchting, *Estudiando a Julio Ramón Ribeyro,* Frankfurt, Vervuert, 1988, pág. 352. Ribeyro, que ha confesado carecer de «demonios» personales («El tener demonios en su vida debe ser privilegio de los espíritus superiores»), habla de ciertas ideas o motivos que retornan en su obra. Uno de ellos lo constituye la muerte de su padre, a la que vuelve en su narrativa más personal («El ropero, los viejos y la muerte», «Página de un diario», «El polvo del saber») y en sus dos primeras novelas.

Mientras, se ha publicado en Lima *Los gallinazos sin plumas* (1955), libro con el que cosechará un éxito rotundo. Escritas en su mayoría en París, las narraciones tienen como escenario único la ciudad de Lima, y como protagonistas, a los seres más desheredados de esa sociedad.

Regresa a Perú en 1958, a la provincia de Ayacucho, para trabajar durante dos años como profesor en la Universidad de Huamanga[4]. Ese mismo año publica su segundo libro, *Cuentos de circunstancias,* donde, junto al realismo crítico que había caracterizado su producción anterior, llama la atención la atmósfera evocativa y poética de algunos relatos.

En 1960 lo encontramos ya en París, trabajando para la Agencia France-Press. En esta fecha ve la luz su primera novela gestada cuatro años atrás en Múnich. La aparición de *Crónica de San Gabriel* fue saludada por los críticos con un signo de extrañeza: Julio Ramón Ribeyro, que había preconizado —y predicado con el ejemplo— sobre la necesidad de una literatura urbana, incursionaba en el ambiente rural. Una lectura más atenta demuestra, sin embargo, cómo la sorpresa no estaba justificada. Si bien el escenario donde transcurre la obra lo constituye la provincia, la Hacienda «San Gabriel», la óptica desde la que se narra es la de un muchacho citadino y Lima aparece siempre en la obra como polo de referencia omnipresente.

En 1964 se publican dos nuevas colecciones de cuentos: *Tres historias sublevantes* y *Las botellas y los hombres.* Vemos desarrollarse las historias en el mismo escenario de los primeros relatos, en esa Lima chata y mísera, por la que deambulan idénticos personajes grises, desesperanzados, asumiendo pasivamente su existencia. Su alejamiento del Perú no implicaba el olvido de la referencialidad primera de los relatos; antes bien parecía contribuir a esa visión crítica, de francotirador, a la

---

[4] En octubre de 1959 anota en su *Diario:* «Huamanga me ofrece la oportunidad de integrarme a la comunidad, no sólo desde el punto de vista académico. (...) Pero siempre ese horror a las raíces, esa fobia por el sedentarismo. Sé que dentro de tres meses me iré de esta universidad (...) ¿Para qué? Para vagar por el Barrio Latino, sabe Dios en busca de qué amores, de qué escrituras, de qué recuerdos fantasmales. Diríase que busco furiosamente la frustración, el aniquilamiento» (vol. I, ed. cit., págs. 229-230).

Un encuentro de escritores en Berlín, 1965. En primera fila se encuentran
Ciro Alegría, Jorge Luis Borges, Germán Arciniegas y Augusto Roa Bastos. En la tercera fila está Miguel Ángel Asturias. El tercero de la segunda
fila es Ribeyro.

que Ribeyro se ha referido a menudo. Aunque él se negó siempre a considerarse un exiliado, ni forzoso ni voluntario, ciertamente su nombre vino a enriquecer la larga lista de escritores que había hecho de París «la capital de la literatura peruana»:

> Todo verdadero artista es por principio un desadaptado, que vive en conflicto con su medio nativo y trata de escapar de él por el medio más expeditivo que es el viaje o, como ahora se dice con pompa, el exilio voluntario. Pero al mismo tiempo el viaje, a menos de ser uno impermeable a todo estímulo, enriquece nuestra experiencia del mundo, de los hombres, de la cultura, abre nuevas perspectivas creadoras y sobre todo otorga una mayor libertad, ilusoria o real, que a la postre influye positivamente sobre lo creado[5].

Los geniecillos dominicales, novela con la que resulta ganador del premio Expreso-Populibros en 1963, aparecerá en Lima dos años más tarde. La obra, retrato de un artista adolescente limeño, pudo ser leída en su momento como un *roman à clef* y resulta un espléndido retrato de su generación. Mas interesa notar también ciertos temas y procedimientos que habrían de volverse habituales: la insularidad de su protagonista, Ludo, tan extranjero en la ciudad como Lucho (de *Crónica de San Gabriel)* en la sierra, la importancia del azar, la ambigüedad o esa perspectiva irónica que constituye una de las marcas de su estilo.

Su interés por la novela es antiguo —data al menos de 1953, cuando clamaba por un Dickens limeño que cantara una ciudad todavía sin novela— y porfiado, a juzgar por las numerosas novelas inconclusas a las que se refiere en su *Diario.* Su última incursión en el género lo constituye una obra un tanto excéntrica dentro de su producción, por la técnica compositiva. Concluida en 1966, *Cambio de guardia,* de carácter violentamente anticlerical y antimilitarista, no habría de publicarse hasta diez años más tarde, desfase que, a decir del autor terminó definitivamente de malograrla. Fue escrita en París duran-

---

[5] En Wolfgang Luchting, *Escritores peruanos. Qué piensan. Qué dicen,* Lima, Ecoma, 1977, págs. 54-55.

te la época de las guerrillas, cuando muchos de sus amigos habían sido asesinados, lo que explica el carácter urgente y directo de su diatriba. Ejercicio singular en quien puso siempre en cuarentena la literatura *engagée*[6] por reconocerse más en el papel flaubertiano de «penseur et démoralisateur»:

> —El peor de los lectores —dice Luder— es el intelectual zapatón que espera marxistamente sentado en el poyo de los libros la aparición de un mensaje.

Este «profesional» de las letras que nunca pudo vivir de ellas, desempeña en la década de los 70, el cargo de Consejero Cultural del Perú ante la Unesco. Su carrera diplomática, que debió desempeñar más por necesidad que por gusto, le provoca a menudo perplejidad:

> Mi cuento «La insignia» se realiza[7]. Pues la verdad es que yo sé poquísimo de esta organización a cuyo círculo más hermético he penetrado. Estoy allí no sé por qué ni cómo, ni gracias a qué méritos. (...) Todo en realidad es una farsa. Aquí más que en otra parte. Y por lo mismo no saco de esto partido ni gloria. Me aburro. Añoro estar en otro lugar. Un cuartito de hotel. Un pueblo perdido del Perú donde sea maestro. Una playa *(Diario,* II, pág. 169).

En París, desde su observatorio de la Place Falguière, anota el desencanto y el cansancio, el sentimiento de no haber es-

---

[6] En carta personal expresaba su opinión al respecto con una *boutade* que después encontré también en Onetti: «El que quiera enviar un mensaje que encargue esta tarea a una mensajería.» En el *Diario* anotaba muy tempranamente acerca de su obra: «Trataré en lo posible de que se mantenga al margen de toda propaganda política. Puedo llegar a la crítica social, a la pintura descarnada y sin complacencia, pero no me siento autorizado para plantear soluciones ni tengo fe suficiente en ellas para aconsejarlas» (vol. I, pág. 40).

[7] Recuérdese al protagonista de este conocido cuento de Ribeyro, otro *outsider* que ingresa por azar a una ambigua cofradía —trasunto de toda organización humana, ortodoxia sin sentido: «Pronto fui relator, tesorero, adjunto de conferencias, asesor administrativo, y conforme me iba sumiendo en el seno de la organización, aumentaba mi desconcierto, no sabiendo si me hallaba en una secta religiosa o en una agrupación de fabricantes de paños.» La ironía no logra desdibujar la falta de asidero existencial del personaje.

crito aún la obra que lo justifique. Mientras, se ha reunido en *La palabra del mudo,* en tres volúmenes, toda su producción cuentística. Situado en esa atalaya a la que accede Silvio, el protagonista de uno de sus cuentos más hermosos, el autor podía hacer también recuento de su vida: gozaba de cierto prestigio literario, desempeñaba un trabajo que le reportaba a la vez seguridad material y tranquilidad espiritual para dedicarse a la creación de su obra. Está casado, ha conocido la experiencia de la paternidad... mas el mundo pareciera seguir ocultando su código cifrado. No está de más recordar que «Silvio en el Rosedal» se escribe en un momento vital doloroso —por segunda vez al borde la muerte como consecuencia de una crónica enfermedad estomacal. También, entonces, la aceptación de la escritura como su vocación más auténtica:

> La pieza silenciosa. Uno que otro carro se desliza por la calzada húmeda. El barrio duerme pero mi gato y yo velamos, nos resistimos a dar por concluida la jornada, sin haber hecho nada, al menos yo, que la justifique (...). Quizá por eso escribo páginas como ésta, para dejar señales, pequeñas trazas de días que no merecerían figurar en la memoria de nadie. En cada una de las letras que escribo está enhebrado el tiempo, mi tiempo, la trama de mi vida que otros descifrarán como el dibujo en la alfombra[8].

En 1991, acaso saturado de cosmopolitismo, como los protagonistas de «La casa en la playa», Ribeyro abandona la que se había convertido en su segunda ciudad durante más de treinta años y vuelve a Lima para pasar allí grandes temporadas. En Barranco, frente al mar, apura sus últimos veranos como había imaginado: «mirando el poniente, pensando... tal vez con uno o dos amigos, buenos discos, un buen vino, mi pequeña familia, un gato y la esperanza de sufrir poco» *(Diario,* II, pág. 201).

Puede hablarse ya con rigor de personajes, de situaciones ribeyrianos. Coincidiendo con el homenaje que la Casa de América le concediera en 1994, se dieron a conocer en junio

---

[8] J. R. Ribeyro, *Prosas apátridas,* Barcelona, Tusquets, 1986, pág. 118.

sus *Cuentos Completos* —ya sí, «completos», en ironía premonitoria de la letra. A este tenaz ejercicio de cuentista deben añadirse su producción dramática, su labor de fino crítico literario, una colección de aforismos firmados por un cínico y desengañado Luder (Ribeyro y sus dobles), hija directa de las *Prosas apátridas* que publicara Tusquets en sus *marginalia*[9]. ¿Más? Una proyectada autobiografía, un diario del que se han publicado tres volúmenes, una colección de *Cartas a José Antonio,* donde las confesiones a su hermano se mezclan con temas de crítica y creación literarias.

Reconcentrado, algo tímido, acaso resentido, entregado pertinazmente a la creación de una obra que lo ha convertido ya en un clásico, nos ha dejado una visión lúcida y desencantada, que nos hemos acostumbrado a llamar pesimista y donde no hay lugar para estridencias ni elementos trágicos. Luis Loayza lo ha visto con palabras hermosas: «En Ribeyro, como en otros de los mejores escritores peruanos, el pesimismo no es una inclinación personal, que pueda resolverse en datos psicológicos o biográficos, sino una manera de ser dignamente ante la realidad del sufrimiento»[10].

Coherencia extrema, lucidez sin concesiones, levantadas paradójicamente a partir de inestables e inciertos materiales:

> Nunca he podido comprender el mundo y me iré de él llevándome una imagen confusa. Otros pudieron o creyeron armar el rompecabezas de la realidad y lograron distinguir la figura escondida, pero yo viví entreverado con las piezas dispersas, sin saber dónde colocarlas. Así, vivir habrá sido para mí enfrentarme a un juego cuyas reglas se me escaparon y en consecuencia no haber encontrado la solución al acertijo. Por ello lo que he escrito ha sido una tentativa para ordenar la

---

[9] El nombre de la colección no puede ser más pertinente. *Marginalia,* el término acuñado por Stendhal para aludir al conjunto de comentarios provocados por sus lecturas y anotados en el borde de las páginas, habría de gozar de gran tradición. Bajo ese título publicó Poe sus glosas, rápidos apuntes surgidos de lo visto o escuchado. Marginales por no haber encontrado un género donde sentirse en casa, las *Prosas apátridas* encierran un conjunto de reflexiones y aforismos que terminan por trazar la verdadera «autobiografía espiritual» del escritor.

[10] Luis Loayza, *El sol de Lima,* México, F.C.E., 1993, pág. 174.

vida y explicármela, tentativa vana que culminó en la elaboración de un inventario de enigmas. La culpa la tiene quizás la naturaleza de mi inteligencia, que es una inteligencia disociadora, ducha en plantearse problemas, pero incapaz de resolverlos. Si alguna certeza adquirí fue que no existen certezas. Lo que es una buena definición del escepticismo[11].

LA CIUDAD EN BUSCA DE AUTOR

> Es extraño que los mejores poetas peruanos hayan escrito contra Lima y los peores a favor.

No sé si resulta atrevido aseverar que la amplia nómina de narradores que integraron la generación del cincuenta ha proporcionado finalmente al país frutos exiguos. Excepción hecha de Vargas Llosa (para algunos, el benjamín de la generación) y del propio Ribeyro (ambos fuera del Perú), su producción resulta cada vez más espaciada, más avara —valga Luis Loayza como paradigma. El autor de *Conversación en la catedral* ha comentado alguna vez el total desamparo de la vocación literaria en un país donde el gesto de desconfianza hacia la cultura resulta proverbial. Cuando, años más tarde, Abelardo Oquendo preparaba su encuesta sobre narrativa peruana (1950-1970), la pretendida profesionalización seguía sin ser una realidad y los autores preguntados coincidían en denunciar la carencia de verdadera vida literaria:

> Es difícil que países en vías de desarrollo tengan una vida literaria. Ésta requiere una infraestructura constituida por editoriales, revistas, concursos, distinciones, órganos de crítica, difusión y propaganda, institutos especializados, en fin, cosas que en el Perú sólo existen en estado embrionario. Decididamente no creo que tengamos vida literaria, a menos que se le dé este nombre a los pequeños cenáculos que yo conocí hacia el año 1950, formados por grupitos de fanáticos de la li-

---

[11] J. R. Ribeyro, *Prosas apátridas,* ed. cit., págs. 179-180.

teratura que hablaban mucho, creaban poco y publicaban menos[12].

En tal situación, el esfuerzo desplegado por este grupo de narradores desde finales de la década de los 40 parece poco menos que heroico. Ribeyro comparte con ellos un cierto desencanto social, ligado a la conciencia de una realidad nacional en proceso de transformación.

Constituye lugar común entre la crítica explicar la novedad de la narrativa de la generación del cincuenta[13] en torno a dos circunstancias: el «descubrimiento» de la ciudad como tema principal de los relatos, frente a la narrativa indigenista anterior, y la aventura renovadora del lenguaje. Tales afirmaciones necesitan quizá de alguna matización. Por lo pronto, como ha notado Julio Ortega[14], la ciudad pasa por vez primera a la novela peruana en esa visión amable que Enrique Carrillo dejara en *Cartas de una turista*. Si a ella se añaden otros títulos (*Duque* de Díez-Canseco, *Bajo las lilas,* de Manuel Beingolea o *La casa de cartón* de Martín Adán) obtenemos una primera generación de narradores urbanos que plantea, y no siempre de manera acrítica, cierta geografía social de Lima. La plasmación de la *miseria alegre* de los estratos populares y de la otra fauna de barrios elegantes, así como las reflexiones sobre una urbe en trance de ampliar sus límites, constituyen necesarios

---

[12] Abelardo Oquendo, *Narrativa peruana. 1950/1970,* Madrid, Alianza, 1973, págs. 20-21. La reflexión corresponde a Ribeyro, pero la mayoría de los autores se expresa en parecidos términos.

[13] (Me valgo del término, sin discutirlo, como marco para el estudio de la obra de Ribeyro, sin olvidar que la suya es una trayectoria literaria cumplida en soledad y fuera del Perú.) Generación formada, comenta Miguel Gutiérrez, por un «conjunto de intelectuales y artistas nacidos mayoritariamente en el seno de la pequeña burguesía entre 1920 y 1935. Esta generación que empieza a producir alrededor de 1945, adquirirá una determinada conciencia histórico-política en los años de la dictadura de Odría y (...) pasará a la acción histórica a través de la experiencia guerrillera que marcará su plenitud y su crisis más profunda como movimiento generacional». En *La Generación del 50: un mundo dividido,* Lima, Labrusa, 1988, ensayo al que puede acudirse para una visión de conjunto acerca de la poesía y la narrativa del grupo.

[14] «Espacio natural y espacio social: Ficciones», en su *Cultura y modernización en la Lima del 900,* Lima, CEDEP, 1986, págs. 163-207.

precedentes de la labor que realizarían los cultores del neo-rrealismo urbano de los 50, ahora con un instrumento más analítico y objetivo. Las transformaciones de la capital invalidan por entonces el énfasis lírico tanto como la visión desproblematizada del criollismo[15], imponiendo una nueva forma de representación.

En 1948, la breve experiencia democrática del gobierno de Bustamante se ve bruscamente interrumpida por el golpe de estado del general Odría. La desarticulación política emprendida por el régimen, la práctica desaparición de toda producción cultural y el inmovilismo social son signos caracterizadores de los años turbios del período odriísta, retratados, junto con todo un mundo de violencia soterrada, en *Conversación en la Catedral*. «Salud, educación y trabajo» se convierte en el lema de turno del nuevo gobierno. Con ayuda de capital nacional y extranjero se inician una serie de modernizaciones que, continuadas luego bajo el gobierno de Prado, habrían de alterar la faz urbana. Los habitantes de la capital asisten, asombrados, a las rápidas mutaciones de la ciudad. Lima se convertía no sólo en el núcleo más importante del país, sino también en el objetivo de fuertes corrientes migratorias provincianas, atraídas por ese espejismo de bonanza que producen las medidas del gobierno. Muchos de estos hombres, como aquel protagonista de *Lima, hora cero* de Congrains Martín, soñarían con conquistar una ciudad que muy pronto demostró no tener sitio para ellos. Así, los algo más de 600.000 habitantes que el censo demográfico da para 1940, se han triplicado sólo veintiún años más tarde. Como es obvio, tal explosión demográfica no podía llevarse a cabo sin grandes costes e iniquidades sociales.

La capital se desborda progresivamente para acoger a toda esta masa de trabajadores que, tras ocupar todos los espacios

---

[15] Los costumbristas, esos «próceres del limeñismo», anticipan la obsesión que hará de Lima, en el siglo XX, un espacio saturado de textos: desde *Una Lima que se va* (1925), de José Gálvez, hasta la mirada mucho menos complaciente de Salazar Bondy en *Lima la horrible* (1964) —por no citar sino dos de los títulos más significativos. Véase el exhaustivo catálogo incluido por Fernando Iwasaki en «De la *Arcadia* colonial a la arcada *colonial*», en *El descubrimiento de España*, Oviedo, Ediciones Nobel, 1996, págs. 102-105.

22

habitables —y hasta inhabitables— de la capital, se desplazan hacia su periferia: nacen las barriadas, los «cinturones de miseria». Esta nueva y convulsa realidad no podía dejar de convocar a toda una generación de escritores: había que describir todo aquel panorama y sus innumerables consecuencias: el hambre y la miseria, la delincuencia juvenil, el desempleo, la imposibilidad de acceder a la educación, los conflictos raciales y culturales. El fenómeno se interpreta muy pronto como una agresión y, desde las columnas de los periódicos, se alzan voces alarmadas ante la «invasión». La que fuera en otro tiempo «ciudad jardín» se metamorfoseaba en ciudad marginal.

Los narradores de la generación del cincuenta parecen incluso proceder a una cierta parcelación de la realidad. Las miradas de Congrains, Reynoso y Ribeyro —éste en sus primeros relatos— exploran el mundo de las barriadas, de los jóvenes a un paso de la delincuencia[16]. Otros escritores (pertenecientes a la mediana burguesía o vinculados a la rama aristocrática), Salazar Bondy, Loayza, Vargas Llosa y el ya mencionado Ribeyro, acogen en sus páginas la problemática de la clase media peruana donde también son más «los náufragos que los sobrevivientes». Estos textos alcanzan a esbozar un cierto mapa social de la ciudad de Lima —aunque incompleto, pues los barrios aristocráticos de Miraflores y San Isidro habrán de esperar la mirada poco complaciente de Bryce.

Por lo demás no puede tampoco afirmarse, sin entrar a hacer distingos, que la generación del cincuenta descubre la ciudad para la literatura. ¿Qué ciudad? El personaje típico de las obras de la generación del cincuenta es el marginal; pertenezca a la clase media o al proletariado más empobrecido (y ni siquiera es del todo correcto hablar en términos de clase), su cualidad esencial es la de estar desplazado, disgregado. Si la tradición indigenista, con su grito denunciador de la «trilogía

---

[16] Debe anotarse la preferencia, en estos neorrealistas urbanos, por el género cuento. Lo explican razones de diversa índole: preferencia personal, dificultades editoriales, urgencia por denunciar las profundas iniquidades derivadas del acelerado proceso modernizador o su falta de vocación totalizadora, lo que les llevó a incidir sobre pequeñísimos sectores de la realidad. Para algunos de ellos el cuento no será sino una escala antes de embarcarse en travesías más largas; otros, como Ribeyro, encontrarán en él la forma óptima del decir.

embrutecedora del indio», se había empeñado en retratar al personaje en cuanto arquetipo social, ahora las figuras se desligan de lo grupal, no resultan paradigmáticas.

Esta modernización vertiginosa pero epidérmica de la infraestructura social coincide con la preocupación por la teoría y la práctica de las nuevas técnicas literarias. Se trataba entonces de «Reflejar la nueva realidad peruana mediante agudas incisiones psicológicas o por el uso de novedosísimas técnicas literarias como el monólogo interior, los diálogos superpuestos, los avances y retrocesos en el tiempo y la variedad de puntos de vista en la narración»[17]. Acaso todo ese mundo convulso, al que urgía describir en sus contradicciones e iniquidades profundas, exigiera unas nuevas arquitectura y «tecnología» narrativas. Junto a todo esos cambios de orden interno debe anotarse también el incentivo que supondría para ellos la lectura de la mejor narrativa del siglo XX. Las obras de Joyce, de Faulkner, de Sartre o Kafka circulan por Lima desde fines de la década de los cuarenta. «Fuimos empedernidos lectores de novela —ha comentado el historiador Pablo Macera— porque eran los únicos libros que Odría dejaba importar». El magisterio que con justicia más se ha destacado, es el de Joyce. Con él aprenderán el ideal de la «objetividad» (un naturalismo al servicio de una intención estética), el trabajo obsesivo de la cláusula o la complejidad del punto de vista. En la interpretación crítica que de toda esta asimilación propone Carlos Eduardo Zavaleta[18], uno de los integrantes de la generación, se insiste en cómo todo este instrumental sirvió para liquidar el presunto esquematismo de la literatura indigenista anterior. Como había hecho Carlos Fuentes en *La nueva novela latinoamericana*, Zavaleta parece proceder a una descalificación sistemática de la tradición, vista sólo como «rudimentaria antesala a la madurez», como si «el pasado fuera la

---

[17] Washington Delgado, «Julio Ramón Ribeyro en la Generación del '50», en Néstor Tenorio Requejo (ed.), *Julio Ramón Ribeyro: El rumor de la vida*, Lima, Arteidea Editores, 1996, pág. 115.

[18] «Narradores peruanos: La generación de los 50. Un testimonio», en *XVII Congreso del Instituto Internacional de Literatura Iberoamericana*, Madrid, 1978, págs. 1021-1031.

patria de los primitivos»[19]. La actitud de Ribeyro hacia esta parafernalia técnica resulta en sí misma bastante elocuente. Quien en el primer número de la revista *Cuadernos semestrales del cuento*, publicara «Los predicadores» («verdaderamente Joyce puro», a decir de Zavaleta), se dedicará pronto a confirmar su laureado título de mejor narrador peruano del siglo XIX.

Lima la horrible

El calificativo de Ribeyro como narrador urbano exige alguna precisión. En primer lugar su obra recrea también otros escenarios (la sierra peruana, la selva, distintas ciudades europeas), y, más importante aún, el espacio constituye en sus relatos sólo el marco en que se desarrolla la narración.

Desde «Lima, ciudad sin novela», artículo publicado en 1953, Ribeyro llamaba la atención sobre la necesidad de que los novelistas volvieran su mirada al escenario citadino. ¿Ha logrado nuestro autor constituirse a partir de sus novelas y cuentos como el mentor que Lima reclamaba? La respuesta es positiva y negativa a un tiempo. A pesar de ser éste el escenario más reiterado en sus narraciones, no parece comparable con las tentativas de un Joyce, un Dos Passos o un Döblin. Además de no existir en él pretensión totalizadora alguna, sentimos que su interés se desplaza hacia otro polo. Se ha notado cómo la narrativa ribeyriana es el ejercicio repetido de una preocupación por los seres marginales, desplazados, excéntricos. Pueden pertenecer al mundo de las barriadas, moverse en ambientes aristocráticos o medianamente burgueses, pasear por las orillas del Támesis o del Rímac... no es eso lo que importa: el espacio resulta pocas veces condicionante. En suma, hay una imagen de Lima que se asoma en estas páginas, pero no es la consistencia de la urbe lo que ha intentado dibujar el autor.

---

[19] No hago sino reseñar parte de la atinada reflexión de Peter Elmore en *Los muros invisibles. Lima y la modernidad en la novela del siglo XX*, Lima, Mosca Azul Editores, 1993, págs. 43-51. A él corresponden las frases entrecomilladas.

El espacio en que transcurren los relatos ha permitido una clasificación de su narrativa breve en cuentos peruanos y europeos. *Los cautivos,* aparecido en 1972 e integrado por diez relatos, es el único de sus volúmenes que se desarrolla totalmente en Europa. Conviene añadir que la imagen de Lima fijada en la obra de Ribeyro es la de la urbe que él conoció hasta los años 50. (Otra vez el anacronismo como pecado menor de quien nunca se sintió seducido por el canto de sirena de la actualidad.)

La publicación de *Los gallinazos sin plumas* en 1955 vino a cancelar definitivamente aquella famosa deducción de Valdelomar, en la que se terminaba reduciendo el Perú a un salón afrancesado. No, Lima ya no era más el «Palais Concert», sino, más bien, las barriadas, los miles de inmigrantes que, en busca de la *tierra prometida,* avanzaban hacia la ciudad, cercándola. Chozas de estera, callejones oscuros, gigantescos basurales constituyen los escenarios de sus primeros relatos. Además de este común signo topográfico, los cuentos exhiben otros trazos coincidentes, entre los cuales nos interesa destacar uno que habría de hacerse extensible a toda su producción posterior: la ausencia de descripciones exhaustivas que delimiten claramente los espacios donde la historia se desarrolla. Ribeyro ha manifestado en varias ocasiones su aversión por los datos demasiado explícitos, «por la manía de la localización excesiva»[20]. De ahí que los ambientes queden, más que presentados, sugeridos, con apenas los datos necesarios para que el lector pueda reconstruirlos. Desde el primer cuento, el que da título a la colección, nos damos cuenta de que Ribeyro está interesado sobre todo por las figuras que se mueven en la bruma limeña:

> A las seis de la mañana la ciudad se levanta de puntillas y comienza a dar sus primeros pasos. Una fina niebla disuelve el perfil de los objetos y crea como una atmósfera encantada.

---

[20] Luder lo expresa sin remilgos: «—Cuando a Balzac le entra la manía de la descripción —observa un amigo— puede pasarse cuarenta páginas detallando cada sofá, cada cuadro, cada cortina, cada lámpara de un salón.

—Ya lo sé —dice Luder—. Por eso no entro al salón. Me voy por el corredor.» *Dichos de Luder,* ed. cit., pág. 15.

> Las personas que recorren la ciudad a esta ahora parece que
> están hechas de otra sustancia (...),

y continúa luego con la presentación de quienes animan el lugar en esa mañana incierta. Más aún, la ciudad es captada a
través de un prisma poético que la desrealiza, preparándonos
para la sobrecogedora personificación final: «despierta y viva,
abría ante ellos su gigantesca mandíbula». Este perfil desdibu-
jado constituye el signo caracterizador de la mayoría de sus
narraciones. Aunque ello favorece la universalización de los
conflictos, no parece ser ésta la causa de una estrategia que correspondería, más bien, a la importancia concedida a la sugerencia, a lo no acabado de decir.

Tal vaguedad no impide, sin embargo, esbozar una carto-
grafía de las calles y suburbios de la capital a partir de algunos
cuentos. Pero en Ribeyro las descripciones no constituyen
nunca un «lujo» de la escritura —en el sentido explicado por
Barthes. Así, en ciertos «relatos itinerantes» como «Explicación...» el recorrido puntuado de referencias geográficas, marca la duración del relato; en otros, el espacio deviene metáfora de fronteras sociales, como en «Dirección equivocada». Ramón, «detector de deudores contumaces» comprende, en su
paseo por Lince, cómo hasta en los barrios pobres existían categorías: «tuvo la evidencia de estar hollando el suburbio de
un suburbio». Las reflexiones del protagonista preparan el final sorpresivo del cuento: después de encontrar el domicilio
del deudor y de entrever a la mujer de éste en la ventana, anota en su informe «Dirección equivocada». Este inesperado
cambio de actitud quizá no se deba, como quiere aparentar el
personaje, al hecho de que «aquella mujer era un poco bonita», sino a la progresiva toma de conciencia social que el lector ha podido seguir a través de sus apreciaciones. En las descripciones del narrador de «Tristes querellas en la vieja quinta»
pronto apreciamos el intento de asociar la decrepitud y progresiva ruina del lugar con la de los personajes. El espacio se
vuelve manera indirecta de aludir a la relación entre los dos
viejos: su rivalidad, su decadencia y su desaparición.

La voz de los personajes ribeyrianos se detiene a menudo
en denunciar la transformación urbana de la capital, ese «ur-

27

banicidio» premeditado y alevoso: la demolición de las viejas casonas limeñas, la tala de los eucaliptos, la conversión de viejos balnearios en barrios ruidosos. «Lima ha ganado en civilización pero se ha despoetizado», como diría Ricardo Palma:

> No pasaba un día sin que cayera un solar de la colonia, un balcón de madera tallada (...). Por todo sitio se levantaban altivos edificios impersonales, iguales a los que había en cien ciudades del mundo. Lima, la adorable Lima, de adobe y madera se iba convirtiendo en una especie de cuartel de concreto armado («Dirección equivocada»).

> Todo el balneario había además cambiado. De lugar de reposo y baños de mar, se había convertido en una ciudad moderna, cruzada por anchas avenidas de asfalto. Las viejas mansiones republicanas de las avenidas Pardo, Benavides, Grau, Ricardo Palma, Leuro y de los malecones, habían sido implacablemente demolidas para construir en los solares edificios de departamentos de diez y quince pisos (...) («Tristes querellas en la vieja quinta»).

Tales comentarios resultan tanto más significativos en unas narraciones que no conceden a la descripción sino un papel irrelevante. ¿Cómo no vincularlos con el discurso de la Lima tradicional que elaboraron García Calderón, Gálvez o Porras Barrenechea, todos desde una perspectiva aristocrática que les lleva a percibir la historia como degradación permanente?[21]. Pero no sería justo asimilar a Ribeyro a este conservadurismo, pues en su obra los conflictos sociales no se neutralizan y la Lima tradicional queda finalmente desenmascarada en su férrea jerarquía social. Importa más indagar en la visión del mundo que sustenta dicha actitud: la pérdida de espacio vital, el desarraigo, la conciencia de habitar un centro fluctuante, el sentimiento de vacío. Puede interpretarse en otro sentido lo que antes considerábamos actitud «pasatista» y «reaccionaria», si pensamos que

---

[21] Compárese la semejanza «espiritual» del discurso de Porras Barrenechea, en 1953, que terminaba en quejosa letanía: «De los alcaldes, de los terremotos y de los urbanizadores, líbranos Señor.» En Julio Ortega, *Cultura y Modernización en la Lima del 900*, ed. cit., págs. 42-49.

Las protestas y quejas que se levantan entonces contra la destrucción del patrimonio urbano no son solamente una reacción conservadora que se opone a toda modificación del status quo; por el contrario revelan el desasosiego provocado por una comunicación interrumpida[22].

Comprendemos entonces que esa mutilación urbana constituye un recorte en la identidad del individuo. Revela una parte de sí mismo, perdida ya e irrecuperable. La mirada nostálgica deviene mecanismo defensivo ante una realidad (urbana pero, sobre todo personal) cada vez más degradada.

Los eucaliptos, como las grandes casas coloniales, están ligados al espacio de la infancia. En el cuento que lleva su nombre, el protagonista asiste mudo, sobrecogido, a su destrucción: «Nosotros, los que durante quince años habíamos crecido a la sombra de aquellos árboles (...) vimos caer uno tras otro aquellos troncos.» Las ramas de los eucaliptos están preñadas de ecos de la infancia, de trazas de sí mismo. Su majestad resalta aún más en una narrativa urbana en la que la naturaleza no se ofrece sino como pálidos simulacros: los geranios cultivados en macetas, los jardines particulares. Naturaleza menor, civilizada, sobre la que también se cierne la amenaza de la decadencia.

Cuando en sus *Relatos santacrucinos* vuelva Ribeyro sobre este espacio rememorado, la actitud será menos lírica, más reflexiva:

> Es bueno recordar que Lima era entonces una ciudad limpia y apacible, de apenas medio millón de habitantes, rodeada de huertos y cultivos («Mayo 1940»).

> Muchos años más tarde, en uno de mis esporádicos viajes al Perú, me aventuré por el Jirón de la Unión, convertido ya en calle peatonal atestada de ambulantes, cambistas, vagos y escaperos («Atiguibas»).

> A comienzos del setenta regresé a Lima, luego de diez años o más de ausencia. La ciudad, el país, se habían transformado, para bien o para mal, ése es otro asunto («La música, el maestro Berenson y un servidor»).

---

[22] Citado por Ortega, *op. cit.,* págs. 56-57.

Los relatos están narrados desde una perspectiva contemporánea que registra el cambio y se inhibe de emitir explícitos juicios de valor, como si aceptara esa transformación. En todo caso, la nostalgia tiene que ver aquí no tanto con el espacio como con el tiempo: la cuota de Ribeyro a la sempiterna metáfora del paraíso perdido de la infancia:

> Las mariposas de nuestra infancia han regresado en este ardiente verano (...). Aleteaban entonces en jardines y calles de Miraflores y nosotros, crueles mocosos, las perseguíamos por los potreros (...). Pero no sólo las mariposas han regresado en este ardiente verano, también los ecos y espectros de años igualmente tórridos: placeres y juegos de nuestra niñez, ensueños y presagios, trajes de organdí con sus muchachas muertas, rumores y músicas de esos tiempos («Mariposas y cornetas»).

ÉRASE UNA VEZ... UN CUENTO

> convencido de que empleo un género muerto. Serán pues, curiosidad, puro anacronismo, entrega a los cada vez más raros lectores de relato corto.

Con la publicación del cuarto volumen de *La palabra del mudo* venía a culminar Ribeyro cuarenta años de experiencia como autor de cuentos. Frente a esta pasión sostenida, un amor fechado «entre los 27 y los 37 años: mi década de novelista». A pesar de esta empecinada labor como cuentista parece no haberse despojado del todo de la idea del cuento como «género menor»[23], donde, sin embargo, él ha orquestado sus

---

[23] Actitud no exclusiva de Ribeyro entre los narradores, como subraya Luis Bocaz:. «Llama la atención (...) el papel desmedrado del género en manuales de historia y teoría literarias en un continente donde sobran muestras de su calidad (...) y más allá de los manuales sorprende (...) que este criterio de jerarquía de géneros invada las convicciones de los propios creadores de manera visible o encubierta» («El cuento como producción cultural: Subordinación y autonomía del género», en *América. Cahiers du CRICALL*, núm. 2, París, 1986, pág. 97).

mejores piezas. Así se desprende al menos de las reiteradas alusiones a novelas inconclusas, a ensayos frustrados de ejercitarse en la «carrera de fondo». A finales de la década de los 70, anota en su diario:

> ¿Qué hacer ahora, me pregunto? (...) Estoy seguro que podría «fabricar» diez o veinte más [cuentos] de la misma factura, pero serían variaciones sobre el mismo tema, en una palabra, virtuosidad. ¿Es un defecto esto? No enteramente, pero, a mí en particular, me causa desasosiego. (...) Tal vez es inútil pensar en empresas más vastas. Corredor de cien metros planos, no te inscribas en la próxima maratón[24].

La frustración quizá viniera de su admiración por los grandes realistas franceses, capaces de rivalizar con el registro civil; o de esa tonalidad suya de escritor reflexivo y humanista, atraído por la idea de levantar un «fresco» representativo de la sociedad. Pero, junto a estas confesiones, encontramos otras que confirman la *naturalidad* de la elección:

> Yo veo y siento la realidad en forma de cuento y sólo puedo expresarme de esa manera. En otras palabras mi inteligencia está dispuesta de tal manera que todos los datos que percibo se ordenan de acuerdo a cierto molde interior —¿categorías?— cuya estructura no puedo modificar. De allí que hasta el momento no pueda escribir novelas, poemas ni piezas dramáticas y cuando lo he intentado he conseguido sólo cuentos deformados *(Diario, I, pág. 76)*.

Aprehender la vida en formato de cuento, entrar a la historia por la puerta pequeña: la anécdota, el instante trascendente o banal, resquicios por donde deambulan humildes perso-

---

[24] En octubre de 1977 anota otra vez su frustración: «Todos o casi todos los escritores de mi generación han escrito su gran libro narrativo, que condensa su saber, su experiencia, su técnica, su concepción del mundo y la literatura. Vargas Llosa *La casa verde*, Roa Bastos *Yo el Supremo*, Carlos Fuentes *Terra Nostra*, García Márquez *Cien años de soledad*, Donoso *El obsceno pájaro de la noche*. Sólo yo no he producido un libro equivalente y a los cuarenta y ocho años no creo que lo pueda producir. La obra vasta y compleja, densa y sinfónica, está fuera de mis posibilidades.» *Diario*, III, pág. 171.

najes desdichados. Y es que las novelas, como recuerda Umbral, «han de estar hechas inevitablemente, de grandes pasiones, de crímenes y castigos, de humillados y ofendidos, de rojo y negro»[25]. Pero además, esta visión de la existencia como un conjunto de cuadros fragmentados, sin unidad, nos remite a la concepción que Ribeyro tiene de la historia: una totalidad disgregada cuyas reglas se hubieran extraviado, una vez, en el comienzo. Cuando reflexiona sobre las relaciones entre la historia (con mayúsculas) y la literatura, cree ver en el lector de novelas la búsqueda de un destino coherente, explicado, lógico «y como la historia presenta pero no explica no le queda más remedio que recurrir a la novela, donde los hechos tienen una motivación» *(Diario,* I, pág. 125).

Suele aludirse al cuento como periférico, fronterizo, para señalar enseguida la discriminación de un género «marginalizado o abandonado desde fines del siglo xix en Europa, o más recientemente, en países donde gozara de una gran popularidad, como España y Estados Unidos»[26]. Una de esas raras coincidencias que hace feliz a la crítica: Ribeyro, narrador de *outsiders* y desencantados, marginal él mismo, abocado, díríase por elección fatal, al mentado género menor[27].

Curiosamente, sin embargo, el interés teórico de Ribeyro se ha dirigido siempre a las novelas y, desde muy pronto «crítico practicante», hace gala de sus lecturas y de su interés por

---

[25] En *Teoría de Lola* (Barcelona, Destino, 1977), Umbral se refiere precisamente a la imposibilidad de seguir escribiendo «grandes novelas». En cambio, el cuento «se correspondería mejor con la idea fragmentaria, relativa, inconexa, que tenemos hoy de la existencia» (págs. 10 y 11).

[26] Fernando Aínsa, «Un pájaro barroco en una jaula geométrica», en *Palinure,* núm. 2, París, 1986, pág. 3.

[27] Casi estaría tentada de hablar de Ribeyro como cuentista por temperamento. En sus diarios le oímos reprocharse por su falta de paciencia y disciplina, por su dispersión y desorden; hasta por su peculiar vivencia del tiempo: una desconfianza en el futuro que lo disuadía de emprender empresas más vastas.

En relación con la preferencia no ya personal, sino continental por el cuento en Hispanoamérica, véase la discutible pero sugerente reflexión de Jorge Edwards: «La pasión por el cuento en América Latina. Tiempo, destino y escritura», en *Revista Mensaje,* Santiago de Chile, núm. 277, marzo-abril, 1979, págs. 152-154.

auscultar los procedimientos narrativos. Así en «Del espejo de Stendhal al espejo de Proust», donde examina la noción de prisma, del escritor como espejo refractante de la realidad; o «En las alternativas del novelista», donde se traza una evolución del género desde los realistas franceses. En su *Diario* anota una espléndida definición: «una novela no es como una flor que crece sino como una flor que se talla. Ella no debe adquirir su forma a partir de un núcleo, de una semilla, por adición o floración, sino a partir de un volumen herbóreo, por corte y sustracción». Por contra, en sus relatos él procede desde las unidades más pequeñas (la palabra, la cláusula) hasta un todo mayor: el párrafo, el cuento, el libro.

Con motivo de la reedición de *La palabra del mudo*, Ribeyro, que nunca gustó de pontificar en materia artística (ni en ninguna otra), esbozaba una poética del cuento enumerando algunos preceptos que transcribo:

1. El cuento debe contar una historia. No hay cuento sin historia. El cuento se ha hecho para que el lector a su vez pueda contarlo.
2. La historia del cuento debe ser real o inventada. Si es real debe parecer inventada y si es inventada real.
3. El cuento debe ser de preferencia breve, de modo que pueda leerse de un tirón.
4. La historia contada por el cuento debe entretener, conmover, intrigar o sorprender, si todo ello junto mejor. Si no logra ninguno de estos efectos no existe como cuento.
5. El estilo del cuento debe ser directo, sencillo, sin ornamentos ni digresiones. Dejemos eso para la poesía o la novela.
6. El cuento debe sólo mostrar, no enseñar. De otro modo sería una moraleja.
7. El cuento admite todas las técnicas: diálogo, monólogo, narración pura y simple, epístola, informe, *collage* de textos ajenos, etc., siempre y cuando la historia no se diluya y pueda el lector reducirla a su expresión oral.
8. El cuento debe partir de situaciones en las que el o los personajes viven un conflicto que los obliga a tomar una decisión que pone en juego su destino.
9. En el cuento no puede haber tiempos muertos ni sobrar nada. Cada palabra es absolutamente imprescindible.

33

10. El cuento debe conducir necesaria, inexorablemente a un sólo desenlace, por sorpresivo que sea. Si el lector no acepta el desenlace es que el cuento ha fallado[28].

Innecesarios, como todos los preceptos, éstos de Ribeyro tienen al menos el mérito de reírse de sí mismos, porque, como imprescindible colofón del decálogo, añade un último consejo: transgredirlo regularmente. Fácil es reconocer detrás de su propuesta la concepción clásica, repetida desde Poe hasta Quiroga y Cortázar: el cuento debía ser flecha que avanzara certeramente hacia el objetivo. Todo en su estructura —cada palabra, cada núcleo— ha de tender al efecto buscado, de donde se suceden dos de sus rasgos más repetidos, la tensión y la intensidad: una historia despojada de elementos superfluos. Todo ello hace del cuento ese «hermano misterioso de la poesía» que quería Cortázar, señalando la comunidad de ambos en su forma de operar sobre la realidad, en la revelación de sus intuiciones. Si el universo del poema es el de la palabra única e incontestable, al relato se llega también tras esa misma búsqueda de exactitud, palabra preñada de significados que dice tanto como sugiere, que proclama y a la vez esconde, ofreciéndose y negándose al mismo tiempo. En sus diarios se reconoce Ribeyro dotado de interés mas no de talento para la poesía; quizá su caso no ande lejos de lo sugerido por Baquero Goyanes:

> Se diría que para algunos escritores el cuento es el género sucedáneo de la poesía (...) ¿Hay en el creador de cuentos una capacidad irónica, un *sui generis* sentido del humor, una peculiar ternura que le impiden el pleno vuelo lírico y le incitan a ese otro escape de apariencia realista, tantas veces, pero de intención poética, que es el cuento?[29].

---

[28] Reproducido en Tenorio Requejo (ed.), *Julio Ramón Ribeyro: El rumor de la vida,* ed. cit., pág. 33. En alguna otra ocasión había apuntado Ribeyro esta poética: «mi concepción técnica de considerar el cuento como una unidad de tiempo, lugar y acción. Esto tiene por objeto evitar la dispersión del relato y lograr una especie de "condensación dramática"». *Diario,* I, pág. 61.

[29] En José Luis González (ed.), *Papeles sobre el cuento español contemporáneo,* Pamplona, Hierbaola Ediciones, 1992, págs. 26-27.

Sólo que donde el poeta nos ofrece la visión del mundo que percibe su *yo*, el autor de cuentos es un ser proteico, conformado por multitud de voces:

> [el estado de ánimo] que me sienta frente a mi máquina: insatisfacción, aburrimiento, deseo de ceder la palabra al otro o a los otros que hay en nosotros mismos, asumir nuestras personalidades ovulares o rechazadas y darles momentáneamente vida, al fin de cuentas desdoblarnos o multiplicarnos en el espejo de nuestra fantasía *(Diario,* II, págs. 228-229).

Me detendré a examinar dos de los puntos del decálogo, referidos al cuento como captador de un instante fundamental en la existencia del personaje y al desenlace sorpresivo.

En un primer momento sus relatos breves traducen la tesis de que el cuento debía ser un fragmento y no un resumen de la existencia:

> En esta época yo concebía el cuento como un corte en la historia de una vida humana. Escogía el momento más dramático, aquel en que mis protagonistas llegaban al punto culminante de sus vidas. Este conflicto yo lo presentaba sin comentarios, sin explicar lo que había sucedido antes, sin precisar lo que ocurriría después.

A partir de *Silvio en El Rosedal,* sin embargo, Ribeyro nos entrega más bien historias a través de las cuales seguimos el destino de sus personajes. Curiosamente este tipo de narraciones podrían relacionarse con algunos de los cuentos que corresponden a su prehistoria literaria («La vida gris»). Hablando acerca de *Los gallinazos sin plumas,* comentaba:

> (...) en ese libro me propuse referir en cada relato la historia de una decisión. Los cuentos que yo había escrito antes eran en realidad resúmenes de una vida. Y entretanto me di cuenta que lo importante no era resumir una vida, lo que en realidad era escribir una novela comprimida, sino escoger de cada vida el momento más importante, el momento álgido, en el cual se decide el destino[30].

---

[30] En Wolfgang Luchting, *op. cit.,* págs. 353-354. «La vida gris», que responde al esquema criticado por Ribeyro, fue publicado en Lima, en la revista

Estos nuevos relatos distan de ser novelas resumidas; la diferencia estribaría en la amplitud temporal ya que, al margen de este *tempo* dilatado, encontramos todavía la famosa unidad de acción: relato de un personaje y de un momento crucial en su existencia. Así, la llegada de Doña Pancha que viene a alterar la confortable y estéril rutina de Don Memo, la herencia de El Rosedal que enfrenta a Silvio con su destino o el viaje de Huamán y su trágico fin. A propósito de «La juventud en la otra ribera» puede hablarse del tránsito desde el cuento a la *nouvelle*, sobreentendiendo que se trata de cuentos largos, no de cuentos «dilatados» a partir de digresiones o elementos accesorios. En ellos todo continuaría siendo sustantivo. Si, como quería Azorín, el cuento es a la prosa lo que el soneto a la poesía, no hay duda de que «La juventud en la otra ribera» sigue siendo un soneto.

Sí debe resaltarse cómo en los dos últimos cuentos citados la ampliación de la materia narrativa trae consigo algún cambio más sustancial: el tratamiento del tiempo y del personaje tiende a postular un sentido metafórico, casi de parábola. En vez de actuar, conforme a la metáfora cortazariana de la fotografía, como una imagen capaz de provocar una *apertura* en el lector, el cuento se erige con vocación de esfera perfecta y conclusa, *representa*, en lugar de presentar.

La preceptiva clásica señalaba la necesidad de concentrarse en un sólo personaje dentro de un episodio único, especialmente revelador. El momento de crisis implicará a menudo una toma de conciencia o un cambio de actitud. En muchos de los relatos de Ribeyro se encuentra ese final «epifánico» del que hablara Joyce. El desenlace de «Silvio...» resulta paradigmático de tal revelación, pero casi nunca sabemos qué ocurre con el personaje después de ella. En *«Terra incognita»* la aventura frustrada del Doctor termina trastocando toda su existencia: «en el interior, su propia efigie. Pero ya no era la misma» en «Explicaciones...» Pablo se ve forzado a encarar la realidad al llegar a la comisaría. El final de «Por las azoteas» enfrenta a muchacho narrador con la marginalidad y la crueldad de la

---

Correo Bolivariano (noviembre de 1949). Ninguno de los otros cuentos «primerizos» se adapta a ese esquema.

existencia, pero ignoramos si en el futuro se decantará hacia el espacio del deseo (la transgresión del marginal) o hacia el normado y rutinario de los bajos. «El profesor suplente» muestra otro de esos dolorosos relámpagos de conciencia: Matías trata primero de engañar a su esposa,

> —¡Magnífico!... ¡Todo ha sido magnífico! —balbuceó Matías—. ¡Me aplaudieron! —pero al sentir los brazos de su mujer que lo enlazaban del cuello y al ver en sus ojos, por primera vez, una llama de invencible orgullo, inclinó con violencia la cabeza y se echó decididamente a llorar.

Pero al final no puede sino reconocer su fracaso.

Otras veces este momento de crisis es percibido como crucial sólo por el lector, como en «El primer paso», donde Danilo no advierte las consecuencias funestas de su ingreso en la cofradía de los pillos. O, sencillamente, el personaje se resiste a incorporar esa revelación a su conciencia; así, en «Espumante en el sótano» donde vemos al personaje oponerse a abandonar el resto de dignidad que le concede su mundo ilusorio, a pesar de su clarividencia anterior:

> Aníbal, nuevamente solo, observó con atención su contorno: el suelo estaba lleno de colillas, de pedazos de empanada, de fragmentos de una copa rota. Nada estaba en su sitio. No era solamente un sótano miserable y oscuro, sino —ahora lo notaba— una especie de celda, un lugar de expiación.

Después de lo cual la sorpresa del desenlace estribará precisamente en la negación de ese momento climático. La anagnórisis ha sido efímera o inútil: nada alterará el rumbo de su anodina existencia.

Repitiendo a Chejov, había mencionado Ribeyro alguna vez la necesidad de prescindir del comienzo y el final para quedarse con lo mejor del cuento; pero en casi todos los suyos nos encontramos esta tendencia a la conclusividad, que puede ser sugerida o, en ocasiones, demasiado explícita. «La casa en la playa» narra la búsqueda de un lugar apartado e ideal por parte de dos amigos que han sentido «el llamado del desierto». El cuento se cierra con un diálogo:

37

—¡Iremos esta vez hacia el norte! —dijo Ernesto eufórico—. Me han hablado de lugares increíbles. Iremos caleteando. No puede ser posible que no exista un lugar, nuestro lugar.

—¿Y si no lo encontramos?

Ernesto quedó pensativo.

—¿Qué importa? —dijo muy serio—. Si no encontramos la playa desierta, nuestra casa sólo existirá en nuestra imaginación. Y por ello mismo será indestructible.

Así se explica también su tendencia a los desenlaces que culminan en una frase o epifonema: «El resto naufragó, como la vida, como quienes abrigan la quimera de que nuestros objetos, los más queridos, nos sobrevivirán» («El polvo del saber»); «Pero me consolé pensando que sólo tenían derecho a la decadencia quienes habían conocido el esplendor» («La música, el maestro Berenson y un servidor»). Gusto por el estilo lapidario, pero también, deseo de incorporar cierta trascendencia o universalidad a lo relatado. Y, si ésta se resiste, el rizo irónico:

> Y en cuanto al segundo piso del que habló papá, nunca se llegó a construir. Por eso nuestra casa, a pesar de estar terminada, nos dejó siempre la impresión de algo inconcluso, como este relato («Mayo 1940»).

NUNCA SE SABRÁ CÓMO HAY QUE CONTAR ESTO

> Literatura es impostura —dice Luder
> Por algo riman.

En la literatura realista del siglo XIX el narrador exhibía con descaro su presencia en el mundo relatado, ya fuera como organizador de la materia narrativa, ya en calidad de moralista y censor o comentador irónico, dado su conocimiento ilimitado del mundo ficcional. Después, la obra de James y de Flaubert modificarán de forma substancial el estatuto de la instancia narrativa: el primero con su incansable experimentación para fijar el «punto de vista» y lograr la caracterización del personaje desde dentro —desentronizada ya la omnisciencia; e

Cartel para el Homenaje a Julio Ramón Ribeyro celebrado en Madrid
en 1995, organizado por la Embajada del Perú en España.

segundo, a partir de su teoría de la transparencia y objetividad del narrador. La técnica narrativa contemporánea, partiendo de estos precedentes, tendió a escoger perspectivas de conocimiento cada vez más limitadas y, sobre todo, a ocultar esa primera fuente de donde emana el relato. El de Ribeyro, en cambio, es un arte que no duda en mostrar su máscara. Constatamos en él un consciente rechazo de todo esfuerzo por naturalizar la narración, por acceder a aquella casi mágica impresión de que la obra se cuenta a sí misma. Convencido de que la «literatura es afectación», renuncia de entrada a todo lo que, al querer dar la impresión de naturalidad, resulta «una afectación a la segunda potencia». Su retórica se configura entonces como una suerte de antirretórica, ocupada en diluir voluntariamente la pretendida «ilusión de realidad». A grandes rasgos podría afirmarse que la narrativa de Ribeyro, salvo unos pocos casos donde la historia coincide con el relato, es narración de hechos pasados. Del mismo modo la ocultación de la figura convencional del narrador resulta completamente ajena a su poética[31].

Esta preferencia por el discurso del narrador explica que, a partir de «Silvio en El Rosedal», cada vez haya en el texto menos lugar para el diálogo, imponiéndose la voz del relator sobre la de los protagonistas. El dominio del narrador se traduce entonces en su capacidad de resumir extensos períodos de tiempo, de anticipar o apuntar algún dato acerca del pasado del personaje: «Así pasaron algunos años, Silvio estaba ya plenamente instalado en la vida campestre.» Es sin duda lo más característico de esos «cuentos de procesos» que se inician a partir de *Silvio en El Rosedal,* donde el diálogo ha desaparecido casi por completo.

En principio, sus cuentos proponen como modelo un narrador «objetivo», «neutro», un tanto distanciado del universo

---

[31] La existencia de varios cuentos («Explicaciones a un cabo de servicio» «Las cosas andan mal, Carmelo Rosa», «Fénix» o «Los predicadores»), donde Ribeyro abandona su perspectiva tradicional no contradice, dado su carácter excepcional, el hecho de que la instancia narrativa esté presente, y a menudo puesta de relieve, en la mayoría de los relatos. Estos cuentos, de carácter experimental, pertenecen a una primera época.

revelado, sin que dicha objetividad implique un desprendimiento absoluto. Parece existir en Ribeyro una contienda, no siempre bien dirimida, entre un modo conductista de caracterizar al personaje y la imposible abdicación a explorar su mundo íntimo. El narrador observa y es un *mirón* no menos descarado que el de las novelas de Hemingway o Hammett, pero, al mismo tiempo, reflexiona para sí, induce máximas a partir del mundo referido, enuncia una serie de valoraciones que informan sobre todo de sí mismo. Antes que simple vehículo aséptico destinado a transmitir la historia, el narrador se manifiesta como conciencia subjetiva, con su propia experiencia del mundo[32]. En ocasiones, su tono sentencioso se pretende encarnación de un *yo* generalizado, el del *lugar común* («Pero más puede la curiosidad que el castigo»), del que no tarda en burlarse: «Pero, como es sabido, nada en esta vida está ganado ni adquirido. En el recodo más dulce e inocente de nuestro camino puede haber un áspid escondido.» Si la ironía se suspende, la proximidad entre la primera y la tercera persona empieza a resultar muy llamativa. Repárese, por ejemplo, en la comunidad de visión entre un comentario como «se abandonó a ese simulacro de felicidad que es la rutina», enunciado por el narrador impersonal de «Silvio...», y este otro, extraído de «La música, el maestro Berenson y un servidor»: «mi pasión musical (...) si no se extinguió, alcanzó una moderada quietud, a medio camino entre el deber y el aburrimiento. Probablemente éste sea el destino de todas las pasiones». La misma inclinación a lo reflexivo de un espíritu que adivinamos descreído, algo apático e irreverente: la voz del mudo.

Destaca también en su narrativa una tendencia curiosa a utilizar de forma ambigua la tercera persona, en realidad, una primera disfrazada. El narrador, aunque separado del univer-

---

[32] «Sin embargo, la función del "él" puede ser la de expresar una experiencia existencial. En muchos novelistas modernos la historia del hombre se confunde con el trayecto de la conjugación: a partir de un "yo" que es todavía la forma más fiel del anonimato, el hombre-autor conquista, poco a poco, el derecho a la tercera persona, a medida que la existencia se hace Destino y el soliloquio, Novela.» Roland Barthes, «La escritura de la novela», en *El grado cero de la escritura y otros ensayos críticos*, Buenos Aires, Siglo XXI, 1973, pág. 42.

so diegético, gusta de resbalar hacia una perspectiva interior, al punto de vista de alguno de los personajes. Así, en «Silvio en El Rosedal», va salpicando el relato de preguntas que parecen provenir directamente del protagonista: «¿Por qué, Dios mío, donde pusiera la mirada, veía instaurarse la descomposición, el apolillamiento y la ruina?» Tales *mudas* se justifican a veces por la pretensión de verosimilitud. El suicidio de Monsieur Baruch nos es contado desde una perspectiva omnisciente que se complace a menudo en instalarse en la conciencia del personaje; el desenlace, sin embargo, corresponde a una voz plural, la de los vecinos que descubren el cuerpo:

> Por eso es que a los tres días, cuando los guardias derribaron la puerta, lo encontramos extendido, mirándonos, y a no ser por el charco negro y las moscas hubiéramos pensado que representaba una pantomima y que nos aguardaba allí por el suelo, con el brazo estirado, anticipándose a nuestro saludo.

A partir de *Los gallinazos sin plumas*, el único de sus volúmenes de cuentos donde no se utiliza la perspectiva de la primera persona, todos los títulos posteriores incluirán relatos presentados por sus protagonistas (en primera persona singular o plural). Se trata, pues de una modalidad a la que el autor ha recurrido intermitentemente, sobre todo para aquellas narraciones cuyo carácter autobiográfico resulta evidente. Su consideración deviene fundamental para comprender la densidad de voces que conforman el entramado textual. Así en «Los eucaliptos», «Por las azoteas» o «El ropero, los viejos y la muerte» descubrimos una conciencia juvenil que empieza a explorar el mundo de los adultos; en «Al pie del acantilado» o «El chaco» la dimensión no es ya individual sino colectiva. (Ninguna protagonista femenina que sea portadora de su propia historia.) Lo realmente interesante es comprobar cómo, en cada uno de estos relatos, la voz del narrador se modula de acuerdo a las exigencias internas de la historia, cómo va llenándose de resonancias múltiples: el mundo de la niñez, el de la adolescencia, el ambiguo mundo de la locura, etc.

Excepcionalmente encontramos también en algunos de sus relatos el eclipse de la instancia narrativa en favor del discurso inmediato del personaje. Uno de estos ejemplos lo constituye «Explicaciones a un cabo de servicio», donde asistimos al monólogo de Pablo Saldaña mientras «acompaña» a un guardia a la comisaría. Lo objetivo y lo subjetivo aparecen en el discurso totalmente distorsionados. Su ininterrumpido acto de habla subraya a la perfección el conflicto esencial del personaje, su imposibilidad para distinguir la realidad del mundo de los sueños. Como consecuencia se superponen en el lector, distanciado y próximo a un tiempo, la simpatía y la conciencia de la alienación incurable del protagonista.

Tampoco puede hablarse estrictamente de monólogo interior en «Fénix», donde las distintas secuencias contribuyen al progreso de la acción. No estamos ante la visión prismática de un mismo hecho (como en «Los predicadores», escrito hacia la misma época), sino de un *continuum* en el que los narradores se fueran alternando. Con las voces de estos seis relatores el relato avanza y se adensa al mismo tiempo, a medida que cada uno de ellos recupera parte de su historia personal. La estrategia compositiva dota de un carácter muy dinámico al relato, pero, sobre todo, viene a subrayar la soledad esencial de los personajes, su incapacidad para el diálogo y la comunicación. El cuento empieza y termina con las palabras de Fénix, lo que potencia la impresión de circularidad, de universo cerrado del circo —un micromundo señalando a otro, el de la existencia toda. Una mirada algo más atenta revela que no se trata de la línea perfecta y negadora de la libertad, sino de una espiral: al final de la historia el héroe se ha rebelado contra el poder y corre con la vaga idea de construirse un nuevo mundo.

Finalmente puede aludirse a un grupo de cuentos, de evidente estructura dramática, en los que la acción se desarrolla a partir del diálogo. Pertenecen, salvo alguna excepción, a su primera época: *Cuentos de circunstancias* (1958) y *Las botellas y los hombres* (1964). La perspectiva del narrador resulta en ellos sumamente objetiva y realista y su discurso bien podría ser asimilado al de las acotaciones de una obra teatral («El tonel de aceite», «Vaquita echada»). La práctica desaparición del diálogo en los cuentos posteriores corresponde, como se ha visto, al deseo del autor de expresar la propia voz, pero también

43

a una cierta pretensión de «autenticidad». En carta a su hermano Juan Antonio confesaba Ribeyro su alejamiento de la realidad peruana y la dificultad por ello de lograr una recreación fiel de ese habla oral que exige el diálogo[33]. Con todo, en este desapego del consejo de Henry James («Dramatizad, dramatizad»), me inclino más bien a ver el reflejo de una conciencia sentenciosa y reflexiva que no renuncia a hacerse oír. En la lectura de *La palabra del mudo* como conjunto terminamos distinguiendo su voz casi mejor que ninguna otra, y evocando luego el *dictum* borgiano, aquello de que conocer una entonación, un lenguaje, una sintaxis, es haber conocido un destino.

LAS VOCES DEL MUDO

> El mudo en consecuencia, además de los personajes marginales de mis cuentos, soy yo mismo. Y eso quizás porque, desde otra perspectiva, yo sea también un marginal.

La literatura como «recomposición» de la realidad. En algunos escritores, como Vargas Llosa, el proyecto es ambicioso: levantar mundos paralelos, (des)ordenados y totalizadores como la realidad objetiva. En otros, sin embargo, el impulso remite de forma repetida a una misma parcela que no se quiere representativa sino marginal. Así, en Ribeyro cuya mirada, voluntariamente restringida, se detiene en existencias oscuras, como perdidas notas a pie de página de la historia universal. Unas veces el relato se hace cargo de su contexto social, en ac-

---

[33] Pérdida de contacto con el habla que Ribeyro sentía como un argumento más a favor de su regreso. En una entrevista concedida en junio de 1994 lo comentaba: «En mis viajes vacacionales a Lima me di cuenta que la gente hablaba de una manera diferente a como yo la había escuchado hablar en los cincuenta. (...) Y si uno intentaba hacer una literatura más o menos realista, como siempre he dicho yo, era necesario vivir, sentir y, sobre todo, conocer el habla del limeño. Mi proyecto final es radicarme en el Perú definitivamente.» En Ismael Márquez y César Ferreira (eds.), *Asedios a Julio Ramón Ribeyro,* Lima, Pontificia Universidad Católica del Perú, 1996, pág. 108.

titud testimonial, crítica y denunciadora; en otras ocasiones, el ejercicio de la escritura se complace en una vuelta hacia el yo, en una suerte de reconstrucción nostálgica del pasado personal. A este movimiento debe sumarse lo que Vidal ha llamado vertiente «desviatoria» de su narrativa[34] —la que, a partir de lo fantástico, llega a poner en duda la consistencia misma de lo real. Sin embargo, en la percepción de lo exterior y el repliegue hacia sí mismo, constatamos una sutil línea de continuidad. Ello ha permitido hablar de la narrativa ribeyriana como reiterado ejercicio en torno a un eje esencial, la dualidad oficialidad/marginalidad.

Un análisis temático de su obra descubre una variada problemática: la familia, el amor, la muerte, el conflicto entre realidad e ilusión, la frustración o la violencia. Lo que sorprende, y presta al conjunto una coherencia extrema, es la posible reducción de todos estos conflictos a una repetida inmersión en el universo de lo marginal. Tal elección implica ya una intencionalidad, apunta hacia una determinada visión del mundo. Si se acepta, con Sábato, que «los temas lo eligen a uno», en esa operación suya sobre la realidad trasuntamos una opción personal. El hombre marginal Ribeyro ha escogido personajes no integrados en el mundo oficial, para señalar el movimiento imposible de integración o ese conflicto entre la realidad y el deseo que les aqueja: «Yo tengo muy poco sentido de la integración y he llevado siempre una vida bastante marginal. Quizá sea esto un rezago de mi viejo individualismo, quizá tenga raíces psicológicas más profundas y para mí mismo enigmáticas»[35].

---

[34] Luis Fernando Vidal señala una «vertiente configurativa» con sus dos modalidades, evocativa e inventiva, y una «vertiente desviatoria» (donde Ribeyro se situaría en el ámbito de la ficción pura o de lo fantástico). «Ribeyro y los espejos repetidos», en *Revista de Crítica Literaria Latinoamericana,* Lima, núm. 1, 1975, págs. 73-88. La clasificación abarca los cuentos publicados hasta 1972.

[35] En *El Comercio,* 1975. En otra entrevista aparecida en 1994, comentando sus largos años de vida en París, anotaba su resistencia a la integración: «Yo quería preservar esa actitud de ser un hombre de frontera. Y no estar integrado a un medio cultural diferente. Siempre me ha gustado estar un poco al margen, un poco como francotirador, si se quiere.» En Ismael Márquez y César Ferreira (eds.), *Asedios a Julio Ramón Ribeyro,* ed. cit., pág. 112.

Esta excentricidad se despliega en varias facetas (social, psicológica, sexual, cultural), para terminar configurándose a menudo como una suerte de marginalidad «ontológica» u orfandad radical («La insignia»).

El punto de partida lo constituye la realidad, pero su obra termina ofreciéndonos, más que una radiografía social, un cuadro moral del Perú.

> Prácticamente la sociedad que yo describo es aquella que viví y observé entre los años 1940 y 1960 (...). La época de la migración «salvaje» de campesinos hacia la capital y la aparición de las enormes barriadas. La época en que la clase media —burócratas, empleados, pequeños comerciantes, intelectuales, profesionales sin fortuna, etc.— empieza a constituirse como clase social, sin renunciar a los anhelos de promoción social ni a su temor de proletarizarse. La época de la dependencia, de la desesperanza, de la incertidumbre, del esfuerzo fallido, de la ilusión no recompensada. La época de la oligarquía omnipotente y del militarismo fanfarrón (...)[36].

Los relatos que integran *Los gallinazos sin plumas* exploran el mundo empobrecido y mísero de las barriadas. Allí, un ejemplo llamativo de *outsider* social: el delincuente[37], potencial o de *facto*. Sobra añadir que Ribeyro no se enfrenta al tema con ojos de moralista. La caída en la delincuencia del protagonista en «El primer paso» responde a razones bastante vagas: «porque había perdido los dientes en una riña», porque tenía un solo traje verde. El título del relato habla ya de la mirada distante e irónica de quien narra la historia y sugiere su final. La degradación del personaje testimonia su venganza de la so-

---

[36] «Prólogo a la tesis de Marc Vaille-Anglès», en *La caza sutil*, ed. cit., páginas 143-144.

[37] Wolfgang Luchting llama la atención sobre la cantidad de delincuentes que aparecen en la obra de Ribeyro. He aquí el comentario de Ribeyro: «Yo siempre he sentido una fascinación frente a la delincuencia y quizás por ello lo primero que leo en los periódicos son los "faits divers". Tengo una opinión muy singular acerca de la delincuencia, sobre todo en una sociedad en que las fronteras entre lo lícito y lo ilícito son tan vagas. Para mí el delincuente no es un personaje inmoral sino un revolucionario que carece de ideología o si tú quieres un francotirador de la revolución.» En Wolfgang Luchting, *Julio Ramón Ribeyro y sus dobles,* Lima, Instituto Nacional de Cultura, 1971, pág. 7.

ciedad pero, al apostar contra ella, termina jugando contra sí
mismo. El viejo colchonero de «Interior L», el abuelo de los
«Gallinazos sin plumas», Mercedes en «Mientras arde la vela»
son personajes que emergen en medio de una pobredumbre
material y ética. No se nos muestran como producto del ambiente, aunque éste es siempre sutilmente aludido. A partir de
ese primer volumen Ribeyro explora otros ámbitos sociales:
el de la mediana y pequeña clase media, así como la aristocra-
cia empobrecida, para verificar cómo la marginalidad no es
privativa de los estratos más empobrecidos. Ahora se tiñe de
un signo distinto, ya no tanto económico como psicológico.
El denominador común que une a esos individuos lo constituye la desesperanza y la frustración. En efecto, si Ribeyro ha
ampliado su orbe social, no ha sido más que para poder com-
pletar su «visión de los vencidos». El mundo, parece decirnos,
está irremisiblemente prendido del fracaso y en cualesquiera
de sus estratos sociales encontramos figuras frustradas por
una esperanza siempre incumplida.

Sí, la narrativa de Ribeyro nos enfrenta al mundo del fracaso, de los humillados, de los náufragos[38]. Mas el destino de estas criaturas ni siquiera es trágico. Hasta ese hálito de grandeza les está negado: todo se les impone y no hacen sino defen-
derse, por lo demás inútilmente, en una partida perdida por
anticipado. En ellos no puede constatarse, por ejemplo, ese impulso deliberado hacia la marginalidad, característico de los
personajes de Onetti. Los de Ribeyro no conocen siquiera el
desarraigo como forma de autenticidad porque en ellos existe una vaga determinación, aunque frustrada, de salir de su
estado. Con la vista puesta en la otra ribera, «en el andén del
frente», no terminan de asumir su destino. Pero al fin la realidad oficial (la norma, la de los integrados) terminará por
expulsar violentamente a este cortejo de delincuentes, des-

---

[38] Ribeyro, narrador del fracaso, también en sus novelas. *Crónica de San Gabriel* daba cuenta de la descomposición del mundo feudal de la sierra; las aventuras de Ludo en *Los geniecillos* podrían resumirse en una sola idea, la frustración del ser. Finalmente *Cambio de guardia,* termina cancelando cualquier ideal o esperanza para el futuro.

clasados, locos, extranjeros, deformes, empobrecidos y solitarios[39].

El combate contra la desesperanza es apenas posible. A pesar de las *Tres historias sublevantes,* no es la lucha y la posibilidad de cambio lo que define su universo narrativo. Hasta el desenlace de «Fénix», con su apuesta por la liberación y la rebeldía, parece poco natural, injustificado en medio del clima de conformidad donde se mueven los personajes[40]. Con todo, el motor fundamental del personaje ribeyriano es el intento de ascender en la escala social. El narrador escoge un momento en que ambos mundos, el oficial y el marginal, parecen acercarse, aunque pronto la escena revela su cualidad ilusoria. En una continuada actitud irónica y distante, se pone de relieve la falsedad de las relaciones imperantes en el estrato «superior»: la brillantez y seguridad del mundo oficial alienan siempre al individuo. Así, en «Las botellas y los hombres» quedan desenmascarados a un tiempo, la marginalidad social del protagonista y los sucios hilos de la madeja oficial, esa realidad a la que aspiran los desheredados.

El cuento «Espumante en el sótano» ilustra muy bien este doble movimiento, de apetencia y caída, signo de una existencia contra la que los personajes forjan un mecanismo defensivo: el «bovarismo»[41]. Como la heroína de Flaubert, co-

---

[39] No me resisto a incluir la «confesión» de Ribeyro en una de sus *Prosas apátridas:* «A mí los tullidos, los tarados, los pordioseros y los parias. Ellos vienen naturalmente a mí sin que tenga necesidad de convocarlos. Me basta subir a un vagón de metro para que, en cada estación, de uno en uno, suban a su vez y vayan cercándome hasta convertirme en algo así como el monarca siniestro de una Corte de los Milagros. La juventud, la belleza, en el andén del frente, en el vagón vecino, en el tren que se fue.» Ed. cit., pág. 66.

[40] Final que, como señala James Higgins, «más bien parece reflejar el clima de optimismo político que reinaba en los primeros años de la década del 60». En su *Cambio social y constantes humanas. La narrativa corta de Ribeyro,* Lima, Pontificia Universidad Católica del Perú, pág. 84.

[41] En «Gustave Flaubert y el bovarismo» reflexionaba Ribeyro acerca de esta constante de la condición humana, «el divorcio entre nuestra noción ideal del mundo y la realidad». Hablaba allí de tres momentos: «el cultivo de la sensibilidad y preparación para la dicha», «el desvelamiento de la realidad con su secuela de decepción y de denuncia» y, finalmente, «el confinamiento en el mundo de la ilusión». En *La caza sutil,* Lima, Milla Batres, 1975, págs. 29-30.

nocen una pertinaz vocación por lo imaginario. Hacedores de un universo sustitutorio donde afianzar su maltratada dignidad, los protagonistas se ven continuamente enfrentados a una realidad que no se aviene fácilmente a sus deseos y, como defensa ante el ultraje y la desesperanza, inventan una realidad más habitable. La perspectiva adoptada por el narrador de «Espumante en el sótano» tiende durante el transcurso del relato a subrayar la distancia entre las fantasías de Aníbal y su situación real frente al director y los demás empleados. La búsqueda de autoafirmación y reconocimiento se convertirán en una prueba más de su fracaso: la realidad se impone. Y, sin embargo, como se ha visto, la toma de conciencia es relativa, pues el personaje se niega a perder el último reducto de autoestima. Mientras limpia, arrodillado, los restos de la fiesta, le oímos decirse que «si no fuera un caballero les pondría a todos la pata de chalina».

Con todo, lo más característico de sus relatos lo constituye, no sólo la fragilidad de ese mundo ilusorio, sino la pequeñez mezquina de los sueños. Puestos a imaginar, las pretensiones no se desbordan: se sueña con cambiar de terno, con poner una verdulería, con acceder siquiera una vez a un orden superior. Además la estrategia apenas les sirve para afianzarse en ese otro mundo paralelo: hasta la conciencia feliz de lo imaginario les está negada, pues la realidad se complace en sacudirlos. La ilusión resulta siempre fugaz; el mundo, insistentemente desenmascarador.

La estructura de «El profesor suplente» evidencia esta oposición. El plano real predomina en el inicio y el desenlace del cuento; entre ambos, en una suerte de *zona celeste,* vemos alzarse el mundo de la quimera: «La realidad se le escapaba por todas las fisuras de la imaginación». Porque el espacio del deseo es precario, a los personajes ribeyrianos les está negada la permanencia en su ficticio mundo alternativo.

La misma estructura se repite en «El primer paso», «Las botellas y los hombres» o «Una aventura nocturna». La imaginación tiene el poder de transformar la realidad, de anular su lado mezquino y triste, de investir al personaje de un nuevo rostro. Así, Danilo, en «El primer paso», se «veía ya viajando de incógnito, conociendo ciudades lejanas, entrevistándose

49

con personas desconocidas». No se trata tanto de inventar un mundo paralelo como de creer en la metamorfosis de la realidad: el personaje se hace otro y en esa alteridad frágil se instala una esperanza antes imposible. Que esta luz efímera sirva sólo para revelar los contornos de una vida sin grandeza forma parte de las celadas de lo literario.

Como para enriquecer esta galería de los no integrados se convoca también a los signados por su condición de extranjeros. La «extrañeza» de Silvio en Tarma no resulta menor que la de Plácido Huamán, ese desconocido de sí mismo, en Europa. Monsieur Baruch, otro excluido del festín de la vida, es también un inmigrante arrumbado en un barrio marginal parisino; sin embargo, la alienación de este «judío errante» la sentimos más radical, metáfora del desarraigo existencial del hombre. Ribeyro se sirve para ello de una imagen que resume y anticipa el destino final del personaje:

> (...) el traqueteo de un vagón que se desengancha y acelerando progresivamente se lanza desbocado por la campiña rasa, sin horario ni destino, cruzando sin verlas las estaciones de provincia, los bellos parajes marcados con una cruz en las cartas de turismo, desapegado, ebrio, sin otra conciencia que su propia celeridad y su condición de algo roto, segregado, condenado a no terminar más que en una vía perdida, donde no le esperaba otra cosa que el enmohecimiento y el olvido.

La muerte vendrá a ratificar su soledad, tanto como el deseo de salir de ella.

La lista de marginados sociales es larga, mas lo esencial está ya apuntado: el conflicto no puede resolverse positivamente, acaso porque el personaje no tiene convicciones auténticas; quizá porque no le es dado al hombre cambiar la sociedad. De nuevo la peculiar filosofía ribeyriana, «el sabor amargo del que no ha elegido sino el fracaso como triunfo»[42].

La distorsión del sueño, la imaginación o la locura constituyen mecanismos compensadores para individuos que no se

---

[42] Enrique Verástegui, «Ribeyro, el narrador ejemplar», en *Variedades,* Suplemento de *La Crónica,* Lima, 1975, pág. 19.

plantean la tentativa de acción directa sobre la realidad. Prefieren negarla, pero al hacerlo la subrayan dolorosamente. A Ribeyro apenas le interesa indagar si la marginalidad es la causa de la derrota o si ésta es lo que ha acabado convirtiendo al personaje en un marginal. Se limita a mostrar los desatinados gestos que al vivir trazan estos desventurados.

De esta reiterada experiencia de fracaso tal vez pudiera derivarse una concepción trágica de la existencia. No en Ribeyro, pues su narrativa huye tanto de la tragedia como de la falsa solemnidad. Ello podría ser relacionado con su concepción de la escritura, el tono menor y contenido, nunca estridente. Pero otra reflexión se nos impone con más fuerza: la existencia como algo absurdo, apenas comprensible y sujeta al azar; el escepticismo, ese sistemático ejercicio de desfascinación, que Ciorán nos ha enseñado a ver como el ingrediente básico de la lucidez.

LA TENTACIÓN DE LA MEMORIA

> (...) el filtro, la trama, a través de la cual
> pasa la realidad y se transfigura.

Como lector, Ribeyro se sintió siempre atraído por los escritos íntimos: autobiografías, memorias, correspondencia, diarios... leídos con avidez, casi sin discriminar a los autores amados de los otros. El deseo de espiar en este desván que guarda la letra pequeña de la historia se fue desarrollando en él de forma paralela a la propia escritura personal, comenzada a fines de la década de los 40. Me pregunto si derivan del conocimiento erudito o de la experiencia subjetiva afirmaciones como éstas: todo diario surge de una aguda impresión de culpa, de un profundo sentimiento de soledad, de una obstinada frustración: «Todo diario íntimo se escribe desde la perspectiva temporal de la muerte» *(Diario,* I, pág. 41). Estas razones u otras sirven en todo caso para justificar la dilatada conversación que traslucían los «diez o doce volúmenes» mencionados en la primera entrega de *La tentación del fracaso.* Un diario que iba a formar parte de su obra y no sólo de su vida:

51

El diario se convirtió para mí en una necesidad, en una compañía y en un complemento a mi actividad estrictamente literaria. Más aún, pasó a formar parte de mi actividad literaria, tejiéndose entre mi diario y mi obra de ficción una apretada trama de reflejos y reenvíos (*Diario*, I, pág. 9).

En sus páginas quedan consignadas, además de las tribulaciones personales, toda una poética de la narración, así como un conjunto de reflexiones de las que habrían de ir surgiendo las *Prosas apátridas*, su *Cuaderno del insomne*, al estilo de *Le Spleen de Paris* de Baudelaire.

Por lo demás, la persistencia del diario me parece ligada a una preocupación a la que Ribeyro se refiere varias veces: la dificultad de reconocerse a través de viajes, lecturas, empleos, ciudades y amores que lo devuelven «diverso de sí mismo». Variaciones sobre el tema de la identidad que también permean su obra de ficción —recuérdense *Los geniecillos dominicales*, donde el intento de definición de Ludo, en trance de desintegrarse, prestaba coherencia a la estructura episódica de la novela.

El tema de la impersonalidad de la narración, de la presencia o no de lo biográfico constituye una preocupación sobre la que Ribeyro ha vuelto con frecuencia. Su actitud varía desde la afirmación del ideal literario, libre completamente de resonancias autobiográficas, hasta el reconocimiento implícito de la imposibilidad de prescindir del yo que escribe[43].

Ribeyro apunta, por lo demás, hacia otro factor: las restricciones impuestas por el género literario. Mientras la novela, por ser más dúctil y variable, se apresta a la inclusión de todos estos factores, los cuentos constituirían terreno menos propicio para lo personal:

---

[43] En una entrevista que le hiciera Bryce Echenique (reproducida en Wolfgang Luchting, *Estudiando a Julio Ramón Ribeyro*, ed. cit.) Ribeyro comentaba ese ideal narrativo: «el gran escritor —y me refiero al gran novelista— es aquel capaz de escribir sobre cualquier tema, prescindiendo de sus propias experiencias, y recrear así imaginariamente vidas, épocas, lugares, mundos que no tengan nada que ver con su biografía (...) Pienso a menudo que ello es la verdadera prueba de la fuerza creadora y no el escribir novelas inspiradas en la propia vida». Sin embargo, más adelante, se verá forzado a concluir cómo la impersonalidad, en sentido estricto, no es sino un «mito literario» (págs. 366 y 367).

Yo he escrito cuentos autobiográficos y casi confesionales, pero la mayoría son historias inventadas, o vistas, o escuchadas, habitadas por personajes que no tienen nada que ver conmigo. Mis dos novelas publicadas, en cambio, están hechas con la pasta de mi propia vida (...) Sólo en mi novela *Cambio de guardia* he intentado sacarme de la manga un mundo en el cual no he añadido ninguna vivencia personal[44].

Se refiere a cuentos apenas sin intriga, hilados con la trama de la memoria: «Los eucaliptos», «Página de un diario», «El polvo de saber», dotados «de una voz, de un tono fundamental que dará a todo lo mío su coloración definitiva» *(Diario,* II, pág. 124). Más tarde, en septiembre de 1977, añade:

Cada vez más me oriento por esta vía (...). Relatos tal vez demasiado personales, que mis críticos no aprecian, pero que para mí tienen un encanto particular. Ellos quizás son los fragmentos de las memorias que nunca escribiré *(Diario,* II, pág. 220).

Dicha reconstrucción de la propia historia responde, más que a esa «complacencia pequeñoburguesa» invocada por Vidal, a un inicial desajuste con la realidad, a una falta de integración en el presente. Esta tendencia evocativa adquiere mayor relieve en su narrativa última, en *Sólo para fumadores* y los *Relatos santacrucinos.* La escritura aparece entonces como flexible instrumento para expresar los problemas de un mundo cambiante pero, sobre todo, para *expresarse.* Tal reflexividad hablaría de un ahora incierto, desde el que partir y encontrar al *otro* que se fue: la escritura, esa forma de nostalgia, conjura la memoria, mientras ésta se esfuerza por traer al presente un ahora sistemáticamente desplazado. El texto se vuelve reconstrucción, (im)posible recuperación de una ausencia.

En relación a la índole autobiográfica de la escritura ribeyriana, *Sólo para fumadores* merece, sin duda, una especial atención. Por algunos de los relatos que lo integran podía ser considerado incluso como perteneciente al género íntimo. Aunque no se trate, en rigor, de un diario o de parte de unas

---

44 *Op. cit.,* pág. 367.

memorias, el sujeto de la enunciación puede identificarse sin dificultad con el hombre Ribeyro. La historia que da nombre al volumen nos permite conocer su trayectoria vital. A través de volutas de humo y diferentes marcas de cigarrillos, lo vemos primero en Miraflores, más tarde en España, Frankfurt y París: una original forma de contarse, al hilo de un vicio largamente mimado. Llama la atención el tono juguetón, carente de dramatismo, en la narración de ciertos episodios:

> Mi mujer y algunos fieles amigos me visitaban en las tardes y hacían lo indecible, con un temple admirable, para no verse alarmados. Pero algunos gestos los traicionaron. Mi mujer me trajo un finísimo pijama de seda, lo que interpreté como un razonamiento tortuoso como «Si te tienes que morir que sea al menos en un pijama Pierre Cardin». Algunos amigos insistieron en tomarme fotos, dándome cuenta entonces de que se trataba de fotos póstumas, las que no alcanzaría a ver pegadas en ningún álbum de familia.
>
> Me estaba, pues muriendo o más bien «dulcemente extinguiendo» como dirían las enfermeras[45].

La portada de la edición peruana, a falta de título que proclame el «pacto autobiográfico», viene a confirmar esta lectura confesional: un todavía joven Ribeyro, con un cigarrillo en la mano y delante de una máquina de escribir —hombre, escritor y personaje.

En efecto, como reconoce Ribeyro a Jorge Coaguila, «*La palabra del mudo,* cuarto tomo, soy yo»[46]. En la colección de cuentos inéditos recogida en el volumen, los *Relatos santacrucinos,* se recrea la vida del barrio de Miraflores donde pasó su infancia y su juventud. Este «país de la infancia» es recuperado por una narrador en primera persona, desde la otra orilla del tiempo: «Lima era entonces una ciudad limpia y apacible», «Las mariposas de nuestra infancia han regresado en este

---

[45] J. R. Ribeyro, *Sólo para fumadores,* ed. cit., pág. 43.
[46] Lo que lo convertiría, según su propio criterio, en un escritor «menor»: «Mientras que el tipo que está sacando cosas del interior, de su propia vida, de su propia experiencia, es un escritor, lírico, menor, ¿no?, de menor peso, de menor envergadura...» En Jorge Goaguila, *op. cit.,* págs. 29-30.

ardiente verano». Una nota distingue esta recreación de la memoria del Ribeyro adulto, animada por una nostalgia contenida, de la pesquisa autobiográfica de *Crónica de San Gabriel* y, sobre todo, de *Los geniecillos dominicales,* donde el signo característico lo constituía una acentuada visión irónica.

Cuentos que casi dejan de serlo y que producen una extraña impresión, a medio camino entre lo ficticio y el recuerdo emocionado. Los personajes apenas si alcanzan a tener vida propia y los percibimos como sucesivos capítulos del aprendizaje vital del narrador. Así, el seísmo de 1940 sirve para trazar una hendidura esencial en su existencia:

> Sólo con el correr de los años nos daríamos cuenta que ese terremoto que no destruyó nuestra casa había removido el fondo de los seres y de las cosas, que ya no volvieron a ser lo mismo. Fue como una señal que marcó una fractura en el tiempo: nuestra infancia había terminado; Lima perdería pronto su encanto de sosegada ciudad colonial; el conflicto europeo se extendió a otros continentes para convertirse en la más mortífera guerra de la historia («Mayo 1940»).

No es difícil reconocer a Ribeyro en esta inclinación a escrutar la realidad en busca de señales secretas. Nótese además la apertura desde la memoria[47] hacia la crónica, un testimonio que involucra el destino personal pero también un estilo de vida, una época que concluían. Quizá por ello tales relatos me parecen ambiguamente autobiográficos porque, si es cierto que se recupera allí un período vital del autor, éste aparece a menudo como simple espectador que testimonia de lo sucedido a su alrededor. Siete de los nueve relatos que componen el volumen retratan historias curiosas, amables o crueles, como las del sargento Canchuca o «Las tres gracias», donde el protagonismo no pertenece al narrador. Claro que, podría ob-

---

[47] Frente a la crónica, objetiva y respetuosa de la temporalidad, las memorias «reconstruyen el tiempo, no en función de una cronología ordenada, sino en función de una cronología puesta al servicio de la conciencia: los acontecimientos no tienen valor en sí, sólo lo tienen como instigadores de la creación del yo, en el recuerdo. El acontecimiento lo es en función del grado de emoción y reflexión que proporciona al yo que lo recrea». Javier del Prado, *Cómo se analiza una novela,* Madrid, Alhambra, 1984, pág. 218.

jetarse, aun en esos casos la fotografía lo es al mismo tiempo de la realidad enfocada y de la conciencia que avizora, dispuesta siempre a denunciar la ridícula comedia humana («El señor Campana y su hija Perlita»).

Recherche du temps perdu sobre la que se recortan con insistencia algunas figuras. Por ejemplo, la del padre —y acaso haya que entender el volumen como una suerte de homenaje implícito a la imagen paterna[48]—, aludido en varias de las historias y protagonista de «Cacos y canes». Otra vez aquí el final del cuento es aprovechado para pasar de la anécdota personal a un ámbito más genérico o filosófico: «para proteger bienes o personas más útil que perros o pistolas era recurrir al animal que hay en cada uno de nosotros»[49].

En «Los otros», el cuento que cierra el volumen, los aludidos son los amigos muertos, rememorados por el autor en un largo paseo:

> Presente y pasado parecen fundirse en mí, al punto que miro a mi alrededor turbado, como si de pronto fuesen a surgir de la sombra las sombras de los otros. Pero es sólo una ilusión. Los otros ya no están. Los otros se fueron definitivamente de aquí y de la memoria de todos salvo quizás de mi memoria y de las páginas de este relato, donde emprenderán tal vez una nueva vida, tan precaria como la primera, pues los libros y lo que ellos contienen, se irán también de aquí, como los otros[50].

Caminando en pos de una antigua primavera feliz, la escritura se vuelve hacia el interior del sujeto, como búsqueda de la propia historia personal. Ello no implica, sin embargo, el

---

[48] «Debería alguna vez trazar su semblanza» —se lee en el diario—, hablar «de su inteligencia diamantina, de su saber, de su coraje, de su independencia de juicio, de su ironía, que por momentos llegaba al sarcasmo, de su elegante manera de expresarse, encontrando siempre fórmulas insólitas y, en el fondo, de su enorme bondad, pero una bondad razonada, que era fruto de la lucidez más que del sentimentalismo» *(Diario,* III, pág. 228).

[49] Las cualidades dignas de aprecio en un escritor, enumeradas por Ribeyro: «la ironía, la prosa cuidada, el distanciamiento para con lo narrado, cierto humanismo entendido como una manera indulgente de escribir sobre el hombre o una tendencia a emitir sobre él ideas generales» *(Diario,* II, pág. 147).

[50] J. R. Ribeyro, *Cuentos completos,* ed. cit., pág. 749.

olvido del mundo, porque, transformando el conocido verso de Rimbaud, decir yo es también decir los otros.

LO DE MÁS ES SILENCIO

> Pues el estilo, como dice Proust no es
> cuestión de técnica sino de visión.

En «Té literario», incluido en *Sólo para fumadores*, un grupo de contertulios a la espera de un escritor afamado se entretiene comentando acerca de su obra. Una vez más, disperso en las diferentes voces de los personajes, Ribeyro habla de sí mismo —y de nuevo en clave irónica. Uno de los protagonistas, que padece de verbo incontenible, acota continuamente: «el estilo es el hombre»; otro se atreve a dar una definición:

> —Para mí —dijo doña Rosalba— el estilo es la manera como se ponen las palabras una tras otra. Unos las ponen bien, otros mal... Hay escritores que las amontonan así no más, digamos como las papas en un costal. Otros en cambio las escogen, las pesan, las pulen, las van colocando como, como...
> —Como perlas en un collar —dijo Gastón—. ¡Muy original!

Reconocemos a Ribeyro en esta burla de los lugares comunes, mas en el fondo de estos disparatados diálogos hay algo de verdad. Sí, el estilo sigue siendo el hombre, su manera de ver el universo y pensar la realidad; sobre todo, su modo de plasmarla.

En el caso de Ribeyro la crítica destaca cómo su obra no se ha dejado seducir por el brillo formal y el experimentalismo. Excluido del equívoco festín del *boom* y otras empresas ruidosas, marginal, en fin, a la literatura latinoamericana actual, como propone Ortega[51]. Ribeyro es un autor clásico, se ha di-

---

[51] «En alguna medida, Ribeyro es marginal a la actual literatura hispanoamericana: no participa, al menos, de las aventuras formales (por lo demás ya codificadas) y ha preferido mantener una narración impersonal, casi tenue, de habla asordinada, y de estructura no evidente» *(Crítica de la identidad. La pregunta por el Perú en su literatura,* México, F.C.E., 1988, pág. 181).

cho, un escritor del siglo XIX, por su rechazo a las técnicas naturalizadoras de la ficción. No hay sino recordar la linealidad cronológica de sus relatos, la no ocultación del narrador o la renuncia a complejas estructuras verbales para dar cuenta de la simultaneidad. Elementos todos que caracterizan su estilo por oposición a una literatura cada vez más complicada en sus recursos formales[52]. De este modo la ausencia de estructuras y técnicas sofisticadas constituye, en su narrativa, «un elemento artísticamente significativo». Implica un cuestionamiento y un rechazo conscientes, la elección de una voluntaria marginalidad. En la década de los 60, quizá a raíz de la publicación y el éxito de *La ciudad y los perros,* se expresaba Ribeyro sobre la necesidad de fraguarse un nuevo lenguaje y una nueva fórmula[53]. Pero, salvo unos pocos cuentos y su tercera novela (de la cual se ha mostrado reiteradamente insatisfecho) su escritura siguió fiel al clasicismo que la define.

En esta opción respecto de lo literario sus mentores son los grandes realistas franceses: Balzac, Stendhal, Flaubert. Ribeyro no ha necesitado *inventar* a sus precursores, pero ciertamente los ha reescrito a partir del horizonte contemporáneo. Parafraseando a Luder, diríamos que se trata de una música que nos suena a vieja, pero tañida con un nuevo instrumento. Por lo demás, el mismo Luder se «atreve» juguetonamente con los clásicos:

---

[52] Pueden aplicarse a la obra de Ribeyro las reflexiones que Lotman desarrollara en torno al poema: «Existe, por ejemplo, una diferencia de principio entre la ausencia de rima en el verso que todavía no supone la posibilidad de su existencia (...) o que ha renunciado definitivamente a ella, cuando la ausencia de la rima forma parte de la expectativa del lector (...). En el primer caso la ausencia de rima no representa un elemento artísticamente representativo, en el segundo la ausencia de rima, es la presencia de no-rima, menos rima.» Yuri Lotman, *La estructura del texto artístico,* Madrid, Istmo, 1978, pág. 138.

[53] «Después que se publique mi novela y el libro de cuentos europeos que estoy terminando, tengo la intención de escribir una novela de vanguardia, con carácter experimental, destinada a fraguarse un nuevo lenguaje y una nueva forma. Me siento un poco agotado dentro de los cánones del relato convencional (...)» En Wolfgang Luchting, *Estudiando a Julio Ramón Ribeyro,* ed. cit., pág. 361.

Con el escritor Alfredo Bryce Echenique en París, 1974.

Con los escritores peruanos Alfredo Bryce Echenique y Manuel Scorza, el mexicano Juan Rulfo y dos amigas en París, a mediados de los 70.

—Lo mismo o algo parecido dice Montaigne en sus Ensayos —le reprocha alguien al escucharlo lanzar una sentencia
moralizante.

—¿Y qué? —protesta Luder—. Eso sólo demuestra que los
clásicos siguen plagiándonos desde la tumba[54].

Basta recordar cómo la pretensión de *empezar*, en literatura,
no es sino un mito, para que la cuestión de la originalidad
deje de parecernos pertinente —más aún aplicada a quien
hizo protestar a Luder: «¿La vanguardia? No tengo nada que
ver con el arte de la guerra.»

Su estilo no apela a la tecnología narrativa o la búsqueda
de novedad; más bien se propone como un cierto tono o atmósfera que, repetidos, apuntan a una manera personal de
mirar la realidad. La escritura, alusiva y minuciosa, abunda en
ejemplos donde la imagen y la idea se conforman de manera
tan adecuada, que su fin no parece ser otro sino el de enrique-
cerse mutuamente. No hay sino pensar en el vibrante lenguaje poético del narrador de «Los gallinazos sin plumas», cómo
envuelve la historia en un halo mágico e irreal en contraste
con la vida de estos niños, rivales de las aves estercoleras.
Cada adjetivo del texto recrea ese ambiente: «fina niebla», «atmósfera encantada», «vida fantasmal», «misteriosa consigna».
Lectura morosa: no conviene pasar deprisa sobre las palabras.
«Los noctámbulos, macerados por la noche, regresan a sus casas envueltos en sus bufandas y en su melancolía.» La imagen,
que hace pensar en *La casa de cartón* de Martín Adán, nos asal-
ta en una segunda lectura. Su inserción en el lenguaje lírico
del cuento explica que se confunda casi con el resto. Ésta es
la constante ribeyriana: el lenguaje no se autoproclama, sirve
tan bien para recrear un mundo que, se diría, se vuelve transparente.

El narrador hace suya la mirada infantil sobre el mundo:
«Todo lo veía a través de una niebla mágica, (...) ligero, etéreo,
volaba casi como un pájaro.» El animismo del espacio («la
ciudad se levanta, de puntillas y comienza a dar sus primeros

[54] J. R. Ribeyro, *Dichos de Luder,* ed. cit., pág. 27.

pasos») se conjuga con la animalización del abuelo Santos, cada vez más parecido al cerdo que quiere alimentar. La adjetivación es necesaria, no retórica: preciosa «suciedad» la del basural para los niños, puesto que de ellas depende su sustento. El final del cuento resulta asimismo paradigmático de la técnica ribeyriana. El abuelo ha caído al lodo, donde el cerdo hambriento; Efraín y Enrique abandonan la casa, asustados. El narrador sólo anota: «Desde el chiquero llegaba el rumor de una batalla.»

Decir de su prosa, como Paoli acerca del verso austero de Blanca Varela, que exige un *tempo* lento para la lectura, una atenta valoración del ritmo y de las pausas para que le sea dado a las palabras liberar su poder comunicativo en la mente del lector. En sus reflexiones acerca del estilo, Ribeyro subrayaba el valor de la síntesis, el poder de expresar más allá de lo aparente. Cuando enumera proyectos para la escritura de cuentos anota:

> Ver también la posibilidad de exarcerbar lo no dicho, algo así como Henry James + Henri Moore, un relato en el cual el silencio es tan importante como la voz, así como en las esculturas del autor citado no son las formas sólidas sino el espacio que las separa lo que da sentido a la obra *(Diario*, III, pág. 92).

Construir los relatos a partir de lo que no queda dicho, del silencio incorporado al texto, se convierte en el ideal de la narración. Poética aprendida en Stendhal, en Hemingway, para quienes la ficción consiste tanto en lo declarado por el texto como en lo que se calla. «Vaquita echada», incluido en *Las botellas y los hombres,* resulta paradigmático desde este punto de vista. Dos historias forman la trama de este cuento, una de ellas sólo visible en el desenlace. La conversación, banal, no tiene otro sentido sino escamotear la verdadera historia: la dolorosa necesidad de comunicar a un amigo la muerte de su esposa. También «*Terra incognita*» gira en torno a lo que no sucede: la anécdota del intelectual retirado del mundo que invita a un negro a su casa cediendo a una pulsión homosexual, se vuelve el relato de la omisión.

La escritura de Ribeyro es siempre sutil, pocas veces explícita[55]. El lector persigue febrilmente las palabras en el texto, llevado por la alquimia del narrador, y queda al borde del abismo, allí donde los términos se dicen sin decirse. Se ha comentado ya el final de «Los gallinazos sin plumas», su capacidad para sugerir lo brutal con instrumentos delicados. La misma estrategia informa el desenlace de «Mientras arde la vela». Pero lo no dicho se conjuga aquí con esa manera poética de decir más, el símbolo. El relato se despliega a partir de la luz revelada por la imagen del título:

> —Me acostaré cuando termine de arder —pensó y se miró las manos agrietadas por la lejía. Luego su mirada se posó en su marido, en su hijo, en los viejos utensilios, en la miseria que se cocinaba silenciosamente bajo la débil luz. (...)

> Un golpe de viento hizo temblar la llama. Mercedes la miró. Lejos de apagarse, sin embargo, la llama creció, se hizo ondulante, se enroscó en los objetos como un reptil. (...)

> La vela osciló nuevamente y Mercedes temió que se apagara, pues entonces tendría que acostarse. En la oscuridad no podía pensar tan bien como bajo ese reflejo triste que le daba a su espíritu una profundidad un poco perversa y sin embargo turbadora como un pecado.

Si en principio la vela dice de la miseria en que viven Mercedes y los suyos, pronto entendemos que la llama resulta una metáfora del espíritu acosado de la mujer: bajo ese reflejo oscilante tramará su venganza y rebelión, «A la luz de la vela, en cambio, su corazón se había calmado, sus pensamientos se habían hecho luminosos y cortantes, como hojas de puñal».

Las implicaciones de la vela como símbolo se multiplican: signo de la soledad del personaje, su claroscuro anticipa una cifra inquietante, pero se vincula también con los sueños, esas

---

[55] Véanse, sin embargo, los ejemplos que aduce Wolfgang Luchting de un Ribeyro a veces demasiado explícito, en su *Pasos a desnivel*, Caracas, Monte Ávila Editores, 1971, págs. 143 y ss.

spiraciones contenidas en la verticalidad de la llama[56]. Todo en el relato queda apuntado de manera indirecta, como para ocultar, revelándolo, el acto sombrío que Mercedes se apresta a cometer. Tras el accidente del marido, el enfermero se marcha advirtiendo que una gota de alcohol supondría su muerte, «la vela se obstinaba en permanecer». El narrador informa de cómo la botella de aguardiente *fue colocada* al lado de los útiles del albañil; finalmente, sabemos que la vela se extingue y vemos, transformadas, las manos de Mercedes, «como si de pronto hubieran dejado ya de estar agrietadas».

Esta tendencia al simbolismo se vierte en otras ocasiones en lo que Eliot llamaría un «correlato objetivo»[57]. Así, las tarjetas que el ingenuo Pablo Saldaña hace imprimir para su futura sociedad o la placa que el «profesor suplente» desea ver a la entrada de su casa: «Que se lea bien: "Matías Palomino, profesor de historia"», constituyen una expresión objetivada de la divagación de los personajes por el mundo de lo ilusorio.

La aparente simplicidad de la escritura de Ribeyro se muda otras veces en simbolismo sostenido, alegoría o parábola. Así, «Silvio en El Rosedal», nos sugiere diversos niveles interpretativos[58]: narración lineal, reflejo de costumbres, alegoría paródica del alquimista, frustrada cábala, metafísica y hasta herme-

---

[56] Me remito al hermoso libro de Gastón Bachelard, ese inquisidor de lo imaginario: *La llama de una vela* (Barcelona, Laia/Monte Ávila, 1989). «Los sueños de la altura alimentan nuestro instinto de verticalidad, instinto rechazado por las obligaciones de la vida común, de la vida chatamente horizontal» (pág. 63).

[57] Wolfgang Luchting los estudia en «Sobre algunas técnicas narrativas de Julio Ramón Ribeyro: Los cuentos», incluido en su *Pasos a desnivel,* ed. cit., págs. 132-158.

[58] Me atrevo al vuelo alegórico, impulsada por las declaraciones de Ribeyro: «Desde hace algún tiempo me intereso por la alquimia, pero no por la alquimia operativa (es decir, la piedra filosofal, la conversión en oro), sino por la parte teórica. Una serie de preceptos que para mí son importantes: la unidad de la materia, las relaciones entre el microcosmos y el macrocosmos, la idea de que el proceso mismo es más importante que el resultado, los que buscaban la piedra filosofal ocupaban toda su vida en la empresa aunque muchas veces estaban convencidos de que no la iban a encontrar; el propio camino se convertía en el fin.» En Wolfgang Luchting, *Estudiando a Julio Ramón Ribeyro,* ed. cit., pág. 155.

néutica. Para esto se vale de un puñado de símbolos universales: la *rosa*, perfección acabada, imagen de la regeneración y por ello preferida por los alquimistas que titulan a menudo sus escritos como *rosales de los filósofos*. *Flos sapientum* para los alquimistas medievales, su figura encarna el grado de iniciación a los misterios. El *rosedal* muestra una faz laberíntica para ojos comunes; ante Silvio, su intrincada estructura va desvelándose a medida que reflexiona e indaga. Todo laberinto conduce hacia el interior de nuestra conciencia. La obra de Ribeyro va tejiendo una fina trama de hilos que se cruzan: el viaje y la iniciación experimentados por el Doctor Huamán en «La juventud en la otra ribera» concluye en lo más profundo de una zona boscosa, alejada de la civilización parisina, en cuyo núcleo se diseminan claros llanos como ancestrales santuarios. Al final los protagonistas hallan sólo la muerte —de la vida fatua que precede al Doctor— o la conciencia aguda, el puro existir —en «Silvio...»— como culminación de su viaje-búsqueda. En una ordenada representación del proceso de iniciación, Silvio descubre el medio para llevar a cabo su alquimia personal, el rosedal, tras acceder al punto de elevación de la finca. El *minarete* será el eje del conocimiento, ascendente o descendente: todo depende el ánimo indagador de Silvio, quien reestablece primeramente los peldaños en un acto de restauración de la conciencia. El protagonista alterna la cábala, el desciframiento de los signos y su confrontación con la realidad —tarea primordial del escritor— con otras vías de comprensión última del ser (la orientación práctica, el amor, el nihilismo). Finalmente Ribeyro orienta a Silvio hacia un sendero que conduce al centro y le hace tocar el violín, en la torre junto al rosedal, para sí mismo: la dicha que fluye en soledad, el arte como experiencia pura. Entendemos que la rosa es un laberinto (de pétalos), en cuyo centro vacío se alza la nada que la dota de sentido.

Sin ira pero con ironía

Por el camino del decir menos queriendo significar lo más posible tropezamos con la ironía, acaso el rasgo más caracte-

rístico de la escritura de Ribeyro[59]. La mayoría de los críticos
a ha puesto de relieve y se ha podido trazar incluso, respecto
de este recurso, una cierta evolución, de manera que, a partir de
Silvio en El Rosedal, dejaría de ser suave, «amistosa», para hacerse más cáustica y agresiva. «Alienación», «Tristes querellas
en la vieja quinta» o «El marqués y los gavilanes» valen como
ejemplos de esta derivación hacia la farsa, modo narrativo
que el autor ha confesado alguna vez rehuir voluntariamente,
más inclinado hacia una vertiente dolorosa o seria. Esa parodia sistemática utilizada para narrar la historia del alienado
Bob *(Cuento edificante seguido de breve colofón)* constituye más la
excepción que la norma del decir ribeyriano.

Conviene tener claro, sin embargo, que la diferencia entre
ambas etapas es más bien tonal, pues, como mecanismo des-
mantelador del sistema de apariencias que rige la sociedad
contemporánea, la ironía ribeyriana se había mostrado siempre corrosiva. Piénsese en *Los geniecillos dominicales* y tendre-
mos un antecedente perfecto para la actitud narrativa de estos
relatos.

Esta intensificación del tono mordaz que lleva a la burla
del autor respecto de sus criaturas, acaso pudiera relacionarse
con su cada vez más acentuado sentimiento escéptico ante el
mundo. Acendrada actitud irónica y desengaño del sujeto: «el
estilo es el hombre». La ironía es, por lo menos desde los ro-
mánticos alemanes, absoluta negatividad, instrumento perfecto para desenmascarar la solidez aparente del mundo, lo que
concuerda en gran medida con la visión ribeyriana[60].

Si en *Los geniecillos domicales* la perspectiva desdoblada co-
rrespondía al narrador (una subjetividad que vive y se mira vi-

---

[59] El cuento, precisamente por su brevedad y concisión, se revela como el
género perfecto para el uso de la ironía. Para un análisis de las relaciones entre sátira y relato breve, véase Gregory Fitz Gerald, «The Satiric Short Story: A Defini-
tion», en *Studies in Short Fiction,* USA, 1968, vol. 5, núm. 4, págs. 349-354.
[60] «La ironía implica hipersensibilidad a un universo permanentemente dis-
locado e indefectiblemente grotesco. El ironista no pretende curar tal universo o resolver sus misterios. La que los soluciona es la sátira. Las imágenes de
vanidad, por ejemplo, que cubren la sátira del mundo se ven siempre debida-
mente desinfladas al final; pero la vanidad de vanidades que informa la ironía
del mundo es algo que queda al margen de toda posible liquidación.» Citado
por Wayne Booth, *Retórica de la ironía,* Madrid, Taurus, 1986, pág. 135.

vir), en la mayoría de los cuentos el contraste se establece por la superposición del discurso de quien enuncia la historia con el del personaje, así como por la exploración del mundo íntimo que aquél puede emprender. Al autor implícito pertenece el primer mecanismo de ironía sutil de los textos: el título. Su poder corrosivo se manifiesta, claro está, una vez que hemos aprehendido la totalidad de la historia. «Te querré eternamente», «Una aventura nocturna», «La juventud en la otra ribera» o «Una medalla para Virginia» constituyen ejemplos en los que el título alude a alguna verdad o experiencia convenientemente destruida en el curso del cuento.

Al narrador corresponderá ir señalando el proceso desmitificador, la quiebra entre la realidad y la imagen mental que de ella se forma el personaje. Mirada cáustica que se delata al distanciarse de la conciencia del protagonista:

> Pero le bastó cruzarla para respirar al fin ese ambiente de bohemia con el que de joven tantas veces había soñado. Era la típica buhardilla parisina donde se vive un gran amor, se escribe alguna obra maestra o se muere en la desolación y en el olvido. En las paredes había afiches y un mural que representaba una naturaleza muerta, obra tal vez de algún artista desnutrido (...) («La juventud en la otra ribera»).

Como táctica narrativa, la ironía obliga al lector a una vigilia permanente, pues exige la reconstrucción del sentido y hasta la aquiescencia agresiva con el punto de vista del autor. El efecto es menos previsible de lo que parece. Observamos al narrador complacerse en aupar a sus criaturas para invitarnos luego a acechar su caída; pero en el fondo descubrimos en él una actitud de *simpatía* que terminamos por compartir. Acaso porque nada de la ridícula comedia humana nos es ajeno.

El mecanismo irónico actúa en distintas direcciones. A veces orienta la elección de los nombres de los protagonistas. Así, los belicosos vecinos de la vieja quinta, Memo García y Doña Pancha; o, en «Espumante en el sótano», donde el nombre del protagonista, Aníbal, no deja de parecerme también «un traje demasiado grande». Se trata, claro, de una «declaración de intenciones» que hace a los personajes víctimas de un irónico determinismo: Álvaro Peñaflor, Matías Palomino, Plácido Huamán... En fin, recuérdese cómo Silvio recibe su existencia y el rosedal, esos otros laberintos, de Don Salvatore y Carlo Paternoster y estaremos ante el dictado de Flaubert: «Un nom prope est une chose *capitale*. On ne peut plus changer un personnage de nom que de peau. C' est vouloir blanchir un nègre.»

A menudo el recurso de la ironía trae de la mano a ese otro gran corrosivo, el humor. En «Sólo para fumadores» Ribeyro empieza por reírse de sí mismo, aprovechando el cruce propicio de la parodia:

> ¡Ay mísero de mí, ay infeliz! Yo pensaba que mi relación con el tabaco estaba definitivamente concertada y que en adelante mi vida transcurriría en la amable, fácil, fidelísima y hasta entonces inocua compañía de Lucky. No sabía que me iba a ir del Perú y que me esperaba una existencia errante en la cual el cigarrillo, su privación o su abundancia, jalonarían mis días de gratificaciones y desastres.

Si el humor no libera de la tragedia, sí la vuelve más habitable.

En «Tristes querellas en la vieja quinta» el efecto humorístico surge no tanto de lo grotesco de las situaciones, como del habla hiperbólica de los personajes y del narrador, empeñado en comparar la contienda entre los vecinos con una aparatosa lucha militar. Pero, si se trata de revelar la radical incongruencia del mundo, prefiero un relato como «*Terra incognita*», donde la risa y la ironía se deducen de la minuciosa selección del vocabulario. Inútil proponer un fragmento que ilustre lo que decimos: todo el cuento está construido sobre ese sostenido esfuerzo, eficacísimo para iluminar la estampa irrisoria, profundamente alienada, de nuestro Peñaflor, en un mundo que se transforma ante sus ojos: «El ágora antigua estallaba, se ensuciaba.»

En otras ocasiones la ironía rebaja, acaso por imperativo de la timidez, una reflexión demasiado «trascendente»; encuentra entonces su cauce ideal de expresión en la parodia. Así en «Silvio...» la dimensión irónica logra de continuo socavar el primer horizonte propuesto: contra las pretensiones metafísicas del cuento, ridículas combinaciones de palabras («Sábado

Entrante Reparar», «Sóbate Encarnizadamente Rodilla»); contra la fe en el amor, la burla del discurso romántico, con toda su cohorte de estrellas y orbes celestiales: «recibía al fin la figura de su princesa», «Ésa figura no podía proceder más que de un orden celestial, donde toda copia y toda impostura eran imposibles». En fin, la ironía como una de las máscaras del pudor.

En «Alienación...» el enfoque irónico revierte sobre la propia escritura: la tematización del acto de narrar enfrentada desde lo paródico. La historia del zambo que quería «deslopizarse» se nutre de diversos discursos, burlados: el del héroe, el de la búsqueda de la identidad, el de la fábula edificante, el de la propaganda norteamericana... El tono se hace mordaz; a su llegada a Nueva York, por ejemplo, «conocieron esa cosa blanca que caía del cielo (...) que, era por el color, una perfidia racista de la naturaleza». A lo largo del relato se dibuja con claridad el poder desmitificador de la ironía: el progresivo desconocimiento del personaje que se irá acercando cada vez más a la muerte, «a esa cita que tenía concertada desde que vino al mundo».

En fin, comprobamos cómo, en todos los casos, la ironía equivale a conciencia, ya sea del sujeto o del instrumento literario. En el primer nivel, Ribeyro nos pone en guardia acerca de lo que dicen y hacen los personajes; en el segundo, se cuestiona a sí mismo al cuestionar el lenguaje de la literatura.

El procedimiento irónico trabaja también a favor de la ambigüedad del relato: nos obliga a discernir cuándo el sentido es literal, unívoco, y cuándo resulta engañoso —paradójicamente, desenmascarador: desdiciéndose, dice mucho más.

De la mujer y amores grotescos

> como esos viejos alquimistas que consumieron su vida sin haber alcanzado la visión dorada

No hay en la narrativa de Ribeyro una sola historia de amor logrado, quizá porque donde empieza la felicidad termina el cuento. En el mejor de los casos, la relación amorosa adopta la consistencia de un sueño que, como el de Coleridge, nos dejara una rosa en prueba de su equívoca existencia (*«Nuit caprense cirius illuminata»*). En el peor de los supuestos, el acercamiento al otro no responde sino a móviles mezquinos o irrisorios («Una aventura nocturna»). Ningún espacio para el lugar común, suspendido por fatuo y engañoso: ni amor que cien años dure («Te querré eternamente»), ni cuerpo que lo resista («Una batalla para Virginia»). Sujetos a idéntico escarnio resultan «los fines mezquinamente nupciales» («Silvio...»), como las fornicaciones venales («La juventud...»).

Si de lo que se trata es de no quedarse solos, del amor como forma *justificada* de acercarse al otro, a los personajes de Ribeyro esta comunicación les está negada y, así, ratifican su desamparo. Alguna vez, tentados a salir del aislamiento, no hallan sino la disputa y el insulto como forma de expresión: hacer la guerra y no el amor («Tristes querellas en la vieja quinta») deviene entonces la consigna.

Las relaciones con la mujer, esa «potencia extranjera, ingobernable y maléfica» (Ribeyro *dixit)*, son a menudo problemáticas. La fuga de Renée con su amante ayuda al protagonista de «Nada que hacer Monsieur Baruch» a alcanzar la plenitud del fracaso. Mejor aconsejado, el personaje de «El primer paso» entabla relaciones con la prostituta Estrella, fea para más señas, «lo cual equivalía casi a una garantía de fidelidad». En el matrimonio estas criaturas terminan encontrando estímulo para el homicidio («Mientras arde la vela») o para la huida («Las botellas y los hombres»). En fin, la lista va siendo larga, pero la conclusión resulta clara. Si antes inferíamos que no hay ironía sin amor, probamos ahora ser imposible el amor sin ironía.

«La juventud en la otra ribera» resulta paradigmático de esta visión desencantada y sarcástica. En su primera edición iba acompañado de una cita de Proudhon: «La mujer es la desolación del justo», que Ribeyro eliminaría después —acaso para no rebajar la ambivalencia del relato. La frase resulta ajustadísima en su aplicación al «justo» Plácido Huamán y su fallida aventura amorosa en París. El doctor cree posible volver por un instante a la orilla de la juventud y la ilusión, mas el espejismo habrá de conducirlo a otra ribera, la de la muerte.

Y ello gracias, en parte, a los manejos de Solange, quien no quiere (o no se atreve a querer) evitar el cariz cada vez más criminal en la actitud de sus compinches. Solange, en su ambigüedad[61], resulta uno de los personajes femeninos más memorables de Ribeyro, quien acierta a dibujar el carácter, entre interesado y sincero, de su afecto hacia Plácido. El narrador se distancia del protagonista posibilitando que el lector comprenda mucho antes que Huamán los sucios manejos de que está siendo objeto. Pero esta omnisciencia se suspende coincidiendo con la repentina lucidez del doctor y, a partir de entonces, estamos obligados a movernos en un mundo de conjeturas análogo al del personaje: «El doctor notó en su perfil una curvatura extraña, dolorosa.» El comportamiento de Solange se hace entonces más ambiguo: continúa confabulando contra Huamán al llevarlo a Fontainebleau, aunque una vez allí parece arrepentida. Su lenguaje, cuya falsedad quedaba hasta entonces fuera de duda, se vuelve impreciso, casi cifrado: siente escalofríos, ve nubes acercarse. Que esta última referencia sea luego completada por Paradis («Y el sol, mírelo. Lástima que más tarde lloverá») parece abundar en la comunidad siniestra de los personajes, a pesar de que antes casi habíamos creído en la sinceridad de sus palabras. Como *ángel* resulta, por lo menos, equívoca.

El tema desarrollado en el relato es el del encuentro imposible[62], que ya había aparecido en otros cuentos, pero llevado aquí hasta un final mucho más dramático. Se diría que, a costa incluso de cierta inverosimilitud, el narrador apuesta esta vez por la demostración de una tesis: «hay sueños cuya frustración entraña la muerte». El aparente tono de tragedia, inusual en Ribeyro, puede explicarse también por la intención paródica. La función desmitificadora e irónica del *leitmotiv*

---

[61] Imprescindible, el detenido análisis de Wolfgang Luchting, del que se apuntan aquí sólo algunas notas. «Los mecanismos de la ambigüedad: *La juventud en la otra ribera*», en *Estudiando a Julio Ramón Ribeyro*, ed. cit., páginas 170-193.

[62] Encuentro además fortuito, para ilustrar las magias del azar. El «bello aparecer de este lucero» impensado, casual, terminará trastocando la existencia plácida y aburrida de Huamán.

Alida, su mujer, en el Jardín de Luxemburgo, París, 1962.

elegido para hacer avanzar la historia resulta patente dentro del juego intertextual propuesto:

> No eran ruiseñores ni alondras, sino una pobre paloma otoñal que se espulgaba en el alféizar de la ventana. (...)

> No era pues ninguna ave romántica, sino un pájaro ávido, glotón, soso y, mirándolo bien, hasta antipático, el que continuaba espulgándose al sol, en el alféizar de la ventana. (...)

> No era pues ave cantora ni pájaro agorero lo que el doctor Huamán veía en la ventana, sino un pichón pulguiento que levantaba vuelo hacia el tejado vecino donde se soleaba el resto de su tribu[63].

«Pobre», «sucio», «pulguiento» sirven como índices que subrayan aún más la distancia entre la pasión adolescente cantada por Shakespeare y esa primera noche de amor de Plácido y Solange, de un tono más bien mugriento. Pero, al mismo tiempo, estos motivos incorporan una carga ambigua, que no se agota en el acento burlón. El alcance simbólico de las imágenes exige ser denudado ya que, en la última frase del cuento, Huamán alcanza a ver «las hojas de los árboles que caían y esta vez sí ruiseñores y alondras que volaban»[64]. Ni rastro de la «paloma» que, claro, está siendo sacrificada. Si se recuerda que, en quechua, *huamán* significa «halcón» las implicaciones,

---

[63] *Romeo y Julieta,* escena V, acto III: «J.—Aún no ha despuntado el día. / Era el ruiseñor y no la alondra / que hirió el fondo temeroso de tu oído. (...) R.—¡Era la alondra!, mensajera del alba / no el ruiseñor!»

[64] Es conocido el valor de las aves como signo de espiritualidad. Otros matices aclaran increíblemente el cuento:
Paloma: «La paloma representa el alma del justo.» (!) «El sacrificio de la paloma tiene por objeto expiar la ignorancia y la negligencia.»
Alondra: «Sus pasajes sucesivos de la tierra al cielo y del cielo a la tierra reúnen los dos polos de la existencia. Representa así la unión de lo terrenal y lo celestial.»
Ruiseñor: «Este pájaro que todos los poetas consideran chantre del amor, muestra de manera conmovedora, en todos los sentimientos que suscita, el lazo íntimo entre el amor y la muerte.» En Jean Chevalier y Alain Gheerbrant, *Diccionario de los símbolos,* Barcelona, Herder, 1991.

irónicas, se multiplican[65]. La metamorfosis de este halcón crepuscular y nada astuto vale entonces como parábola del proceso de aprendizaje del doctor en educación.

Son los suyos juegos de la edad tardía que se inscriben en un marco temporal también simbólico: todo es otoñal en el cuento, desde la lluvia hasta los turistas. Y ello para acentuar la inconsistencia de la ilusión primaveral del doctor que, contra toda lógica, en el ocaso de su vida, quiere resarcirse de una existencia anodina, rica en tristezas antiguas. A primera vista, pues, parece el relato de un escarmiento a quien desea por encima de sus posibilidades; no obstante una segunda lectura tiende a descubrir las múltiples señales inscriptas en el texto. Huamán personifica el desconcierto del hombre en un mundo confuso e indescifrable. Nada entiende porque los otros hablan un idioma desconocido para él y porque él se empeña en practicar una lengua, la del amor, que sus demasiados años solitarios hacían impronunciable.

Por si fuera poco, todo el cuento está teñido de un aire de «verdad sospechosa»: la catedral de Notre-Dame parece encerrar un enigma, las Galerías Lafayette son un dédalo del consumo, las geishas vietnamitas y la bohemia, impostada; hasta la parisina Solange se extravía... Huamán, extranjero en la ciudad de la Luz, nada vislumbra, al menos hasta bien avanzado el relato. Y aun entonces, cuando se sabe víctima de la trama urdida por los amigos de Solange, cuando ya no tiene dudas (¿o sí?) del carácter interesado de la mujer, se empeña en seguir avanzando en el laberinto. Vivir es errar:

> Al fin el carro tomó un desvío y apenas empezó a recorrerlo el doctor tuvo la impresión que penetraba en un mundo irreal. Era un túnel dorado, oloroso, sinusoide, que se bifurcó para conectarlos con otro túnel rojo, rectilíneo, que se bifurcó a su vez para situarlos en una alameda umbría, que se iba ensanchando hasta desembocar en un claro enorme, circular.

---

[65] Para los incas era emblema y símbolo del sol. «El halcón, cuyo tipo simbólico es siempre solar, uránico, macho y diurno, es un símbolo ascensional en todos los planos, físico, intelectual y moral. Indica una superioridad o una victoria, ya sean logradas o en vías de ser logradas.» Jean Chevalier, *op. cit.*, página 552.

Aunque sabe que no hay placer que no cueste su precio, delante de esa encrucijada decide continuar la peregrinación —*il faut tenter de vivre*—, desatendiendo la alarma de Solange que anuncia nubes oscuras. Como todos los cuentos de Ribeyro, «La juventud en la otra ribera» trata de una promesa que no se cumple: la quimera de la juventud es una orilla inalcanzable para una pobre paloma otoñal. Pero, a cierta altura del relato, Huamán ya no me parece más una víctima de sus propias ilusiones, sino el guía consciente de su decisión, fatal y necesaria. Si la aventura parisina se inscribía ya «en las letras de oro de su vida», si a través de ella el doctor tiene la impresión de desquitarse «de años de rutina, de impotencia, de sueños suntuosos e inútiles», tal vez no haya que interpretar el desenlace sólo negativamente. Como en «Silvio en El Rosedal» el énfasis puede ser puesto en el proceso[66], en ese gesto del personaje para arrancarle a la vida lo que siempre se le había negado.

El laberinto representa la pérdida del hombre en un mundo caótico, aunque equivale también a un viaje al centro de sí mismo, un proceso de aprendizaje que implica una transformación. El círculo al que arriban en el bosque de Fontainebleau es un santuario siniestro porque allí va a ser sacrificado Huamán —el de la cintura de «ídolo de terracota»—, pero es también despejado, claro. El final, ambivalente, distancia a Plácido de la larga lista de fracasados de Ribeyro: bajo la derrota se esconde la victoria íntima sobre una vida miserable consagrada a la frustración. Cierto que es un héroe dudoso, hasta inverosímil y que, ironía del narrador, socava la nota de triunfo, pero su felicidad final, casi mística, nos deja la impresión de que esta vez la rebeldía no ha sido vana. El personaje adquiere cierta grandeza aun en su insensatez. «Y esta vez sí

---

[66] «Los rituales laberínticos sobre los cuales se funda el ceremonial de la iniciación... tienen justamente por objeto enseñar al neófito, en el curso de su vida aquí abajo, la manera de penetrar sin desviarse en los territorios de la muerte (que es la puerta de otra vida)». Mircea Elíade citado por Jean Chevalier, *op. cit.,* pág. 621. También es posible una interpretación dentro de la tradición alquímica, tema por el que Ribeyro se interesó muchísimo en la década de los 70.

ruiseñores y alondras que volaban», alba y ocaso: el ciclo se ha cumplido. Si esas aves eran signos de espiritualidad, amor y dicha, el personaje parece haber conquistado la ribera anhelada.

A pesar de saberse un barco condenado al naufragio[67], ha distinguido la flor que surge al borde del abismo (Solange «manducable» y olorosa); poco importa si en su caída no alcanza a apurarla. Ambiguamente la mujer posibilita en el cuento la plenitud, el conocimiento y la muerte. El doctor buscando en Solange —contra toda esperanza— «la pulpa del placer»[68] pasa del sexo al infinito. Nos deja su clarividencia, la del que prefiere un error fecundo a una estéril verdad.

LA FIGURA EN LA ALFOMBRA

> En cada una de las letras que escribo
> está enhebrado el tiempo, la trama de mi
> vida que otros descifrarán...

Hasta aquí examiné la narrativa de Ribeyro buscando responder algunos inerrogantes generales: *qué hay para decir, cómo debe decirse.* Hemos visto que el relato se planteaba como exploración de lo cotidiano, habitado por seres a quienes el fantasma de la dicha les parecía todavía razonable —un momen-

---

[67] Con esa técnica de anticipar veladamente el desenlace, que puede rastrearse también en otros cuentos, Borel había anticipado el destino del doctor: «Mi filosofía es simple. Divertirse, como si estuviéramos en un barco condenado al naufragio, saber admirar en la caída las flores que crecen al borde del abismo. Y arrancar una de paso si es posible.» Más que volver sobre el sentido irónico, ya suficientemente subrayado, me interesa retomar la imagen, utilizada por Ribeyro en un poema que él había imaginado como epitafio: «Como barco que sale en busca del naufragio / Levo anclas cada día para hacerme a la vida / (...) Si zozobro qué importa en mi tumba perdida / Que pongan vino rojo el aire de un adagio / Una pluma quebrada y el verso de un suicida.» En *Diario,* II, pág. 223.

[68] Durante la descripción de la fiesta en casa de Borel, el narrador se refiere al *vellocino* de Nadine en plena danza sensual. El apelativo, si bien irónico, no deja de ser pertinente, en relación con las múltiples «búsquedas» del doctor. Y hay más: Según Jung, el mito del vellocino simbolizaría la conquista de lo que la razón juzga imposible.

to antes de la caída, del «chasco». Hemos visto a Ribeyro recorrer todos las estaciones del desencanto junto a unos personajes cuya mayor tragedia era la mediocridad. La escritura, eco de esa frustración, renunciaba al brillo formal para pasearse por los lindes de la sugerencia, de lo no dicho: búsqueda de un impulso comunicativo mas no efusivo.

Hay todavía una pregunta, *por qué decir,* que nos reenvía a la dimensión existencial del arte. Las respuestas de Ribeyro son variadas, desde la necesidad de deshacerse de ciertas obsesiones hasta el deseo de permanencia: «En cada lector futuro el autor renace.» La literatura podía ser también una defensa contra las ofensas de la vida o un intento de comprender el mundo[69]. Pero en Ribeyro el ejercicio de la palabra se emprende más desde la perplejidad que desde el entusiasmo. Lejos de constituirse en una forma de conjurar la ambigüedad de lo real, la escritura la vuelve más notoria, hasta instalarnos fuera de toda utopía, perdida ya la promesa del sentido.

«Silvio en El Rosedal», que hemos explorado en algunas de sus dimensiones simbólicas, puede ser leído también como parábola del arte de Ribeyro. En su protagonista, otro de los *alter ego* del autor, aquejado de trascendencia, se encarna la búsqueda del rumbo del existir. Silvio Lombardi hereda la hacienda El Rosedal, tras la súbita muerte de su padre, y este acontecimiento fortuito vendrá a transformar toda su existencia. A esa edad en que, a decir de Onetti, «la vida empieza a ser una sonrisa torcida», Silvio representa la imagen del fracaso: alejado de su vocación musical por el pragmatismo del padre, ve pasar los días «sin iniciativa ni pasión», cancelada toda posibilidad de dicha. Un día cree descubrir en el inmenso rosedal un orden laberíntico, cifrado, y emprende con júbilo la búsqueda de lo oculto. SER, NADA, RES, COSA son los signos que logra interpretar. Palabras enormes que no arrojan ninguna luz sobre el enigma. El universo percibido bajo la indeterminación y la incertidumbre:

---

[69] «Comprendí entonces que escribir, más que transmitir un conocimiento, es acceder a un conocimiento. El acto de escribir nos permite aprehender una realidad que hasta el momento se nos presentaba en forma incompleta, velada, fugitiva o caótica.» En sus *Prosas apátridas,* ed. cit., pág. 62.

Vivimos en un mundo ambiguo, las palabras no quieren decir nada, las ideas son cheques sin provisión, los valores carecen de valor, las personas son impenetrables, los hechos amasijos de contradicciones, la verdad una quimera y la realidad un fenómeno tan difuso que es difícil distinguirla del sueño, la fantasía o la alucinación. La duda, que es el signo de la inteligencia, es también la tara más ominosa de mi carácter[70].

Acaso sólo una certeza: habitamos el reino del azar. Caos u orden oculto, tanto da: la vida está hecha de coincidencias, de encuentros fortuitos que terminan adquiriendo un carácter irreversible. Esa dinámica, un cambio en apariencia nimio que lleva a otro definitivo, se repite en bastantes relatos: «El profesor suplente», «Tristes querellas en la vieja quinta», «*Terra incognita*», «La juventud en la otra ribera»... Se trataría de un proceso gnoseológico que permite al personaje tomar conciencia de sí mismo y del mundo. Más que una transformación en el nivel del actuar, la narrativa ribeyriana propone un cambio de estado, desde el desconocimiento inicial a una hiriente toma de conciencia. Si en «Silvio en el Rosedal» parece haber una valoración positiva de dicho cambio, ello no es lo más corriente en una narrativa seducida más bien por la idea del combate perdido.

El valor simbólico del rosedal se confirma: «En ese jardín no había enigma ni misiva ni en su vida tampoco.» No existen verdades últimas que den sentido a la existencia. Nada sino confusión y desorden. Silvio vuelve entonces al olvidado mirador, ahora con su violín y allí empieza a tocarlo, para nadie, para sí mismo, con la conciencia de que «nunca lo había hecho mejor». Es lo más parecido a la felicidad que permite la narrativa de Ribeyro: el personaje no ha conseguido el amor, no ha sabido sortear la marginalidad. Pero, al menos, asiste al encuentro consigo mismo: SER lo que siempre anheló. Así Ribeyro, ejercitándose en la tarea de escribir, sin importar que sea para nadie: «alinear una palabra tras otra, sin ninguna esperanza de recompensa ni de éxito». Al final, quizá, la salvación por la escritura, el único medio de curarse del sentimien-

---

[70] J. R. Ribeyro, *Prosas apátridas*, ed. cit., pág. 14.

to que embargaba a Silvio: no haber hecho nada, aparte de «durar». Pero, recordaría Onetti, *durar* admite también otros sentidos, como aquél de la fe en el arte, acaso la menos dudosa de las creencias[71].

Hasta aquí se ha subrayado, repitiendo a Ribeyro y su interpretación alquímica del cuento, lo positivo del desenlace: sumergirse en la contienda de la vida no es del todo inútil; aun cuando no se descubra el sentido último, probablemente ilusorio, el esfuerzo desplegado nos justifica.

Pero otra lectura menos esperanzada resulta también posible. El personaje se muestra incapaz o desinteresado de modificar su situación; queda como en suspenso, detenido en un limbo *ahistórico* que no prevé su reintegración a la sociedad. Su quietud se parece demasiado a la muerte o a la renuncia. Debemos acabar de pronunciar entonces la pregunta que ese final sortea: ¿por qué actuar? Aplicado a su narrativa, el tema alcanza resonancias importantes, pues hemos visto a sus personajes participar en un combate perdido de antemano. Acaso íntimamente convencidos de que el mundo no se puede cambiar, no se rebelan; todo lo más, inician un gesto para caer enseguida derrotados. Ni siquiera en las *Tres historias sublevantes,* con las que el autor quiso superar esa visión desengañada, encontramos una clara victoria: los personajes luchan, pero apenas si alcanzan a transformar nada. Ahora bien, que el autor haya elegido el camino de la denuncia, tácita, y no el del silencio constituye ya una prueba en contra del pesimismo paralizador. Sólo el silencio pronuncia la negación radical. El escepticismo de Ribeyro nos conduce más bien a un enunciado paradójico: dado que el cambio parece imposible, resulta por ello mismo imprescindible.

---

[71] «Durar frente a un tema, al fragmento de vida que hemos elegido como materia de nuestro trabajo, hasta extraer, de él o de nosotros, la esencia única y exacta. Durar frente a la vida, sosteniendo un estado de espíritu que nada tenga que ver con lo vano e inútil, lo fácil, las peñas literarias, los mutuos elogios, la hojarasca de mesa de café.

Durar en una ciega, gozosa y absurda fe en el arte, como en una tarea sin sentido explicable, pero que debe ser aceptada virilmente, porque sí, como se acepta el destino.» Juan Carlos Onetti: «Retórica literaria». En su *Réquiem para Faulkner y otros artículos,* Montevideo, Arca, 1975, págs. 21-22.

Su visión del mundo no sería, entonces, enteramente de-
sesperanzada —o, en todo caso, su pesimismo rehúye la tragedia. Más bien estaría teñida de un optimismo sutil:

> En todo autor hay un «parti pris» declarado u oculto. El
> mío parece que está implícito en la mayoría de mis cuentos y
> por razones quizá más temperamentales que ideológicas: inu-
> tilidad del combate solitario, poder compulsivo y manducati-
> vo de la sociedad dominante, búsqueda infructuosa de la di-
> cha, de la seguridad o de la prosperidad. En una palabra, pe-
> simismo. La palabra tal vez es exagerada. Yo no me considero
> realmente como un pesimista, sino como un escéptico opti-
> mista. Lo que puede parecer contradictorio. Esta especie, más
> numerosa de lo que se cree, conserva cierta esperanza secreta
> de que las cosas tal vez se arreglen, (...) en que el hombre a
> fuerza de padecer y de perecer, terminará por encontrar una
> forma de vida compatible con sus anhelos esenciales y que in-
> ventará finalmente una sociedad viable. ¿Cuál? Como escép-
> tico no puedo indicar ninguna receta, como optimista creo
> que la receta existe. Sencillamente hay que encontrarla[72].

Hemos llegado así a la idea central que informa la cosmo-
visión de Ribeyro. Sus personajes están inmersos en un mundo que no comprenden, cuyo sentido resulta tan oculto
como la figura en el rosedal. El narrador tampoco nos ayuda
en la elaboración de certezas, su papel parece ser el de observador. Como actitud ante el mundo no lleva al conformismo,
pero tampoco a la acción, más bien a una puesta en crisis a partir de lo observado. Se ha relacionado a Ribeyro con un autor
como Montaigne, padre del escepticismo moderno. Frente
a una sociedad en transición, surge el testimonio del artista
ante tales transformaciones y la inquietud consiguiente por
no poder descifrar su sentido[73]. Así se explica el refugio en la

---

[72] J. R. Ribeyro, *La caza sutil*, ed. cit., pág. 144.
[73] Efraín Kristal compara las condiciones en las que surge la obra de Ribeyro con la época de Montaigne: «Montaigne pertenece a un sector que ha subido al poder, y Ribeyro a un sector que lo ha perdido. Ambos ignoran exactamente por qué. (...) El escepticismo de Ribeyro no es un conformismo ni
una sumisión: reconoce e identifica los cambios y problemas de su época. De
allí el afán por la observación del mundo exterior. Pero por otro lado en Ri-

propia interioridad: la reflexión y la observación como modo de vida. Actitud que si puede ser lúcida no resulta nunca complaciente: «Pronto cuarenta y ocho años y siglo hablando conmigo mismo, dando vueltas en torno a mi imagen doblegada, roída por el orín del tiempo y la desilusión.»

No resulta difícil entender por qué la crítica se ha referido insistentemente al pesimismo ribeyriano: es la faceta más explícita de su obra. Debe buscarse asimismo el sentido ínsito. Ver, por ejemplo, en la pura repetición de situaciones y actitudes injustas, una crítica hacia la sociedad que las hace posibles. Inútil buscar compromisos más expresos en una narrativa que rehúye del fervor cívico como de otros énfasis. De la misma forma, y en relación a su visión del mundo, proponer quizá una lectura que supere la negatividad primera para incidir en una actitud integradora de términos contrapuestos: «Se puede ser pesimista pero teñido de esperanza»[74].

En realidad si se pretende llegar sin dogmatismos a alguna conclusión, habría que empezar aceptando este proceder contradictorio. Unas veces la actitud escéptica se decanta hacia un pesimismo existencial rayano en la autoconmiseración. Aparece entonces la conciencia de la marginalidad: «la juventud, la felicidad, en el andén del frente»; la historia vista como un juego que no tiene reglas; la vida del hombre como una trama de casualidades que se nos impone. En otras ocasiones, sin embargo, una visión más luminosa sacude por un momento la memoria:

---

beyro se manifiesta una incapacidad para explicar o comprender la realidad. De allí la subjetividad de sus juicios y reflexiones. El estilo de Ribeyro dentro de su escepticismo es como el de Montaigne señalado por Horkheimer, "La descripción y no la teoría: Yo no enseño, narro".» «El narrador en la obra de Julio Ramón Ribeyro», en *Revista de Crítica Literaria Latinoamericana*, Lima, núm. 20, 1984, págs. 166-167.

[74] Hablando de la pintura de Bacon, anota Ribeyro en el *Diario:* «He encontrado en él, por ejemplo una magnífica solución a un problema que muchas veces me he planteado. "Se puede ser optimista y totalmente sin esperanza." A primera vista es una paradoja, un non sens. (...) Esta fórmula la hago inmediatamente mía pero invirtiéndola: "Se puede ser pesimista, pero henchido de esperanza".» *Diario,* III, pág. 248.

Me despierto a veces minado por la duda y me digo que todo lo que he escrito es falso. La vida es hermosa, el amor un manantial de gozo, las palabras tan ciertas como las cosas, nuestro pensamiento diáfano, el mundo inteligible, lo que hagamos útil, la gran aventura del ser. Nada en consecuencia será desperdicio (...) Cada persona, cada hecho, es el nudo necesario al esplendor de la tapicería. Todo se inscribe en el haber del libro de cuentas de la vida[75].

Como la mirada de Roberto en «Alienación», la literatura ribeyriana no es simple reflejo del mundo, sino «un órgano vigilante que cala, elige, califica». No se le reproche al escritor que su testimonio es agrio. A fin de cuentas, como se ha dicho alguna vez, no corresponde a la literatura modificar la realidad, por intolerable que resulte, sino expresarla con lucidez, con una fidelidad no demasiado servil. ¿Reconocer en su obra un testimonio sobre lo insufrible del mundo? Más bien recordar las mismas palabras que Ribeyro dedicara a Flaubert: «este descreído que invocaba a Dios en su correspondencia, fue, en realidad, un cúmulo de contradicciones. La última de todas es que su obra que podría definirse como un teoría del desengaño, pueda deducirse una filosofía de la ilusión»[76].

---

[75] J. R. Ribeyro, *Prosas apátridas,* ed. cit., págs. 144-145.
[76] J. R. Ribeyro, *La caza sutil,* ed. cit., pág. 31.

Esta edición

Por una inversión de valores muy difundida, la introducción, el aparato crítico, la bibliografía hacen las veces de una cortina de humo para esconder lo que el texto tiene que decir si se lo deja hablar sin intermediarios que pretendan saber más que él.

Italo Calvino

Tentada estuve, como el inolvidable personaje de Melville, a contestar «preferiría no hacerlo»; en todo caso, me propuse no descuidar esta advertencia de Calvino que, sin duda, Ribeyro hubiera hecho suya. En las notas me ha gustado dejar hablar a los textos entre sí, para escarnio de géneros y otras ortodoxias.

Sé que el tiempo y el azar son los mejores antólogos. Puestos a justificar mi selección, recuérdese que toda antología resulta ya un ensayo interpretativo. No he recogido los cuentos fantásticos; tampoco otros, muy personales, que Ribeyro consideró alguna vez como capítulos de su autobiografía. Preferí aquéllos en los que habla de sí mismo de manera más tácita, *ribeyriana,* a través de unos personajes signados con su visión del mundo, empecinada, algo triste: lúcida.

No queda sino dar las gracias

a Fernando Iwasaki, a quien importuné mil veces con la excusa de los peruanismos;

a Joaquín Rodero, por su lectura atenta y sus observaciones;

a J. R. R., que se divertía con la idea durante nuestro almuerzo en La Coupole, mientras —fuera también— París era una fiesta.

Bibliografía

OBRAS DE JULIO RAMÓN RIBEYRO

1. *Narrativa*

Los gallinazos sin plumas, Lima, Círculo de Novelistas Peruanos, 1955.
Cuentos de circunstancias, Lima, Nuevos Rumbos, 1958.
Crónica de San Gabriel, Lima, Tawantisuyu, 1960 [Barcelona, Tusquets, 1983].
Tres historias sublevantes, Lima, Mejía Baca, 1964.
Las botellas y los hombres, Lima, Populibros Peruanos, 1964.
Los geniecillos dominicales, Lima, Populibros Peruanos, 1965 [Barcelona, Tusquets, 1983].
La juventud en la otra ribera, Lima, Mosca Azul Editores, 1973.
Cambio de guardia, Lima, Milla Batres, 1976 [Barcelona, Tusquets, 1994].
Sólo para fumadores, Lima, Editorial Barranco, 1982.
La palabra del mudo, Lima, Milla Batres, aparecidos en 1972 (vols. I y II), en 1977 (vol. III) y en 1992 (vol. IV).
Cuentos Completos, Madrid, Alfaguara, 1994.

[En el libro de Jorge Coaguila: *Ribeyro y la palabra inmortal* (Lima, Jaime Campodónico Editor, 1995), se recogen seis relatos inéditos. Las fechas de escritura van desde 1949 hasta 1956.]

2. *Antologías*

Antología, Lima, Peisa, 1974.
Julio Ramón Ribeyro: La palabra del mudo, Lima, Milla Batres, 1980.

La juventud en la otra ribera, Barcelona, Argos Vergara, 1983.

Julio Ramón Ribeyro: Cuentos populares, Lima, Municipalidad de Lima Metropolitana, 1986.

Silvio en el rosedal, Barcelona, Tusquets, 1989.

Antología personal, México, F.C.E., 1992.

Julio Ramón Ribeyro: Cuentos, Lima, Unesco y F.C.E., 1994.

Julio Ramón Ribeyro. Cuentos. Antología, Madrid, Espasa Calpe, 1998.

3. *Teatro*

Vida y pasión de Santiago el pajarero, en *Letras,* Universidad Mayor de San Marcos, núms. 74-75, 1965.

Teatro, Lima, Ediciones de la Universidad Nacional de Educación, 1972. [Se incluyen tres piezas en un acto: *El último cliente, El uso de la palabra* y *Confusión en la Prefectura.]*

Teatro, Lima, Instituto Nacional de Cultura, 1975. [Se recogen, además de las tres últimas obras citadas, *Santiago el pajarero, El sótano, Fin de semana* y *Los caracoles.]*

Atusparia, Lima, Ediciones Richkay Perú, 1981.

4. *Ensayo*

Dos soledades, Lima, Instituto Nacional de Cultura, 1974. [Recoge las conferencias de Westphalen, «Poetas en la Lima de los años treinta», y de Ribeyro «Las alternativas del novelista».]

La caza sutil, Lima, Milla Batres, 1975.

Prosas apátridas, Barcelona, Tusquets, 1975.

Prosas apátridas aumentadas, Lima, Milla Batres, 1978.

Dichos de Luder, Lima, Campodónico Editor, 1989. [Colección de aforismos.]

Prólogo y traducción, en *Guy de Maupassant: Paseo campestre y otros cuentos,* Lima, Campodónico Editor, 1993.

5. *Escritos íntimos*

La tentación del fracaso, Diario personal, 3 vols., Lima, Campodónico Editor, 1992, 1993 y 1995, respectivamente.

Cartas a Juan Antonio, vol. I (1953-58) y vol. II (1958-70), Lima, Campodónico Editor, 1996.

LIBROS SOBRE JULIO RAMÓN RIBEYRO

COAGUILA, Jorge, *La palabra inmortal* (Entrevistas), Lima, Jaime Campodónico Editor, 1995.

HIGGINS, James, *Cambio social y constantes humanas. La narrativa corta de Ribeyro,* Lima, Fondo Editorial Pontificia Universidad Católica del Perú, 1991.

LUCHTING, Wolfgang, *Julio Ramón Ribeyro y sus dobles,* Lima, Instituto Nacional de Cultura, 1971.

—*Estudiando a Julio Ramón Ribeyro,* Frankfurt am Main, Vervuert, 1988.

MÁRQUEZ, Ismael y FERREIRA, César (eds.), *Asedios a Julio Ramón Ribeyro,* Lima, Fondo Editorial Pontificia Universidad Católica del Perú, 1996.

TENORIO REQUEJO, Néstor (comp.), *Julio Ramón Ribeyro: El rumor de la vida,* Lima, Arteidea Editores, 1996.

ARTÍCULOS CRÍTICOS, PRÓLOGOS
SOBRE JULIO RAMÓN RIBEYRO

(Se han seleccionado especialmente artículos referentes a su narrativa.)

ALFANI, María Rosario, «Escritura en contumacia: la escritura horizontal de J. R. R.», en *Revista de Crítica Literaria Latinoamericana,* núm. 10, 1979, págs. 137-142.

ANDREU, Alicia, «Legitimidad literaria y legitimidad socio-económica en el relato de Julio Ramón Ribeyro», en *Revista de Crítica Literaria Latinoamericana,* Lima, XX, núm. 39, 1994, págs. 169-176.

BACHERO DE SEMINARIO, Ileana, «Un micromundo que refleja un macromundo», en *Humanidades,* núm. 5, Lima, 1973, págs. 85-92.

BAQUERIZO, M. J., «Las narraciones de Ribeyro», en *Letras peruanas,* Lima, núm. 13, 1962, págs. 7-12.

BRUCE, J., «De un belvedere a otro», en *Hueso Húmero,* Lima, números 15-16, 1986, págs. 209-217.

Bryce Echenique, Alfredo, «El arte genuino de Ribeyro», en Julio Ramón Ribeyro, *Cuentos completos,* Madrid, Alfaguara, 1994.

Castro Klaren, S., «El dictador en el paraíso: Ribeyro, Thorndike y Adolph», en *Hispamérica,* VII, núm. 21, págs. 21-36.

Cornejo Polar, Antonio, *«Los geniecillos dominicales:* sus fortunas y adversidades», en *La novela peruana: siete estudios,* Lima, Horizonte, 1977, págs. 145-158.

Coulson, Graciela, «Los cuentos de Ribeyro. Primer encuentro», en *Cuadernos Hispanoamericanos,* Año XXXIII, vol. CXCV, núm. 4, julio-agosto, 1974, págs. 220-226.

— *«Los geniecillos dominicales* o el parricidio necesario», en *Texto Crítico,* México, núm. 7, 1977, págs. 154-163.

Delgado, Washington: «Ribeyro y la imagen novelesca de la burguesía latinoamericana», prólogo a *Los geniecillos dominicales,* Lima, Milla-Batres, 1973, págs. 9-14.

— «Fantasía y realidad en la obra de Ribeyro», prólogo a *La palabra del mudo,* vol. 1, Lima, Milla-Batres, págs. XI-XVI.

Elmore, Peter, «Tránsitos entre ruinas: La crisis del sujeto urbano en Ribeyro, Bryce y Mario Vargas Llosa», en *Los muros invisibles. Lima y la modernidad en la novela del siglo XX,* Lima, Mosca Azul, 1993, págs. 145-166.

Esteban, Ángel, «Introducción» a su antología de cuentos de Ribeyro, Madrid, Espasa Calpe, 1998, págs. 9-72.

Gerdes, Dick, «Julio Ramón Ribeyro: un análisis de sus cuentos», en *Kentucky Romance Quaterly,* XXXVI, 1, 1979, págs. 51-65.

Gnutzman, Rita, «Silvio en El Rosedal, por Julio Ramón Ribeyro», en *Ínsula,* XLV, núm. 527, 1990, págs. 25-26.

Kristal, Efraín, «El narrador en la obra de Julio Ramón Ribeyro», en *Revista de Crítica Literaria Latinoamericana,* Lima, núm. 20, 1984, págs. 155-169.

Libertella, Héctor, «Julio Ramón Ribeyro o la narrativa en su condición migratoria», en *Las Sagradas Escrituras,* Buenos Aires, Editorial Sudamericana, 1993, págs. 137-140.

Loayza, Luis, «Regreso a San Gabriel», en *El sol de Lima,* México, Fondo de Cultura Económica, 1993, págs. 161-174.

Losada Guido, Alejandro, «J. R. Ribeyro. La creación como existencia marginal y el subjetivismo negativo», en *Creación literaria y praxis social en Latinoamérica,* Lima, Universidad Nacional Mayor San Marcos, 1974, págs. 41-46.

— «La obra de Julio Ramón Ribeyro», en *Eco*, Bogotá, núm. 171, 1975, págs. 267-278.

LUCHTING, Wolfgang, «Recent peruvian fiction: Vargas Llosa, Ribeyro and Arguedas», en *Research Studies*, núm. 35, 1967, págs. 271-290.

— «*Tres historias sublevantes* de Julio Ramón Ribeyro», en *Mundo Nuevo*, París, núms. 39-40, 1969, págs. 87-96.

— «Informe sobre videntes», en su *Pasos a desnivel*, Caracas, Monte Ávila, 1972, págs. 159-172.

— «Mario Vargas Llosa y Julio Ramón Ribeyro», en su *Pasos a desnivel*, ed. cit., págs. 365-385.

— «Mudo en el parque: *La palabra del Mudo*, III, *Silvio en El Rosedal*, de Julio Ramón Ribeyro», en *Explicación de Textos Literarios*, California, Año X, núm. 1, 1981, págs. 35-47.

MINARDI, Giovanna, «La escritura delirante de Julio Ramón Ribeyro», en *Teoría e interpretación del cuento. Perspectivas hispánicas*, Bern, Peter Liang, 1995, págs. 475-478.

NAVASCUÉS, Javier, «Ribeyro, el escritor melancólico», en *Nuestro tiempo*, julio/agosto de 1995, núms. 493-494, págs. 90-92.

OQUENDO, Abelardo, «*Los hombres y las botellas* y *Tres historias sublevantes*», en *Revista Peruana de Cultura*, núm. 2, Lima, 1964.

— «Apuntes sobre Ribeyro», en *Eco*, Bogotá, núm. 183, 1977, págs. 103-108.

— «Alrededor de Ribeyro», prólogo a *Prosas apátridas aumentadas*, Lima, Milla-Batres, 1978, págs. IX-XX.

ORTEGA, José, «La poética del desamparo en los cuentos de Julio Ramón Ribeyro», en *Cuadernos Hispanoamericanos*, núms. 539-540, 1995, Madrid, págs. 117-121.

ORTEGA, Julio, «Presentación» al libro de Wolfgang Luchting: *Julio Ramón Ribeyro y sus dobles*, ed. cit., págs. IX-XVIII.

— «Los cuentos de Ribeyro», en *Cuadernos Hispanoamericanos*, Madrid, núm. 417, 1985, págs. 128-145.

— «Julio Ramón Ribeyro: la naturaleza del código», en su *Crítica de la identidad. La pregunta por el Perú en su literatura*, México, F.C.E., 1988, págs. 181-202.

OVIEDO, José Miguel, «Ribeyro o el escepticismo como una de las bellas artes», prólogo a *Prosas apátridas*, Barcelona, Tusquets, 1975, págs. 7-25.

RODRÍGUEZ CONDE, Isolina, *Aproximaciones a la narrativa de Julio Ramón Ribeyro*, Madrid, Universidad Complutense, 1984.

RODRÍGUEZ-PADRÓN, Jorge, «Julio Ramón Ribeyro o el placer de contar», en *Cielo abierto,* núm. 25, 1983, págs. 2-10.

RODRÍGUEZ-PERALTA, Ph., «Counterpart and Contrast in Julio Ramón Ribeyro's two Novels», en *Hispania,* Nueva York, núm. 62, 1979, págs. 619-625.

SABUGO ABRIL, A., «La narrativa de Julio Ramón Ribeyro», en *Cuadernos Hispanoamericanos,* Madrid, núm. 406, 1984, págs. 161-167.

TAMAYO VARGAS, Augusto, «J. R. R.: Un narrador urbano en sus cuentos», en *Memorias del XVII Congreso del Instituto Internacional de Literatura Iberoamericana,* Madrid, C.I.C., 1978, págs. 1161-1175.

VIDAL, Luis Fernando, «Ribeyro y los espejos repetidos», en *Revista de Crítica Literaria Latinoamericana,* núm. 1, 1975, págs. 73-88.

ZAVALETA, Carlos Eduardo, «Un recuerdo de Julio Ramón Ribeyro», en *Paideia, Revista de Ciencias de la Educación,* II, núm. 2, 1996, págs. 86-98.

Cuentos

Los gallinazos sin plumas[1]

A las seis de la mañana la ciudad se levanta de puntillas y comienza a dar sus primeros pasos. Una fina niebla disuelve el perfil de los objetos y crea como una atmósfera encantada. Las personas que recorren la ciudad a esta hora parece que están hechas de otra sustancia, que pertenecen a un orden de vida fantasmal. Las beatas se arrastran penosamente hasta desaparecer en los pórticos de las iglesias. Los noctámbulos, macerados por la noche, regresan a sus casas envueltos en sus bufandas y en su melancolía. Los basureros inician por la avenida Pardo su paseo siniestro, armados de escobas y de carretas. A esta hora se ve también obreros caminando hacia el tranvía, policías bostezando contra los árboles, canillitas[2] morados de frío, sirvientas sacando los cubos de basura. A esta hora, por último, como a una especie de misteriosa consigna, aparecen los gallinazos[3] sin plumas.

A esta hora el viejo don Santos se pone la pierna de palo y sentándose en el colchón comienza a berrear:

---

[1] Recogido en *Los gallinazos sin plumas* (Lima, 1955), junto a otros siete cuentos con los que comparte el mismo aire *neorrealista*, el escenario de las barriadas limeñas y sus personajes marginales, a quienes conocemos en un momento que explica y perpetúa su frustración.

El relato fue escrito en París, un año antes, curiosamente cuando el mismo Ribeyro andaba también ocupado con cubos de basura por su empleo de mozo de hotel. «Espero que esto le otorgue a mi cuento un poco más de exactitud psicológica», anotaba en la entrada de su *Diario* correspondiente a agosto de ese año.

[2] Americ., muchacho que vende periódicos o billetes de lotería.

[3] Rapaz diurna que se alimenta de materias orgánicas en descomposición.

—¡A levantarse! ¡Efraín, Enrique! ¡Ya es hora!

Los dos muchachos corren a la acequia del corralón frotándose los ojos legañosos. Con la tranquilidad de la noche el agua se ha remansado y en su fondo transparente se ven crecer yerbas y deslizarse ágiles infusorios. Luego de enjuagarse la cara, coge cada cual su lata y se lanzan a la calle. Don Santos, mientras tanto, se aproxima al chiquero y con su larga vara golpea el lomo de su cerdo que se revuelca entre los desperdicios.

—¡Todavía te falta un poco, marrano! Pero aguarda no más, que ya llegará tu turno.

Efraín y Enrique se demoran en el camino, trepándose a los árboles para arrancar moras o recogiendo piedras, de aquellas filudas que cortan el aire y hieren por la espalda. Siendo aún la hora celeste llegan a su dominio, una larga calle ornada de casas elegantes que desemboca en el malecón.

Ellos no son los únicos. En otros corralones, en otros suburbios alguien ha dado la voz de alarma y muchos se han levantado. Unos portan latas, otros cajas de cartón, a veces sólo basta un periódico viejo. Sin conocerse forman una especie de organización clandestina que tiene repartida toda la ciudad. Los hay que merodean por los edificios públicos, otros han elegido los parques o los muladares. Hasta los perros han adquirido sus hábitos, sus itinerarios, sabiamente aleccionados por la miseria.

Efraín y Enrique, después de un breve descanso, empiezan su trabajo. Cada uno escoge una acera de la calle. Los cubos de basura están alineados delante de las puertas. Hay que vaciarlos íntegramente y luego comenzar la exploración. Un cubo de basura es siempre una caja de sorpresas. Se encuentran latas de sardinas, zapatos viejos, pedazos de pan, pericotes[4] muertos, algodones inmundos. A ellos sólo les interesa los restos de comida. En el fondo del chiquero, Pascual recibe cualquier cosa y tiene predilección por las verduras ligeramente descompuestas. La pequeña lata de cada uno se va llenando de tomates podridos, pedazos de sebo, extrañas salsas que no figuran en ningún manual de cocina. No es raro, sin

---

[4] Americ., rata nocturna.

embargo, hacer un hallazgo valioso. Un día Efraín encontró unos tirantes con los que fabricó una honda. Otra vez una pera casi buena que devoró en el acto. Enrique, en cambio, tiene suerte para las cajitas de remedios, los pomos brillantes, las escobillas de dientes usadas y otras cosas semejantes que colecciona con avidez.

Después de una rigurosa selección regresan la basura al cubo y se lanzan sobre el próximo. No conviene demorarse mucho porque el enemigo siempre está al acecho. A veces son sorprendidos por las sirvientas y tienen que huir dejando regado su botín. Pero, con más frecuencia, es el carro de la Baja Policía[5] el que aparece y entonces la jornada está perdida.

Cuando el sol asoma sobre las lomas, la hora celeste llega a su fin. La niebla se ha disuelto, las beatas están sumidas en éxtasis, los noctámbulos duermen, los canillitas han repartido los diarios, los obreros trepan a los andamios. La luz desvanece el mundo mágico del alba. Los gallinazos sin plumas han regresado a su nido.

Don Santos los esperaba con el café preparado.

—A ver, ¿qué cosa me han traído?

Husmeaba entre las latas y si la provisión estaba buena hacía siempre el mismo comentario:

—Pascual tendrá banquete hoy día.

Pero la mayoría de las veces estallaba:

—¡Idiotas! ¿Qué han hecho hoy día? ¡Se han puesto a jugar seguramente! ¡Pascual se morirá de hambre!

Ellos huían hacia el emparrado, con las orejas ardiendo de los pescozones, mientras el viejo se arrastraba hasta el chiquero. Desde el fondo de su reducto el cerdo empezaba a gruñir. Don Santos le aventaba la comida.

—¡Mi pobre Pascual! Hoy día te quedarás con hambre por culpa de estos zamarros[6]. Ellos no te engríen[7] como yo. ¡Habrá que zurrarlos para que aprendan!

---

[5] Servicio de recogida de basuras.
[6] Americ., hombre astuto y bribón.
[7] Americ., mimar, encariñar.

Al comenzar el invierno el cerdo estaba convertido en una especie de monstruo insaciable. Todo le parecía poco y don Santos se vengaba en sus nietos del hambre del animal. Los obligaba a levantarse más temprano, a invadir los terrenos ajenos en busca de más desperdicios. Por último los forzó a que se dirigieran hasta el muladar que estaba al borde del mar.

—Allí encontrarán más cosas. Será más fácil además porque todo está junto.

Un domingo, Efraín y Enrique llegaron al barranco. Los carros de la Baja Policía, siguiendo una huella de tierra, descargaban la basura sobre una pendiente de piedras. Visto desde el malecón, el muladar formaba una especie de acantilado oscuro y humeante, donde los gallinazos y los perros se desplazaban como hormigas. Desde lejos los muchachos arrojaron piedras para espantar a sus enemigos. Un perro se retiró aullando. Cuando estuvieron cerca sintieron un olor nauseabundo que penetró hasta sus pulmones. Los pies se les hundían en un alto de plumas, de excrementos, de materias descompuestas o quemadas. Enterrando las manos comenzaron la exploración. A veces, bajo un periódico amarillento, descubrían una carroña devorada a medias. En los acantilados próximos los gallinazos espiaban impacientes y algunos se acercaban saltando de piedra en piedra, como si quisieran acorralarlos. Efraín gritaba para intimidarlos y sus gritos resonaban en el desfiladero y hacían desprenderse guijarros que rodaban hasta el mar. Después de una hora de trabajo regresaron al corralón con los cubos llenos.

—¡Bravo! —exclamó don Santos—. Habrá que repetir esto dos o tres veces por semana.

Desde entonces, los miércoles y los domingos, Efraín y Enrique hacían el trote hasta el muladar. Pronto formaron parte de la extraña fauna de esos lugares y los gallinazos, acostumbrados a su presencia, laboraban a su lado, graznando, aleteando, escarbando con sus picos amarillos, como ayudándolos a descubrir la pista de la preciosa suciedad.

Fue al regresar de una de esas excursiones que Efraín sintió un dolor en la planta del pie. Un vidrio le había causado una pequeña herida. Al día siguiente tenía el pie hinchado, no obstante lo cual prosiguió su trabajo. Cuando regresaron no podía casi caminar, pero don Santos no se percató de ello pues tenía visita. Acompañado de un hombre gordo que tenía las manos manchadas de sangre, observaba el chiquero.

—Dentro de veinte o treinta días vendré por acá —decía el hombre—. Para esa fecha creo que podrá estar a punto.

Cuando partió, don Santos echaba fuego por los ojos.

—¡A trabajar! ¡A trabajar! ¡De ahora en adelante habrá que aumentar la ración de Pascual! El negocio anda sobre rieles.

A la mañana siguiente, sin embargo, cuando don Santos despertó a sus nietos, Efraín no se pudo levantar.

—Tiene una herida en el pie —explicó Enrique—. Ayer se cortó con un vidrio.

Don Santos examinó el pie de su nieto. La infección había comenzado.

—¡Ésas son patrañas! Que se lave el pie en la acequia y que se envuelva con un trapo.

—¡Pero si le duele! —intervino Enrique—. No puede caminar bien.

Don Santos meditó un momento. Desde el chiquero llegaban los gruñidos de Pascual.

—¿Y a mí? —preguntó dándose un palmazo en la pierna de palo—. ¿Acaso no me duele la pierna? Y yo tengo setenta años y yo trabajo... ¡Hay que dejarse de mañas!

Efraín salió a la calle con su lata, apoyado en el hombro de su hermano. Media hora después regresaron con los cubos casi vacíos.

—¡No podía más! —dijo Enrique al abuelo—. Efraín está medio cojo.

Don Santos observó a sus nietos como si meditara una sentencia.

—Bien, bien —dijo rascándose la barba rala y cogiendo a Efraín del pescuezo lo arreó hacia el cuarto—. ¡Los enfermos a la cama! ¡A podrirse[8] sobre el colchón! Y tú harás la tarea de tu hermano. ¡Vete ahora mismo al muladar!

---

[8] Vulgarismo.

Cerca de mediodía Enrique regresó con los cubos repletos. Lo seguía un extraño visitante: un perro escuálido y medio sarnoso.

—Lo encontré en el muladar —explicó Enrique— y me ha venido siguiendo.

Don Santos cogió la vara.

—¡Una boca más en el corralón!

Enrique levantó al perro contra su pecho y huyó hacia la puerta.

—¡No le hagas nada, abuelito! Le daré yo de mi comida.

Don Santos se acercó, hundiendo su pierna de palo en el lodo.

—¡Nada de perros aquí! ¡Ya tengo bastante con ustedes!

Enrique abrió la puerta de la calle.

—Si se va él, me voy yo también.

El abuelo se detuvo. Enrique aprovechó para insistir:

—No come casi nada..., mira lo flaco que está. Además, desde que Efraín está enfermo, me ayudará. Conoce bien el muladar y tiene buena nariz para la basura.

Don Santos reflexionó, mirando el cielo donde se condensaba la garúa[9]. Sin decir nada soltó la vara, cogió los cubos y se fue rengueando[10] hasta el chiquero.

Enrique sonrió de alegría y con su amigo aferrado al corazón corrió donde su hermano.

—¡Pascual, Pascual... Pascualito! —cantaba el abuelo.

—Tú te llamarás Pedro —dijo Enrique acariciando la cabeza de su perro e ingresó donde Efraín.

Su alegría se esfumó: Efraín inundado de sudor se revolcaba de dolor sobre el colchón. Tenía el pie hinchado, como si fuera de jebe[11] y estuviera lleno de aire. Los dedos habían perdido casi su forma.

—Te he traído este regalo, mira —dijo mostrando al perro—. Se llama Pedro, es para ti, para que te acompañe... Cuando yo me vaya al muladar te lo dejaré y los dos jugarán todo el día. Le enseñarás a que te traiga piedras en la boca.

---

[9] Americ., lluvia finísima.
[10] Americ., renqueando.
[11] Americ., goma elástica, caucho.

—¿Y el abuelo? —preguntó Efraín extendiendo su mano hacia el animal.

—El abuelo no dice nada —suspiró Enrique.

Ambos miraron hacia la puerta. La garúa había empezado a caer. La voz del abuelo llegaba:

—¡Pascual, Pascual... Pascualito!

Esa misma noche salió luna llena. Ambos nietos se inquietaron, porque en esta época el abuelo se ponía intratable. Desde el atardecer lo vieron rondando por el corralón, hablando solo, dando de varillazos al emparrado. Por momentos se aproximaba al cuarto, echaba una mirada a su interior y al ver a sus nietos silenciosos, lanzaba un salivazo cargado de rencor. Pedro le tenía miedo y cada vez que lo veía se acurrucaba y quedaba inmóvil como una piedra.

—¡Mugre, nada más que mugre! —repitió toda la noche el abuelo, mirando la luna.

A la mañana siguiente Enrique amaneció resfriado. El viejo, que lo sintió estornudar en la madrugada, no dijo nada. En el fondo, sin embargo, presentía una catástrofe. Si Enrique se enfermaba, ¿quién se ocuparía de Pascual? La voracidad del cerdo crecía con su gordura. Gruñía por las tardes con el hocico enterrado en el fango. Del corralón de Nemesio, que vivía a una cuadra, se habían venido a quejar.

Al segundo día sucedió lo inevitable: Enrique no se pudo levantar. Había tosido toda la noche y la mañana lo sorprendió temblando, quemado por la fiebre.

—¿Tú también? —preguntó el abuelo.

Enrique señaló su pecho, que roncaba. El abuelo salió furioso del cuarto. Cinco minutos después regresó.

—¡Está muy mal engañarme de esa manera! —plañía—. Abusan de mí porque no puedo caminar. Saben bien que soy viejo, que soy cojo. ¡De otra manera los mandaría al diablo y me ocuparía yo solo de Pascual!

Efraín se despertó quejándose y Enrique comenzó a toser.

—¡Pero no importa! Yo me encargaré de él. ¡Ustedes son basura, nada más que basura! ¡Unos pobres gallinazos sin plumas! Ya verán cómo les saco ventaja. El abuelo está fuerte to-

97

davía. ¡Pero eso sí, hoy día no habrá comida para ustedes! ¡No habrá comida hasta que no puedan levantarse y trabajar!

A través del umbral lo vieron levantar las latas en vilo y volcarse en la calle. Media hora después regresó aplastado. Sin la ligereza de sus nietos el carro de la Baja Policía lo había ganado. Los perros, además, habían querido morderlo.

—¡Pedazos de mugre! ¡Ya saben, se quedarán sin comida hasta que no trabajen!

Al día siguiente trató de repetir la operación pero tuvo que renunciar. Su pierna de palo había perdido la costumbre de las pistas de asfalto, de las duras aceras y cada paso que daba era como un lanzazo en la ingle. A la hora celeste del tercer día quedó desplomado en su colchón, sin otro ánimo que para el insulto.

—¡Si se muere de hambre —gritaba— será por culpa de ustedes!

Desde entonces empezaron unos días angustiosos, interminables. Los tres pasaban el día encerrados en el cuarto, sin hablar, sufriendo una especie de reclusión forzosa. Efraín se revolcaba sin tregua, Enrique tosía, Pedro se levantaba y después de hacer un recorrido por el corralón, regresaba con una piedra en la boca, que depositaba en las manos de sus amos. Don Santos, a medio acostar, jugaba con su pierna de palo y les lanzaba miradas feroces. A mediodía se arrastraba hasta la esquina del terreno donde crecían verduras y preparaba su almuerzo que devoraba en secreto. A veces aventaba a la cama de sus nietos alguna lechuga o una zanahoria cruda, con el propósito de excitar su apetito creyendo así hacer más refinado su castigo.

Efraín ya no tenía fuerzas ni para quejarse. Solamente Enrique sentía crecer en su corazón un miedo extraño y al mirar los ojos del abuelo creía desconocerlos, como si ellos hubieran perdido su expresión humana. Por las noches, cuando la luna se levantaba, cogía a Pedro entre sus brazos y lo aplastaba tiernamente hasta hacerlo gemir. A esa hora el cerdo comenzaba a gruñir y el abuelo se quejaba como si lo estuvieran ahorcando. A veces se ceñía la pierna de palo y salía al corra

98

lón. A la luz de la luna Enrique lo veía ir diez veces del chiquero a la huerta, levantando los puños, atropellando lo que encontraba en su camino. Por último reingresaba al cuarto y quedaba mirándolos fijamente, como si quisiera hacerlos responsables del hambre de Pascual.

La última noche de luna llena nadie pudo dormir. Pascual lanzaba verdaderos rugidos. Enrique había oído decir que los cerdos, cuando tenían hambre, se volvían locos como los hombres. El abuelo permaneció en vela, sin apagar siquiera el farol. Esta vez no salió al corralón ni maldijo entre dientes. Hundido en su colchón miraba fijamente la puerta. Parecía amasar dentro de sí una cólera muy vieja, jugar con ella, aprestarse a dispararla. Cuando el cielo comenzó a desteñirse sobre las lomas abrió la boca, mantuvo su oscura oquedad vuelta hacia sus nietos y lanzó un rugido.

—¡Arriba, arriba, arriba! —los golpes comenzaron a llover—. ¡A levantarse haraganes! ¿Hasta cuándo vamos a estar así? ¡Esto se acabó! ¡De pie!...

Efraín se echó a llorar. Enrique se levantó, aplastándose contra la pared. Los ojos del abuelo parecían fascinarlo hasta volverlo insensible a los golpes. Veía la vara alzarse y abatirse sobre su cabeza, como si fuera una vara de cartón. Al fin pudo reaccionar.

—¡A Efraín no! ¡Él no tiene la culpa! ¡Déjame a mí solo, yo saldré, yo iré al muladar!

El abuelo se contuvo jadeante. Tardó mucho en recuperar el aliento.

—Ahora mismo... al muladar.. lleva dos cubos, cuatro cubos...

Enrique se apartó, cogió los cubos y se alejó a la carrera. La fatiga del hambre y de la convalecencia lo hacían trastabillar. Cuando abrió la puerta del corralón, Pedro quiso seguirlo.

—Tú no. Quédate aquí cuidando a Efraín.

Y se lanzó a la calle respirando a pleno pulmón el aire de la mañana. En el camino comió yerbas, estuvo a punto de mascar la tierra. Todo lo veía a través de una niebla mágica. La debilidad lo hacía ligero, etéreo: volaba casi como un pájaro.

99

En el muladar se sintió un gallinazo más entre los gallinazos. Cuando los cubos estuvieron rebosantes emprendió el regreso. Las beatas, los noctámbulos, los canillitas descalzos, todas las secreciones del alba comenzaban a dispersarse por la ciudad. Enrique, devuelto a su mundo, caminaba feliz entre ellos, en su mundo de perros y fantasmas, tocado por la hora celeste.

Al entrar al corralón sintió un aire opresor, resistente, que lo obligó a detenerse. Era como si allí, en el dintel, terminara un mundo y comenzara otro fabricado de barro, de rugidos, de absurdas penitencias. Lo sorprendente era, sin embargo, que esta vez reinaba en el corralón una calma cargada de malos presagios, como si toda la violencia estuviera en equilibrio, a punto de desplomarse. El abuelo, parado al borde del chiquero, miraba hacia el fondo. Parecía un árbol creciendo desde su pierna de palo. Enrique hizo ruido pero el abuelo no se movió.

—¡Aquí están los cubos!

Don Santos le volvió la espalda y quedó inmóvil. Enrique soltó los cubos y corrió intrigado hasta el cuarto. Efraín, apenas lo vio, comenzó a gemir:

—Pedro... Pedro...

—¿Qué pasa?

—Pedro ha mordido al abuelo... el abuelo cogió la vara... después lo sentí aullar.

Enrique salió del cuarto.

—¡Pedro, ven aquí! ¿Dónde estás, Pedro?

Nadie le respondió. El abuelo seguía inmóvil, con la mirada en la pared. Enrique tuvo un mal presentimiento. De un salto se acercó al viejo.

—¿Dónde está Pedro?

Su mirada descendió al chiquero. Pascual devoraba algo en medio del lodo. Aún quedaban las piernas y el rabo del perro.

—¡No! —gritó Enrique tapándose los ojos—. ¡No, no! —y a través de las lágrimas buscó la mirada del abuelo. Éste la rehuyó, girando torpemente sobre su pierna de palo. Enrique comenzó a danzar en torno suyo prendiéndose de su camisa, gritando, pataleando, tratando de mirar sus ojos, de encontrar una respuesta.

—¿Por qué has hecho eso? ¿Por qué?

El abuelo no respondía. Por último, impaciente, dio un manotón a su nieto que lo hizo rodar por tierra. Desde allí Enrique observó al viejo que, erguido como un gigante, miraba obstinadamente el festín de Pascual. Estirando la mano encontró la vara que tenía el extremo manchado de sangre. Con ella se levantó de puntillas y se acercó al viejo.

—¡Voltea! —gritó—. ¡Voltea!

Cuando don Santos se volvió, divisó la vara que cortaba el aire y se estrellaba contra su pómulo.

—¡Toma! —chilló Enrique y levantó nuevamente la mano. Pero súbitamente se detuvo, temeroso de lo que estaba haciendo y, lanzando la vara a su alrededor, miró al abuelo casi arrepentido. El viejo, cogiéndose el rostro, retrocedió un paso, su pierna de palo tocó tierra húmeda, resbaló, y dando un alarido se precipitó de espaldas al chiquero.

Enrique retrocedió unos pasos. Primero aguzó el oído pero no se escuchaba ningún ruido. Poco a poco se fue aproximando. El abuelo, con la pata de palo quebrada, estaba de espaldas en el fango. Tenía la boca abierta y sus ojos buscaban a Pascual, que se había refugiado en un ángulo y husmeaba sospechosamente en el lodo.

Enrique se fue retirando, con el mismo sigilo con que se había aproximado. Probablemente el abuelo alcanzó a divisarlo pues mientras corría hacia el cuarto le pareció que lo llamaba por su nombre, con un tono de ternura que él nunca había escuchado.

—¡A mí, Enrique, a mí!...

—¡Pronto! —exclamó Enrique, precipitándose sobre su hermano—. ¡Pronto, Efraín! ¡El viejo se ha caído al chiquero! ¡Debemos irnos de acá!

—¿Adónde? —preguntó Efraín.

—¡Adonde sea, al muladar, donde podamos comer algo, donde los gallinazos!

—¡No me puedo parar![12].

Enrique cogió a su hermano con ambas manos y lo estrechó contra su pecho. Abrazados hasta formar una sola perso-

---

[12] Americ., ponerse de pie, erguirse.

na cruzaron lentamente el corralón. Cuando abrieron el portón de la calle se dieron cuenta que la hora celeste había terminado y que la ciudad, despierta y viva, abría ante ellos su gigantesca mandíbula.

Desde el chiquero llegaba el rumor de una batalla.

(París, 1954)

Mientras arde la vela[13]

Mercedes tendió en el cordel la última sábana y con los brazos aún en alto quedó pensativa, mirando la luna. Luego fue caminando, muy despacito, hasta su habitación. En el candelero ardía la vela. Moisés con el pecho descubierto roncaba mirando el techo. En un rincón Panchito yacía ovillado como un gato. A pesar de encontrarse fatigada y con sueño no se acostó de inmediato. Sentándose en una banqueta quedó mirando ese cuadro que al influjo de la llama azul cobraba a veces un aire insustancial y falso.

—Me acostaré cuando termine de arder —pensó y se miró las manos agrietadas por la lejía. Luego su mirada se posó en su marido, en su hijo, en los viejos utensilios, en la miseria que se cocinaba silenciosamente bajo la débil luz. Había tranquilidad, sin embargo, un sosiego rural, como si el día cansado de vivir se hubiera remansado en un largo sueño. Unas horas antes, en cambio, la situación era tan distinta. Moisés yacía en la cama como ahora, pero estaba inconsciente. Cuando ella lavaba la ropa en el fondo del patio dos obreros lo trajeron cargado.

—¡Doña Mercedes! —gritaron ingresando al corralón—. ¡Moisés ha sufrido un accidente!

---

[13] Incluido en el mismo volumen de 1954. En el «Prólogo» Ribeyro se había encargado de precisar el sector de la realidad que le interesaba: el de las clases más bajas de la sociedad urbana. El narrador, observador minucioso, crea aquí uno de sus caracteres femeninos más logrados en la figura de Mercedes y el proceso de maduración de su venganza. Implícita, la radiografía crítica de una sociedad que transmuta la frustración en violencia.

—Subió un poco mareado al andamio —añadieron tirándolo sobre la cama— y se vino de cabeza al suelo.

—Creí que se me iba... —murmuró Mercedes, observándolo cómo roncaba, ahora, los ojos entreabiertos.

Lejos de irse, sin embargo, regresó de su desmayo fácilmente, como de una siesta. Panchito, que a esa hora bailaba su trompo sobre el piso de tierra, lo miró asustado y ella se precipitó hacia él, para abrazarlo o insultarlo, no lo sabía bien. Pero Moisés la rechazó y sin decir palabra comenzó a dar vueltas por el cuarto.

«Estaba como loco», pensó Mercedes y miró nuevamente sus manos agrietadas por la lejía. Si pudiera abrir la verdulería no tendría que lavar jamás. Tras el mostrador, despachando a los clientes, no solamente descansaría, sino que adquiriría una especie de autoridad que ella sabría administrar con cierto despotismo. Se levantaría temprano para ir al mercado, además. Se acostaría temprano, también...

Moisés se movió en la cama y abrió un ojo. Cambiando de posición volvió a quedarse dormido.

—¡Estaba como loco! —repitió Mercedes. En efecto aburrido de dar vueltas por el cuarto, dirigió un puntapié a Panchito que huyó hacia el patio chillando. Luego encendió un periódico a manera de antorcha y comenzó a dar de brincos con la intención de incendiar la casa.

—¡Luz, luz! —gritaba—. ¡Un poco de luz! ¡No veo nada! —y por el labio leporino le saltaba la baba. Ella tuvo que atacarlo. Cogiéndolo de la camisa le arrebató el periódico y le dio un empellón.

«Cómo sonó la cabeza», pensó Mercedes. Moisés quedó tendido en el suelo. Ella pisó el periódico hasta extinguir la última chispa y salió al patio a tomar un poco de aire. Atardecía. Cuando ingresó de nuevo, Moisés seguía en el suelo sin cambiar de posición.

«¿Otra vez», pensó ella. «Ahora sí va de veras», y agachándose trató de reanimarlo. Pero Moisés seguía rígido y ni siquiera respiraba.

Un golpe de viento hizo temblar la llama. Mercedes la miró. Lejos de apagarse, sin embargo, la llama creció, se hizo ondulante, se enroscó en los objetos como un reptil. Había algo fascinador, de dañino en su reflejo. Mercedes apartó la vista. «Hasta que se apague no me acostaré», se dijo mirando el piso.

Allí, junto a las manchas oscuras de humedad, estaba la huella que dejó la cabeza. ¡Cómo sonó! Ni siquiera respiraba el pobre y además la baba le salía por el labio roto.

—¡Panchito! —chilló ella—. ¡Panchito! —y el rapaz apareció en el umbral transformado de susto—. ¡Panchito, mira a tu papá, muévelo, dile algo! —Panchito saltó al cuello de su papá y lo sacudió con sus sollozos. Al no encontrar respuesta se levantó y dijo con voz grave, casi indiferente: «No contesta» y se dirigió muy callado al rincón, a buscar su trompo.

Ahora dormía con el trompo en la mano y la guaraca[14] enredada entre los dedos. Seguramente soñaba que bailaba un trompo luminoso en la explanada de una nube. Mercedes sonrió con ternura y volvió a observar sus manos. Estaban cuarteadas como las de un albañil que enyesara. Cuando instalara la verdulería las cuidaría mejor y, además, se llevaría a Panchito consigo. Ya estaba grandecito y razonaba bien.

—Vamos a ponerlo sobre la cama —le dijo a ella observando desde el rincón el cuerpo exánime de su padre.

Entre los dos lo cargaron y lo extendieron en la cama. Ella le cerró los ojos, gimió un poco, luego más, hasta que la atacó una verdadera desesperación.

—¿Qué hacemos, mamá? —preguntó Panchito.

—Espera —murmuró ella al fin—. Iré donde la señora Romelia. Ella me dirá.

Mercedes recordó que mientras atravesaba las calles la invadió un gran sosiego. «Si alguien me viera —pensó— no podría adivinar que mi marido ha muerto.» Estuvo pensando todo el camino en la verdulería, con una obstinación que le pareció injusta. Moisés no le quería dar el divorcio. «¡No seas terca, chola![15] —gritaba—. Yo te quiero, ¡palabra de honor!» Ahora que él no estaba —¿los muertos están acaso?— podría

---

[14] Voz quechua, honda, zurriago.
[15] Americ., mestizo. Por extensión: persona que posee algún rasgo atribuido a los cholos, como piel oscura, clase social baja, etc. En el contexto, apelativo cariñoso.

sacar sus ahorros y abrir la tienda. La señora Romelia, además, había aprobado la idea. Después de darle el pésame y de decirle que iba a llamar a la Asistencia Pública, le preguntó: «Y ahora, ¿qué vas a hacer?» Ella contestó: «Abrir una verdulería.» «Buena idea —replicó la señora—. Con lo caras que están las legumbres.»

Mercedes miró a Moisés que seguía roncando. Seguramente tenía sueños placenteros —una botella de pisco[16] sin fondo— pues el labio leporino se retorcía en una mueca feliz. «No podré abrir la tienda —se dijo—. Si él sabe lo de los ahorros se los bebe en menos de lo que canta un gallo.»

La vela osciló nuevamente y Mercedes temió que se apagara, pues entonces tendría que acostarse. En la oscuridad no podía pensar tan bien como bajo ese reflejo triste que le daba a su espíritu una profundidad un poco perversa y sin embargo turbadora como un pecado. La señora Romelia, en cambio, no podía soportar esa luz. Cuando la acompañó hasta la casa para los menesteres del velorio, se asustó del pabilo más que del cadáver.

—¡Apaga eso! —dijo—. Pide un farol a tus vecinos.

Luego se aproximó a Moisés y lo miró como a un trasto. «Bebía mucho», dijo y se persignó. Los vecinos, que habían olido seguramente a muerto como los gallinazos, comenzaron a llegar. Entraban asustados, pero al mismo tiempo con ese raro contento que produce toda calamidad cercana y, sin embargo, ajena. Los hombres se precipitaron directamente hacia el cadáver, las mujeres abrazaron a Mercedes y los chicos, a pesar de ser zurrados por sus padres, se empujaban en el umbral para huir espantados apenas veían el perfil del muerto.

Panchito se despertó. Al ver la luz encendida se volvió contra la pared. A Mercedes le provocó[17] acariciarlo, pero se contuvo. Eran nuevamente las manos. Ásperas como la lija hacían daño cuando querían ser tiernas. Ella lo había notado

---

[16] Aguardiente de uva fabricado originariamente en la provincia peruana de Pisco.

[17] Colomb., apetecer.

horas antes, durante el velorio, cuando tocó la cara de su hijo. En medio del tumulto, Panchito era el único que permanecía apartado, mirando todo con incredulidad.

—¿Por qué hay tanta gente? —dijo al fin acercándose a ella—. Papá no está muerto.

—¿Qué dices? —exclamó Mercedes apretándole el cuello con una crueldad nerviosa.

—No. No está muerto... Cuando fuiste a buscar a doña Romelia conversé con él.

De una bofetada lo hizo retroceder.

«¡Estaba fuera de mí!», pensó Mercedes mordiéndose las yemas de los dedos. «¡Estaba fuera de mí!»

—¿Vivo? ¿Vivo? —preguntaron los asistentes—. ¿Quién dice que está vivo? ¿Es posible que esté vivo? ¡Está vivo! ¡Está vivo!

La voz se fue extendiendo, de pregunta se convirtió en afirmación, de afirmación en grito. Los hombres se la echaban unos a otros como si quisieran liberarse de ella. Hubo un movimiento general de sorpresa, pero al mismo tiempo de decepción. Y al influjo de aquella gritería Moisés abrió los ojos.

—¡Mercedes! —gritó—. ¿Dónde te has metido, chola? ¡Dame un vaso de agua!

Mercedes sintió sed. Desperezándose sobre la banca se acercó al jarro y bebió. La vela seguía ardiendo. Volvió a su sitio y bostezó. Los objetos se animaron nuevamente en su memoria. Allí, sobre la cama, Moisés se reía con su labio leporino rodeado de los vecinos que, en lugar de felicitarlo, parecían exigir de él alguna disculpa. Allá, en el rincón, Panchito cabizbajo se cogía la mejilla roja. Las mujeres murmuraban. Doña Romelia fruncía el ceño. Fue entonces cuando llegaron de la Asistencia Pública.

—¿Cómo me dijeron que había un muerto? —gritó el enfermero, después de haber tratado inútilmente de encontrar entre los concurrentes un cadáver.

«Parecía disfrazado», pensó Mercedes al recordarlo con su mandil blanco y su gorro sobre la oreja. «Y tenía las uñas sucias como un carnicero.»

—En lugar de gritar —dijo doña Romelia— debería usted aprovechar para observar al enfermo.

El enfermero auscultó a Moisés que se reía de cosquillas. Parecía escuchar dentro de esa caja cosas asombrosas, pues su cara se iba retorciendo, como si le hubieran metido dentro de la boca un limón ácido.

«¡Que no beba, que no beba!», pensó Mercedes. «¡Claro!, eso también lo sabía yo.»

Ni un sólo trago —dijo el enfermero—. Tiene el corazón dilatado. A la próxima bomba revienta.

—Sí, a la próxima revienta —repitió Mercedes, recordando la bocina de la ambulancia, perdiéndose en la distancia, como una mala seña. Los perros habían ladrado.

El cuarto quedó vacío. Los hombres se fueron retirando de mala gana, con la conciencia vaga de haber sido engañados. El último se llevó su farol y se plació de ello, como de un acto de despojo. Hubo de encenderse nuevamente la vela. A su reflejo todo pareció poblarse de malos espíritus.

«Todavía me faltaban lavar algunas sábanas», pensó Mercedes y miró sus manos, como si le fuera necesario buscar en ellas alguna razón profunda. Habían perdido toda condición humana. «El enfermero a pesar de tenerlas sucias —pensó— las tenía más suaves que las mías.» Con ellas clavó la inyección en la nalga de Moisés, diciendo:

—Ni una gota de alcohol. Ya lo sabe bien.

Doña Romelia también se marchó después de echar un pequeño sermón que Moisés recibió medio dormido. Panchito hizo bailar su trompo por última vez y cayó de fatiga. Todo quedó en silencio. Afuera, en la batea[18], dormían las sábanas sucias.

—¡No podré abrir la verdulería! —se dijo Mercedes con cierta cólera reprimida y se levantó. Abriendo la puerta del patio quedó mirando el cordel donde las sábanas, ya limpias, flotaban como fantasmas. A sus espaldas la vela ardía, se obstinaba en permanecer. «¿A qué hora se apagará? —murmuró con angustia—. Me caigo de sueño», y se acarició la frente. «Ni una gota de alcohol», el enfermero lo dijo con mucha seriedad, ahuecando la voz, para darle solemnidad a su advertencia.

---

[18] Americ., artesa para lavar.

Mercedes se volvió hacia el cuarto y cerró la puerta. Moisés dormía con el labio leporino suspendido de un sueño. Panchito roncaba con la guaraca enredada entre los dedos. Si ella durmiera a su vez, ¿con que estaría soñando? Tal vez con un inmenso depósito de verduras y unos guantes de goma para sus manos callosas. Soñaría también que Panchito se hacía hombre a su lado y se volvería cada vez más diferente a su padre.

La vela estaba a punto de extinguirse. Mercedes apoyó una rodilla en la banca y cruzó los brazos. Aún le quedaban unos segundos. Mientras tendía las sábanas había mirado la luna, había tenido el primer estremecimiento. A la luz de la vela, en cambio, su corazón se había calmado, sus pensamientos se habían hecho luminosos y cortantes, como hojas de puñal. «Aún me queda tiempo», pensó y se aproximó a la canasta de ropa sucia. Sus manos se hundieron en ese mar de prendas ajenas y quedaron jugando con ellas, distraídamente, como si todavía le quedara una última duda. «¡Se apaga, se apaga!», murmuró mirando de reojo el candelero y sin podérselo explicar sintió unas ganas invencibles de llorar. Por último hundió los brazos hasta el fondo de la canasta. Sus dedos tocaron la curva fría del vidrio. Se incorporó y de puntillas se encaminó hasta la cama. Moisés dormía. Junto a su cabecera estaba la maleta de albañil. La botella de aguardiente fue colocada al lado del nivel, de la plomada, de las espátulas salpicadas de yeso. Luego se metió bajo las sábanas y abrazó a su marido. La vela se extinguió en ese momento sin exhalar un chasquido. Los malos espíritus se fueron y sólo quedó Mercedes, despierta, frotándose silenciosamente las manos, como si de pronto hubieran dejado ya de estar agrietadas.

(París, 1953)

En la comisaría

Cuando el comisario abandonó el patio, entre los detenidos se elevó como un murmullo de conspiración. Inclinándose unos sobre otros, disimulando las bocas bajo las manos cóncavas, miraban torvamente al panadero, cuyo rostro había adquirido la palidez de un cuerpo inerte. Lentamente el murmullo fue decreciendo y en un momento inaprehensible, como el que separa la vigilia del sueño, el silencio apareció.

Martín sintió que a su rostro había subido un chorro de sangre. Sentía, además, sobre su perfil derecho, la mirada penetrante de Ricardo, visiblemente empeñada en descubrir sus pensamientos. A su oído llegó un susurro:

—Anímate, es tu oportunidad...

Martín, sin replicar, dirigió la mirada al centro del patio. El panadero seguía allí, en el fondo mismo del silencio. Sintiéndose atrapado por todas las miradas, acomodaba su ropa con movimientos convulsivos. Había anudado ya su corbata, había metido las puntas de su camisa bajo el pantalón y, sin atreverse a posar los ojos en un punto determinado, describía con su cabeza un lento semicírculo.

—Fíjate bien, es un pedacito de hombre... —continuó Ricardo rozándole la oreja—. No necesitarás ser muy brusco...

Martín se miró los puños, aquellos puños rojos y sarmentosos que en Surquillo[19] habían dejado tantos malos recuer-

---

[19] *Surquillo,* distrito marginal de Lima, apodado también «Chicago chico», por sus connotaciones delictivas. «En esa época —comenta Ribeyro recordan-

dos. Las últimas palabras del comisario repicaron en sus oídos: «Si alguno de los detenidos quiere salir no tiene más que darle una paliza a este miserable.»

—Le ha pegado a su mujer... —insistió Ricardo—. ¿Te parece poco? ¡Le ha dado una pateadura a su mujer!

—¡Estaba borracho! —repitió Martín sin desprender su mirada del panadero—. Cuando uno está borracho... —pero se interrumpió, porque él mismo no creía en sus palabras. Era evidente que trataba de defender una causa perdida.

—Quieres engañarte a ti mismo —dijo Ricardo.

Martín miró a su amigo, sorprendido de verse descubierto. Su pequeño rostro amarillo sonreía maliciosamente. En el fondo lo admiraba, admiraba su sagacidad, sus respuestas chispeantes, su manera optimista y despreocupada de vivir y era justamente por esta admiración que lo toleraba a su lado como a una especie de cerebro suplementario encargado de suministrarle ideas. Cuando en un grupo de amigos Martín era blanco de alguna broma, era Ricardo quien contestaba en nombre suyo o quien le soplaba al oído la respuesta. Ahora, sin embargo, su presencia le resultaba incómoda porque sabía que sus pensamientos eran contrarios y malignos.

—¡Te digo que estaba borracho! —repitió con un tono de falsa convicción y volvió a observar al panadero. Éste había metido las manos en los bolsillos, había fruncido los labios en un intento de silbido y con el rabillo del ojo espiaba el movimiento de los detenidos. Sobre su pómulo tenía la huella de un arañón.

—Su mujer se ha defendido —pensó Martín—. Le ha clavado las uñas en la cara. Él, en cambio, ha empleado los pies.

—¡Le he dado una patadita en la boca del estómago! —había replicado poco antes al comisario, tratando de justificarse. Había insistido mucho sobre el término «patadita», como si el

---

do su juventud limeña— Miraflores estaba separado de Surquillo por los rieles del tranvía (...) en ese tiempo cruzar los rieles era entrar en los barrios populares, las cantinas, los prostíbulos, los antros de maleantes. Por eso todos mis cuentos donde se desarrollan situaciones un poco turbias transcurren en Surquillo.»

hecho de emplear el diminutivo convirtiera su golpe en una caricia.

—¡Una patadita en la boca del estómago! —repitió Martín y recordó cómo eran de dolorosas esas patadas cuando la punta del zapato hendía la carne. Él, en sus incontables peleas, había dado y recibido golpes semejantes. Al influjo del dolor, los brazos caían sobre el vientre, las rodillas se doblaban, los dientes se incrustaban en los labios y la víctima quedaba indefensa para el golpe final.

—No necesitarás ser muy brusco... —prosiguió Ricardo—. Te bastará darle una patadita en...

—¿Te vas a callar? —interrumpió Martín, levantando el puño sobre su amigo. Éste se retiró lentamente y le miró a los ojos con una expresión picante, como si se aprestara a disparar su última flecha. Martín bajó la mano y sintió un estremecimiento. Una imagen, una cara, un cuerpo fresco y fugitivo pasaron por su memoria. Casi sintió contra su pecho velludo el contacto de una mano suave y en sus narices un fresco olor a mariscos. Ricardo iba abriendo los labios con una sonrisa victoriosa, como si todo le resultara perfectamente claro y Martín temió que esta vez también hubiera adivinado.

—Además... —empezó— además, acuérdate que a las doce, en el paradero[20] del tranvía...

—¡Ya sé! —exclamó Martín, con un gesto de vencimiento. Era cierto: a las doce del día, en el paradero del tranvía, lo esperaba Luisa para ir a la playa. Recordó sus muslos de carne dorada y lisa donde él trazaba con las uñas extraños jeroglíficos. Recordó la arena caliente y sucia donde sus cuerpos semienterrados se dejaban mecer en un dulce cansancio.

—Hará calor hoy día —añadió Ricardo—. El agua debe estar tibia...

Esta vez Martín no replicó. Pensaba que, efectivamente, el agua debía estar tibia, cargada de yodo y algas marinas. Sería muy bello sobrepasar a nado el espigón y llegar hasta los botes de los primeros pescadores. Luisa, desde la orilla, lo seguiría con la mirada y él volviéndose, le haría una seña o daría

---

[20] Americ., apeadero de ferrocarril.

un grito feroz como el de alguna deidad marina. Luego se echaría de espaldas y se dejaría arrastrar suavemente por la resaca. La luz del sol atravesaría sus párpados cerrados.

—¡Toma! —dijo Ricardo a su lado—. Allí hay uno que enterró el pico.

Martín despertó sobresaltado. En una esquina del patio, un joven, vestido de smoking, se había cogido la frente y vomitaba sobre el piso.

—Debe de haber chupado[21] mucho —añadió Ricardo y al observar su camisa impecable, su elegante corbata de mariposa, agregó con cierto rencor—: ¡Y después dice que él no tiene la culpa, que el hombre se le tiró a las ruedas!...

—Debe haber chupado mucho —repitió Martín maquinalmente, viendo la mancha viscosa extenderse en el suelo. Pronto ese desagradable olor de entrañas humanas, de secretos y complicados procesos digestivos, infestó el ambiente. Los detenidos que estaban a su lado se alejaron un poco. Martín, a pesar suyo, no podía apartar la vista de ese sucio espectáculo. Una atracción morbosa, mezcla de asco y de curiosidad, lo retenía inmóvil. Era la misma atracción que sentía ante los animales muertos, los accidentes de tránsito, las heridas humanas...

—¿Tú crees que lo haya matado? —preguntó Ricardo—. El comisario dijo que lo habían llevado con conmoción cerebral.

—No sé —replicó Martín haciendo una mueca—. No me hables de eso —y cubriéndose los ojos, comenzó a pensar nuevamente en Luisa. Si se enterara que estaba en la comisaría, que faltaría a la cita solamente por eso, no le diría nada, pero haría un mohín de fastidio y sobre todo, tomaría aquellas represalias... Muchas veces lo había llamado al orden y él, en cierta forma, había obedecido. Hacía más de dos meses que no se disputaba con nadie.

—¿Me creerá Luisa? —preguntó súbitamente—. ¿Me creerá ella si le digo la verdad?

—¿Qué cosa?

---

[21] Americ., beber en abundancia.

—¿Me creerá si le digo que estuve en la comisaría sólo por no pagar una cerveza?

—¿Se lo piensas decir?

—¿Y qué otra excusa le voy a dar si no llego a las doce al paradero?

—Ah, verdad, tú no vas a llegar.

Irritado, Martín miró a su amigo. Hubiera querido que dijera algo más, que lo contradijera, que excitara con sus réplicas su propio raciocinio. Pero Ricardo había encendido un cigarro y con la mayor indiferencia del mundo, fumaba mirando el cuadrilátero de cielo azul por donde el sol empezaba a rodar. Martín miró también al cielo.

—Deben ser las once —murmuró Ricardo.

—Las once —repitió Martín y lentamente fue dirigiendo su cabeza al centro del patio. El panadero seguía allí. El color había regresado a su cara, sin embargo, aún seguía inmóvil, conteniendo la respiración, como si temiera hacer demasiado ostensible su presencia. El incidente del joven atacado de náuseas había distraído un poco la atención de los detenidos y él aprovechaba estos instantes para tirar aquí y allá una rápida mirada, como si tratara de reafirmarse en la idea de que el peligro había cesado. Su mirada se cruzó un segundo con la de Martín y en su mandíbula se produjo un leve temblor. Volviendo ligeramente el rostro, quedó mirándolo a hurtadillas.

—Es un cobarde —pensó Martín—. No se atreve a mirarme de frente —y se volvió hacia Ricardo con el ánimo de comunicarle esta reflexión. Pero Ricardo seguía distraído, fumando su cigarrillo. El mal olor comenzaba a infestar el patio.

—¡Es insoportable! —exclamó Martín—. ¡Debían tirar allí un baldazo de agua!

—¿Para qué? Se está bien aquí. Yo estoy encantado. Es un lindo domingo.

—¡Lindo domingo!

—¿No te parece? Yo no sé qué haría si estuviera en la calle. Tendría que ir a la playa... ¡qué aburrimiento! Trepar a los tranvías repletos, después la arena toda sucia...

Martín miró desconcertado a su amigo. No sabía exactamente adónde quería ir, pero sospechaba que sus intenciones eran temibles. En su cerebro se produjo una gran confusión.

—¡Idiota! —murmuró y observó sus puños cuyos nudillos estaban cruzados de cicatrices. En esa parte de sus manos y no en las palmas estaba escrita toda su historia. Lo primero que le exigía Luisa cuando se encontraba con él, era que le mostrara sus puños, porque sabía que ellos no mentían. Allí estaba, por ejemplo, aquella cicatriz en forma de cruz que le dejaran las muelas del negro Mundo[22]. Esa noche, precisamente, para huir de la policía que se aproximaba, se refugió en el baño del bar Santa Rosa. Luisa, que trabajaba tras el mostrador, vino hacia él y le curó la herida.

—¿Cómo te has metido con ese negro? —le preguntó—. ¡Yo he tenido miedo, Martín! —él la miró a los ojos, sorprendió en ellos una chispa de ansiedad y comprendió, entonces, que lo admiraba y que algún día sería capaz de amarlo.

Un sordo suspiro se escapó de su tórax. Al elevar la mirada hacia el patio, se dio cuenta que el panadero lo había estado espiando y que en ese momento pretendía hacerse el disimulado.

—¿Te has dado cuenta? —preguntó dando un codazo a Ricardo—. ¡Hace rato que me está mirando!

—No sé, no he visto nada.

—Pues te juro que no me quita el ojo de encima —añadió Martín y una especie de cólera dormida iluminó sus pupilas. Vio las piernas cortas y arqueadas del panadero —probablemente de tanto pedalear en el triciclo—, su espinazo encorvado, su cutis curtido como la costra del pan. Pensó lo fácil que sería liquidar a un adversario de esa calaña. Bastaba acorralarlo contra la pared, quitarle el radio de acción y, una vez fijado, aplastarlo de un golpe vertical... La sangre inundó nuevamente su rostro y, muy dentro suyo, en una zona indeterminada que él nunca podía escrutar, sintió como una naciente ansiedad.

---

[22] Idéntico personaje, «negro y temible» aparece en el relato «El próximo mes me nivelo». Sobre el aspecto generalmente amenazador de los personajes negros en la narrativa de Ribeyro, véase Wolfgang Luchting, «Sobre zambos y zambas en la obra de Julio Ramón Ribeyro», recogido en su *Estudiando a Julio Ramón Ribeyro,* ed. cit., págs. 319-333.

—¿Tú crees que Luisa me espere? —preguntó sin poder contener su excitación.

—No sé.

—¡No sé, no sé, no sabes nada! —exclamó y buscó inútilmente en sus bolsillos un cigarrillo. El mal olor se había condensado en el aire caliente. El sol entraba a raudales por el techo descubierto. Martín sintió que en su frente aparecían las primeras gotas de sudor y que todo comenzaba a tomar un aspecto particularmente desagradable. Cosas que hasta el momento no había observado —la dureza de las bancas, el color amarillo de las paredes, la sordidez de la compañía— le parecían ahora hostiles e insoportables. En la playa, en cambio, todo sería distinto. Enterrado de bruces sentiría un hilillo de arena, excitante como una caricia, que Luisa le derramaría en la espalda. Las carpas rojas y blancas, blancas y azules, pondrían alternadamente su nota festiva. Bocanadas de aire caliente llegarían por intermitencias y a veces traerían un olor a yodo y pescado...

—¡Esto no puede seguir así! —exclamó—. ¡Te juro que no puede seguir así! —y, al elevar la cara, sorprendió nuevamente la mirada del panadero—. ¿Qué tanto me mira ese imbécil?

El sudor le anegaba los ojos. La sangre, esa sangre cargada de hastío y de cólera, le cortaba el aliento. Ricardo lo miró con cierta perplejidad, casi sorprendido de que tan pronto sus humores se hubieran despertado y en sus labios pálidos se fue abriendo una sonrisa.

—A lo mejor cree... —comentó.

—... ¿que le tenemos miedo? —terminó Martín y en su conciencia se produjo como una ruptura—. ¿Que le tenemos miedo? —repitió—. ¡Eso no! —y se levantó de un salto—. ¡Esto se acabó!

Ricardo trató de contenerlo, pero fue imposible. Cuando el panadero se volvió, encontró a Martín delante suyo, con los brazos caídos, la respiración jadeante, mirándolo a boca de jarro.

—¿Tú crees que te tenemos miedo? —bramó—. ¡Hace rato que me miras de través, como un tramboyo![23] —y sin

---

[23] Un tipo de pez.

atender al balbuceo de su rival, se dirigió hacia el corredor donde montaba guardia un policía.

—Dígale al comisario que aquí hay un voluntario dispuesto a sacarle la mugre a este cochino...

Después de un minuto de silencio, durante el cual Martín se frotó nerviosamente los puños, en el patio se produjo una gran agitación. Las bancas fueron arrimadas contra la pared, los presos formaron como un ring improvisado y pronto el comisario apareció con sus botas relucientes y una sonrisa enorme bajo el bigote oscuro, como quien se dispone a presenciar un espectáculo divertido. El panadero, completamente lívido, había retrocedido hasta un rincón y aún no podía articular palabra. Martín se había quitado ya el saco, había levantado las mangas de su camisa y en sus mandíbulas apretadas se adivinaba una resolución indomable. Ricardo reía con un aire malévolo y el joven del smoking se desgañitaba pidiendo una taza de café.

—Pero, entonces... ¿es cierto? —pudo al fin articular el panadero.

En el patio se elevó un murmullo de impaciencia y de chacota por esta salida.

—¡Claro, maricón!

—¡Que salga a la cancha!

Entre dos detenidos lo cogieron por la cintura y lo lanzaron al centro del patio. Martín, en un extremo, tenía los puños apretados y sólo esperaba las órdenes del comisario para comenzar. A veces se limpiaba el sudor con el antebrazo, y lanzaba una rápida mirada hacia el sol, como si de él recibiera en ese momento su fuerza y su aprobación.

El panadero se despojó de su sombrero y de su saco[24]. Pasando el límite físico del miedo, una decisión insospechada —la misma que deben de sentir los suicidas— transfiguró sus rasgos y sin esperar órdenes de nadie comenzó a danzar en torno de Martín, dando ágiles saltos delante y atrás, como quien se decide y luego se arrepiente. Martín, sólidamente asentado en el piso, medía a su adversario y sólo esperaba que

---

[24] Americ., chaqueta.

entrara dentro de su radio de acción para fulminarlo de un golpe. El panadero gastaba sus energías en el preámbulo y Martín comenzaba a sentir un poco de impaciencia, porque se daba cuenta que su entusiasmo decaía y que había algo de grotesco en toda esa escena. Fijando su mirada en el panadero, trató de alentarlo, trató de convencerlo que se aproximara, que todo se arreglaría rápidamente, que aquello era una simple formalidad administrativa. Y su deseo pareció surtir efecto, pues en el momento menos pensado, cuando entre los espectadores comenzaban a sentirse algunas risas, se vio arrinconado contra la pared y envuelto en una desusada variedad de golpes —patadas, cabezazos, arañones— como si su pequeño rival hubiera sido disparado con una horqueta. Con gran esfuerzo logró desprenderse de él. En el labio sentía un dolor. Al palparse vio sus dedos manchados de sangre. Entonces todo se oscureció. Lo último que recordó fue la cara del panadero con los ojos desorbitados, retrocediendo contra la banca y tres puñetazos consecutivos que él proyectó contra esa máscara blanca, entre una lluvia de protestas y de aplausos.

Luego vinieron los abrazos, los insultos, la sucesión de rostros asustados o radiantes, las preguntas, las respuestas... El comisario le invitó a un café en su oficina y antes de despedirse le palmeó amigablemente la espalda.

Como quien despierta de un sueño, se vio de pronto libre, en la calle, en el centro mismo de su domingo bajo un sol rabioso que tostaba la ciudad. Adoptando un ligero trote, comenzó a enfilar rectamente hacia el paradero del tranvía. El ritmo de su carrera, sin embargo, fue decreciendo. Pronto abandonó el trote por el paso, el paso por el paseo. Antes de llegar se arrastraba casi como un viejo. Luisa, sobre la plataforma del paradero, agitaba su bolsa de baño. Martín se miró los puños, donde dos nuevas cicatrices habían aparecido y, avergonzado, se metió las manos en los bolsillos, como un colegial que quiere ocultar ante su maestro las manchas de tinta.

(París, 1954)

119

El primer paso[25]

Danilo pensó que si su madre no hubiera muerto, que si no fuera por esa riña donde perdió los dientes, que si no tuviera un solo terno verde, no tendría que estarse a esa hora en el bar, con el ojo clavado en el reloj de péndulo y el espíritu torturado por la espera. Pero a causa de todo ello, horas más tarde estaría instalado en un ómnibus, rumbo al norte del país, recostado en el hombro de Estrella. El arenal se divisaría desde la ventana, amarillo e interminable, como un paisaje lunar. Todo eso iba a suceder. Parecía mentira. Iba a suceder porque había perdido los dientes en una riña, porque Panchito lo había descubierto rondando sin un cobre por el billar.

Su consentimiento le había costado al principio un poco de esfuerzo. Panchito lo había acosado día y noche, hasta liquidar todos sus escrúpulos. Su resistencia primitiva, sin em-

---

[25] Los cuatro cuentos incluidos hasta aquí, todos de *Los gallinazos sin plumas,* ilustran bien el carácter homogéneo del libro (afinidad de estilo, de tema y de intención) y la pretensión de Ribeyro de crear con ellos una entidad mayor. En el «Prólogo» de la primera edición anotaba: «Esta preocupación por la unidad —elemento que quizás parezca demasiado ceñido a la preceptiva tradicional— obedece a mi convicción creciente de que el cuento, como género menor, tiene un escaso valor individual y que, por consiguiente, para dignificar su rango, es necesario agruparlo a otros cuentos similares en un conjunto homogéneo. Diez cuentos afines constituyen ya otra cosa. Complementándose entre sí pueden dar una idea de conjunto sobre un tópico cualquiera que se aproxime al de una novela.» Lo que no le impediría luego publicar colecciones de relatos donde esta dimensión de conjunto está ausente. (Véase *infra,* nota 28.)

bargo, no provenía de ninguna razón moral. Al fin y al cabo para él los *demás* no tenían ninguna importancia. Él estaba acostumbrado a salir disparado de los taxis para no pagar la tarifa, a echarse un paquete de mantequilla) al bolsillo cuando el chino[26] de la pulpería[27] volvía la espalda. Perjudicar al prójimo a base de astucia —hacer una *criollada*[28], como él decía— jamás le había producido el menor remordimiento. Por el contrario, le proporcionaba un regocijo secreto que él nunca pudo ocultar. Ahora, sin embargo, la empresa era más vasta, los riesgos mayores, las víctimas numerosas y anónimas. Era necesario obrar con la más absoluta cautela.

Danilo observó a su alrededor, como si creyera que la temeridad de sus pensamientos fuera a crearle una expresión sospechosa. Aquel bar era discreto, para tranquilidad suya. En las mesas vecinas, grupos de empleados jugaban ruidosamente al cacho[29], alargando con una alegría un poco pueril las delicias de su noche de sábado. Desde el fondo llegaba una discusión sobre fútbol. En el mostrador, dos hombres reían bebiendo cerveza. El ruido de los dados, el estrépito de los brindis, creaban una atmósfera un poco agitada pero burguesa en el fondo y tolerable. Danilo se sintió bien allí, amparado por esa pacífica compañía, cuya sola preocupación en ese momento era el temor de pagar la cuenta o la angustia de que su equipo descendiera de categoría.

En el espejo del fondo observó su rostro redondo y desteñido. Estrella[30], acariciándolo, le decía a veces que tenía cara de bebé. Por toda barba tenía cuatro pelos de lampiño. Era en suma un rostro que inspiraba confianza. Danilo pensó que

---

[26] Americ., indio, mestizo.

[27] Americ., tienda de bebidas y comestibles.

[28] Criollo era el nacido en Indias de ascendencia española, aunque el término pronto se aclimató con el sentido de *americano*. En el texto se alude a la picardía criolla abundantemente recogida por la literatura satírica peruana, como reflejo de una sociedad donde «es mucho más grave pasar por tonto que por exitoso ladrón» (Bryce Echenique *dixit*).

[29] En Chile y Argentina, cubilete para el juego de dados.

[30] En *Los geniecillos dominicales* se enreda en amores con la prostituta Estrella, que representa, a un tiempo, la promesa y la amenaza de la sexualidad femenina.

ello sería una ventaja enorme. Precisamente Panchito había insistido en ese detalle para convencerlo.

—Además —decía poniéndole el dedo en la barbilla—, tú tienes cara de mosca muerta.

Danilo sonrió y metió la lengua en su copa de pisco. Había pedido una buena marca, porque Panchito pagaría. Panchito siempre pagaba. Nunca le faltaban en los bolsillos unos buenos cientos de soles[31]. Además se vestía bien, envolvía su cuerpo raquítico y magro en los mejores cortes ingleses.

—Tú sabes, la presencia... —decía acomodándose la corbata—. La presencia sirve de mucho en los negocios.

Él también podría al fin quitarse ese espantoso terno verde. La falta de ropa le había causado siempre sinsabores. Fiestas a las que no pudo ir, muchachas a las que jamás volvió a ver, porque mientras él les hablaba, ellas no desprendían la mirada del cuello mugriento de su camisa. Todas esas miserias iban a terminar aquella noche —Panchito lo había citado a las tres de la madrugada— cuando cumpliera la comisión. Los beneficios que obtendría no eran, por otra parte, el único incentivo de esta aventura. La aventura en sí misma, con todos los peligros imprevisibles que entrañaba, le producía una suerte de obsesión. Se veía ya viajando de incógnito, conociendo ciudades lejanas, entrevistándose con personas desconocidas, elevando la realidad a la altura de su imaginación.

Un dado, escapándose de su cubilete, rodó bajo su mesa. Danilo dudó un momento antes de recogerlo. Le molestaba hacer un servicio, porque la gratitud ajena le parecía ofensiva. Por fin se decidió y lo tomó entre los dedos. Era un as. Inmediatamente interpretó el incidente como un buen augurio. Era un viejo hábito suyo el tratar de sorprender en los objetos que lo rodeaban los misterios del destino. A veces la sugerencia de un número, las letras de un aviso luminoso, la dirección que seguía una piedra al recibir una patada, eran para él argumentos más convincentes que cualquier raciocinio. Ese as caído milagrosamente a sus pies era más que un signo de aliento: era la complicidad del azar. Danilo deseó que Panchi-

---

[31] Moneda peruana.

to estuviera en ese momento a su lado para decirle que contara siempre con él, que trabajaría ciegamente a su servicio. Pero Panchito tardaba, tardaba como siempre. Para colmo de males, si no venía, se iba a ver en apuros para pagar su copa de pisco.

Danilo volvió a mirar a su alrededor. Los empleados continuaban jugando a los dados, los hombres del mostrador bebiendo cerveza. Sus hábitos moderados, su alegría mediocre y hebdomadaria, comenzaban a producirle irritación. En el fondo los despreciaba porque carecían de espíritu de revuelta, porque se habían habituado a los horarios fijos y a las vacaciones reglamentadas. En sus gestos, en su vocabulario, en sus bigotes, había ya como una deformación profesional. Recordó casi con júbilo que él nunca había durado más de dos meses en un empleo. Prefirió siempre la libertad con todas sus privaciones y todos sus problemas. Ser libre —que consistía para él en husmear por los cafés y por los billares buscando un conocido que le convidara un cigarro o le prestara cinco soles— era una de sus ocupaciones favoritas y una de sus grandes tareas. En ellas había puesto lo mejor de su talento.

El reloj marcó las tres y media y Danilo temió que Estrella se marchara o, peor aún, se comprometiera con algún cliente. Él le había recomendado que esa noche no saliera del bar y que esperara su llamada pues tenía algo importante que comunicarle. Estuvo a punto de decirle: «Espérame lista, que saldremos de viaje.» Pero quizá fue mejor no adelantar nada. Panchito le había recomendado discreción. «No hay que meter a las mujeres en la danza», era el consejo que siempre tenía a flor de labios.

Estrella, sin embargo, no era una mujer como las otras. Para empezar, era fea, lo cual equivalía casi a una garantía de fidelidad. Panchito le había dicho que cómo podía estar enamorado de ese *bagre*[32]. Pero, ¿acaso él estaba enamorado? Ya muchas veces había pensado en eso. Era algo distinto, indudablemente, algo primitivo y violento, más poderoso quizás que el mismo amor. Una atracción morbosa, por momentos

---

[32] El sentido es claro: feo, horroroso. El bagre es un pez que abunda en las aguas del lago Titicaca.

humillante, que desaparecía o se redoblaba según las fluctua-
ciones de su instinto. El marco de la casa de doña Perla, por
otra parte, con sus borrachos, su olor a desinfectante, sus
biombos, sus litografías de la Virgen alternando con figuras
obscenas, era el más adecuado para la naturaleza de su pasión.
Danilo pensó por un momento cómo sería Estrella fuera de ese
lugar, si no perdería algo de su vitalidad al ser trasplantada.

En ese momento la puerta del bar giró y apareció Panchito.
Llevaba un impermeable, a pesar de que no llovía, y un sombrero gris tirado sobre la oreja. Sentándose frente a Danilo
puso sobre la mesa un paquete de Lucky.

—¡Qué lío! —exclamó—. El trabajo aumenta. No tengo
un minuto de descanso.

Danilo lo observó. Vio cómo sus ojos, bajo el ala del sombrero, repasaban el bar, con movimientos rápidos y seguros.
En el anular tenía una espesa sortija de oro. Danilo miró su
mano pequeña y curtida y le pareció que un temblor la sobre-
cogía. Elevando la cara, siguió la dirección de su mirada, que
estaba posada en el fondo de la sala, en un punto indefinido.

—¿Alguna novedad? —preguntó.

Panchito volvió hacia él repentinamente la cara y sonrió a
toda mandíbula. Su rostro, sin embargo, parecía cubierto por
una capa de ceniza.

—Que hace un poco de frío y la neblina me ha calado los
huesos —respondió y se frotó repetidamente los ojos—. No
me siento muy bien... —añadió y trató de encender un cigarrillo.

Danilo observó nuevamente a su alrededor, como si de
pronto algo hubiera cambiado y fuera necesario comprobarlo. Todo seguía igual, sin embargo. Quizá los rostros de los
empleados comenzaban a angularse como los de los noctámbulos, y los hombres del mostrador estaban un poco borrachos. Danilo esperó que Panchito comenzara a hablar, pero
lejos de hacerlo, su compañero había doblado la cabeza contra el pecho y permanecía en la actitud de un hombre que reflexiona o que duerme. El temor de haber perdido su confianza, de que hubiera descubierto que Estrella estaba también
comprometida, sobrecogió a Danilo. Veía ya sus proyectos
abatirse y una súbita amargura lo hizo imitar el gesto profun-

125

do de su amigo. Pronto sintió, sin embargo, que Panchito lo cogía de la manga e inclinaba su rostro por encima de la mesa. Al observarlo, notó que gotitas de sudor resbalaban por su frente.

—Debemos abreviar —dijo en voz baja—. Mi impermeable está cargado, como supondrás... La plata está en el bolsillo de adentro... No mires tanto a tu alrededor... Debemos abreviar. Tú ya sabes lo que tienes que hacer. Yo me voy a quitar el impermeable para ir al urinario. Luego la pico por la puerta del costado... No es por nada, pero siempre es mejor tomar precauciones. Tú te estás un rato y luego enfilas para tu hotel hasta que parta el ómnibus, con el impermeable, naturalmente...

Danilo asintió con la cabeza, un poco sorprendido, pero en el fondo admirado de la habilidad con que se desempeñaba su compañero. Pensó que en adelante tendría mucho que aprender de él. Lo vio levantarse con el cigarrillo en los labios, dejar el impermeable sobre la silla y caminar hacia el urinario haciendo el ademán de desabrocharse la bragueta. Poco después lo vio desaparecer por la puerta lateral, sin hacerle siquiera un guiño.

Danilo quedó nuevamente solo. Su mirada se posó en el impermeable, que yacía en la silla en una posición un poco indolente de cosa olvidada. De sus pulmones se escapó un hondo suspiro. La ansiedad contenida se desbordaba al fin. La comisión estaba recibida, ahora sólo faltaba cumplirla. Tuvo la tentación momentánea de encargar otro trago, pero empezaba a sentir un poco de fatiga. Además tenía que pasar por Estrella. Un momento más permaneció sentado, repensando la escena vivida, tomando conciencia de la importancia de su misión.

El destino de los empleados, que en ese momento levantaban la voz, le pareció al lado del suyo miserable y ridículo. Ellos encarnaban la normalidad, el orden, el buen sentido, la pequeña licencia semanal... Él, en cambio, acababa de ingresar en el círculo de las grandes empresas secretas, en el dominio de la clandestinidad. Levantándose, cogió el impermeable y lanzó una mirada soberbia en torno suyo. Le provocó escupir a su alrededor.

Después de dejar una libra en la mesa —ya empezaba a mostrarse magnífico— se echó el impermeable sobre los hombros, con una naturalidad que a él mismo lo sorprendió. Notó que pesaba, como si tuviera los bolsillos cargados de piedras.

Con paso seguro atravesó el umbral y quedó delante del bar un poco indeciso. Optó por ir a pie hasta la casa de doña Perla. Estrella debía estar impaciente. Con la frente alta, se echó a andar, cortando la neblina. Pensó que dentro de unas horas estaría instalado en el ómnibus, atravesando los arenales amarillos. Todo eso iba a suceder porque había conocido a Panchito, porque su madre había muerto, porque tenía un terno verde... Su mirada se posó en las casas, en los letreros de los bares, en las luces altas de los edificios, con esa vaga melancolía que precede a todo viaje. Volteando la cara, divisó a dos hombres que venían caminando. La neblina le impidió advertir que eran los mismos que bebían cerveza en el bar. Sigilosamente, habían comenzado a seguirlo.

(París, 1954)

Explicaciones a un cabo
de servicio[33]

Yo tomaba un pisco donde *el gordo* mientras le daba vueltas
en la cabeza a un proyecto. Le diré la verdad: tenía en el bolsillo cincuenta soles... Mi mujer no me los quiso dar, pero usted sabe, al fin los aflojó, la muy tonta... Yo le dije: «Virginia,
esta noche no vuelvo sin haber encontrado trabajo.» Así fue
como salí: para buscar un trabajo... pero no cualquier trabajo... eso, no... ¿Usted cree que un hombre de mi condición
puede aceptar cualquier trabajo?... Yo tengo cuarenticinco
años, amigo, y he corrido mundo... Sé inglés, conozco la mecánica, puedo administrar una hacienda, he fabricado calen-
tadores para baños, ¿comprende? En fin, tengo experiencia...
Yo no entro en vainas: nada de jefes, nada de horarios, nada
de estar sentado en un escritorio, eso no va conmigo... Un trabajo independiente para mí, donde yo haga y deshaga, un
trabajo con iniciativa, ¿se da cuenta? Pues eso salí a buscar

---

[33] Incluido en *Cuentos de circunstancias* (Lima, 1958). En el «Prólogo» a *Silvio en El Rosedal*, Ribeyro propuso este título para el conjunto de su producción, en reemplazo de *La palabra del mudo*. «La causa: la independencia con
que cada cuento ha brotado de situaciones únicas, singulares.» En este volumen se suman relatos bastante disímiles, como el muy autobiográfico «Los eucaliptos», junto a «La insignia» o «Doblaje», de carácter fantástico. «Explicaciones...» es uno de sus cuentos más antologizados. Ribeyriano por excelencia: se
encuentran aquí la relación distorsionada del individuo con la realidad, la
marginalidad y la pretensión de «ascenso» social que el desenlace se encarga de
frustrar.

129

esta mañana, como salí ayer, como salgo todos los días, desde hace cinco meses... ¿Usted sabe cómo se busca un trabajo? No, señor; no hace falta coger un periódico y leer avisos... allí sólo ofrecen menudencias, puestos para ayudantes de zapatero, para sastres, para tenedores de libros... ¡bah! Para buscar un trabajo hay que echarse a caminar por la ciudad, entrar en los bares, conversar con la gente, acercarse a las construcciones, leer los carteles pegados en las puertas... Ése es mi sistema, pero sobre todo tener mucho olfato; uno nunca sabe; quizás allí, a la vuelta de una esquina... pero, ¿de qué se ríe? ¡Si fue así precisamente! A la vuelta de una esquina me tropecé con Simón Barriga... Fue en la avenida Arenales, cerca de la bodega Lescano, donde venden pan con jamón y chilcanos[34]... ¿Se figura usted? Hacía veinte años que no nos veíamos; treinta, quizás; desde el colegio; hemos mataperreado juntos... Muchos abrazos, mucha alegría, fuimos a la bodega a festejar el encuentro... ¿Pero qué? ¿Adónde vamos? Bueno, lo sigo a usted, pero con una condición: siempre y cuando quiera escucharme... Así fue, tomamos cuatro copetines... ¡Ah! usted no conoce a Simón, un tipo macanudo, de la vieja escuela, con una inteligencia... En el colegio era un burro y lo dejaban siempre los sábados con la cara a la pared... pero uno después evoluciona... yo también nunca he sabido muy bien mi cartilla... Pero vamos al grano... Simón andaba también en busca de un trabajo, es decir, ya lo tenía entre manos; le faltaban sólo unos detalles, un hombre de confianza...

Hablamos largo y tendido y ¡qué coincidencia! Imagínese usted: la idea de Simón coincidía con la mía... Como se lo dije en ese momento, nuestro encuentro tenía algo de providencial... Yo no voy a misa ni me gustan las sotanas, pero creo ciegamente en los azares... Ésa es la palabra: ¡providencial!... Figúrese usted: yo había pensado —y esto se lo digo confidencialmente— que un magnífico negocio sería importar camionetas para la repartición de leche y... ¿sabe usted cuál era el proyecto de Simón? ¡Importar material para puentes y caminos!... Usted dirá, claro, entre una y otra cosa no hay rela-

---

[34] En Perú, caldo de cabeza de pescado.

ión... Sería mejor que importara vacas. ¡Vaya un chiste! Pero
no, hay relación; le digo que la hay... ¿Por dónde rueda una
camioneta? Por un camino. ¿Por dónde se atraviesa un río?
Por un puente. Nada más claro, eso no necesita demostración. De este modo comprenderá por qué Simón y yo decidimos hacernos socios... Un momento, ¿dónde estamos? ¿Ésta
no es la avenida Abancay?³⁵. ¡Magnífico!... Bueno, como le
decía, ¡socios! Pero socios de a verdad... Fue entonces cuando
nos dirigimos a Lince, a la picantería³⁶ de que le hablé. Era necesario planear bien el negocio, en todos sus detalles, ¿eh?
Nada mejor para eso que una buena enramada, que unos ta-
males³⁷, que unas botellitas de vino Tacama... Ah, ¡si viera usted el plano que le hice de la oficina! Lo dibujé sobre una servilleta... pero eso fue después... Lo cierto es que Simón y yo
llegamos a la conclusión de que necesitábamos un millón de
soles... ¿Qué? ¿Le parece mucho? No haga usted muecas...
Para mí, para Simón, un millón de soles es una bicoca... Claro, en ese momento ni él ni yo los teníamos. Nadie tiene, dí-
game usted, un millón de soles en la cartera como quien tiene un programa de cine... Pero cuando se tiene ideas, proyectos y buena voluntad, conseguirlos es fácil... sobre todo ideas.
Como le dije a Simón: «Con ideas todo es posible. Ése es
nuestro verdadero capital»... Verá usted: por lo pronto Simón
ofreció comprometer a un general retirado, de su conocen-
cia³⁸ y así, de un sopetón, teníamos ya cien mil soles seguros...
Luego a su tío Fernando, el hacendado, hombre muy conocido... Yo, por mi parte, resolví hablar con el boticario de mi barrio que la semana pasada ganó una lotería... Además yo iba
a poner una máquina de escribir Remington, modelo universal... ¿Estamos por el mercado? Eso es, déme el brazo, entre
tanta gente podemos extraviarnos... En una palabra, cuando

---

³⁵ *Abancay:* El relato avanza al compás de estas puntualizaciones geográficas de la capital: el mercado, la plaza Francisco Pizarro, la comisaría. Tales referencias valen como intrusiones de la realidad, representada por el cabo, en
el relato del personaje.
³⁶ Taberna, restaurante popular.
³⁷ Americ., especie de empanada de harina de maíz, envuelta en hojas de
plátano o de mazorca de maíz.
³⁸ Vulgar., conocimiento.

131

terminamos de almorzar teníamos ya reunido el capital. Amigo: cosa difícil es formar una sociedad. No se lo recomiendo... Nos faltaban aún dos cosas importantes: el local y la razón social. Para local, mi casa... no se trata de una residencia, todo lo contrario: una casita en el jirón[39] Ica, cuatro piezas solamente... Pero mi mujer y mis cinco hijos irían a dormir al fondo... De la sala haría la oficina y del comedor que tiene ventana a la calle la sala de exhibiciones... Todo era provisional, naturalmente; pero para comenzar, magnífico, créalo usted; Simón estaba encantado... Pero a todo esto ya no estábamos en la picantería. Pagué, recuerdo... Pagué el almuerzo y las cuatro botellas de vino. Simón me trajo al Patio a tomar café. Pagué el taxi. Simón me invitó un puro... ¿Fue de allí que llamé?... Sí, fue de allí. Llamé a Virginia y le dije: «Mujer, acabó la mala época. Acabo de formar una sociedad con Simón Barriga. Tenemos ya un millón de soles. No me esperes a comer que Simón me invitará a su casa»... Luego del café, los piscos; Simón invitaba e invitaba, estupendo... Entonces vino una cuestión delicada: el nombre de la sociedad... ¡Ah! no crea usted que es una cosa fácil; yo también lo creía... Pero mirándolo bien, todos los buenos nombres están ya tomados... Primero pensamos que El Porvenir, fíjese usted, es un bonito nombre, pero hay un barrio que se llama El Porvenir, un cine que se llama El Porvenir, una Compañía de Seguros que se llama El Porvenir y hasta un caballo, creo, que se llama El Porvenir. ¡Ah! es cosa de mucho pensar.. ¿Sabe usted qué nombre le pusimos? ¡A que no adivina!... Fue idea mía, se lo aseguro... ya había anochecido, claro. Le pusimos Fructífera, S. A. ¿Se da usted cuenta del efecto? Yo encuentro que es un nombre formidablemente comercial... Pero, ¡no me jale[40] usted!, no vaya tan rápido, ¿estamos en el jirón Cuzco?... Vea usted; después de los piscos, una copa de menta, otra copa de menta... Pero entonces, ya no organizábamos el negocio: nos repartíamos las ganancias, Simón dijo: «Yo me

---

[39] Calle. (Alude a la estructuración inicial en cuadrícula de la ciudad de Lima, como jirones trazados a partir del centro.)

[40] Americ., empujar.

compro un carro[41] de carrera.» ¿Para qué? —me pregunto yo.
Ésos son lujos inútiles... Yo pensé inmediatamente en un chalet con su jardincito, con una cocina eléctrica, con su refri-
geradora, con su bar para invitar a los amigos... Ah, pensé
también en el colegio de mis hijos... ¿Sabe usted? Me los
han devuelto porque hace tres meses que no pago... Pero no
hablemos de esto... Tomábamos menta, una y otra copa; Simón estaba generoso... De pronto se me ocurrió la gran
idea... ¿usted ha visto? Allí en los portales del Patio hay un
hombre que imprime tarjetas, un impresor ambulante... Yo
me dije: «Sería una bonita sorpresa para Simón que yo salga
y mande hacer cien tarjetas con el nombre y dirección de
nuestra sociedad»... ¡Qué gusto se va a llevar! Estupendo, así
lo hice... Pagué las tarjetas con mis últimos veinte soles y entré al bar.. El hombre las traería a nuestra mesa cuando estuvieran listas... «He estado tomando el aire», le dije a Simón; el
muy tonto se lo creyó... Bueno, me hice el disimulado, seguimos hablando... Para esto, el negocio había crecido, ah, ¡naturalmente! Ya las camionetas para leche, los caminos, eran
pequeñeces... Ahora hablábamos de una fábrica de cerveza,
de unos cines de actualidades, inversiones de primer orden...
otra copita de menta... Pero, ¿qué es esto? ¿La plaza Francisco
Pizarro?... Bueno, el hombre de las tarjetas vino. ¡Si viera usted a Simón! Se puso a bailar de alegría; le juro que me abrazó y me besó... Él cogió cincuenta tarjetas y yo cincuenta. Fu-
mamos el último puro. Yo le dije: «Me he quedado sin un cobre pero —quería darme este gusto.» Simón se levantó y se
fue a llamar por teléfono... Avisaría a su mujer que íbamos a
comer... Quedé solo en el bar. ¿Usted sabe lo que es quedarse
solo en un bar luego de haber estado horas conversando?
Todo cambia, todo parece distinto; uno se da cuenta que hay
mozos, que hay paredes, que hay parroquianos, que la otra
gente también habla... es muy raro... Unos hombres con pati-
llas hablaban de toros, otros eran artistas, creo, porque decían
cosas que yo no entendía... y los mozos pasaban y repasaban
por la mesa... Le juro, sus caras no me gustaban... Pero, ¿y Si-

---

[41] Americ., automóvil.

món? me dirá usted... ¡Pues Simón no venía! Esperé diez minutos, luego veinte; la gente del Teatro Segura comenzó a llegar... Fui a buscarlo al baño... Cuando una persona se pierde en un bar hay que ir a buscarlo primero al baño... Luego fui al teléfono, di vueltas por el café, salí a los portales... ¡Nada!... En ese momento el mozo se me acercó con la cuenta... ¡Demonios! se debía 47 soles... ¿en qué? me digo yo. Pero allí estaba escrito... Yo dije: «Estoy esperando a mi amigo.» Pero el mozo no me hizo caso y llamó al *maître*. Hablé con el *maître* que es una especie de notario con una servilleta en la mano... Imposible entenderse... Le enseñé mis tarjetas... ¡nada! Le dije: «¡Yo soy Pablo Saldaña!» ¡Ni caso! Le ofrecí asociarlo a nuestra empresa, darle parte de las utilidades... el tipo no daba su brazo a torcer... En eso pasó usted, ¿recuerda? ¡Fue verdaderamente una suerte! Con las autoridades es fácil entenderse; claro, usted es un hombre instruido, un oficial, sin duda; yo admiro nuestras instituciones, yo voy a los desfiles para aplaudir a la policía... Usted me ha comprendido, naturalmente; usted se ha dado cuenta que yo no soy una piltrafa, que yo soy un hombre importante, ¿eh?... Pero, ¿qué es esto?, ¿dónde estamos?, ¿ésta no es la comisaría?, ¿qué quieren estos hombres uniformados? ¡Suélteme, déjeme el brazo le he dicho! ¿Qué se ha creído usted? ¡Aquí están mis tarjetas! Yo soy Pablo Saldaña el gerente, el formador de la Sociedad, yo soy un hombre, ¿entiende?, ¡un hombre![42].

(Amberes, 1957)

[42] Las interpretaciones del cuento podrían sumarse: documento sociológico, descripción de un arquetipo de la latinidad, radiografía del intelectual peruano aquejado de logorrea, la ilusión como ingrediente fundamental de la existencia humana o nuevo retrato del *bovarismo*.

Las botellas y los hombres[43]

—Lo buscan —dijo el portero—. Un hombre lo espera en la puerta.

Luciano alcanzó a dar una recia volea que hizo encogerse a su adversario y dejando su raqueta sobre la banca tomó el caminillo de tierra. Primero vio una cabeza calva, luego un vientre mal fajado pero sólo cuando la distancia le permitió distinguir la tosca cara de máscara javanesa, sintió que las piernas se le doblaban. Como antes de llegar a la puerta de salida había una cantina, se arrastró hacia ella y pidió una cerveza.

Luego de echarse el primer sorbo, sobre esa boca quemada por la vergüenza, miró hacia el alambrado. El hombre seguía allí parado, lanzando de cuando en cuando una mirada tímida al interior del club. A veces observaba sus manos con esa atención ingenua que prestan a las cosas más insignificantes las personas que esperan.

Luciano secó su cerveza y avanzó resueltamente hacia la puerta. El hombre, al verlo aparecer, quedó rígido, mirándolo con estupefacción. Pero pronto se repuso y sacando una sucia mano del bolsillo la extendió hacia adelante.

—Dame unas chauchas[44] —dijo—. Necesito ir al Callao[45].

---

[43] El cuento da título al volumen donde apareció recogido por primera vez, en Lima, 1964. Contenía diez relatos con los que Ribeyro ampliaba su radiografía social hacia otros ambientes de la alta burguesía —aunque no fuera más que para mostrarnos el denominador común con la anterior «visión de los vencidos»: su miseria moral.

[44] Americ., moneda de poco valor.

[45] Zona portuaria, en la desembocadura del río Rímac.

Luciano no respondió: hacía ocho años que no veía a su padre. Sus ojos no abandonaban esos rasgos que conociera de niño y que ahora le regresaban completamente usados y retractados por el tiempo.

—¿No has oído? —repitió—. Necesito que me des unas chauchas.

—Ésa no es manera de saludar —dijo Luciano—. Sígueme.

Mientras caminaba, sintió unos pasos precipitados y luego una mano que lo cogía por el brazo.

—¡Disculpa, ñato![46], pero estoy fregado[47], sin plata, sin trabajo... Hace dos días que llegué de Arequipa.

Luciano continuó su camino.

—¿Y todos estos años?

—He estado en Chile, en Argentina...

—¿Te ha ido bien?

—¡Como el ajiaco![48]. He pasado la gran vida.

Cuando llegaron a la cantina, Luciano pidió dos cervezas.

—¡Nada de cerveza! Yo soy viejo pisquero. Un soldeíca[49] para mí... Pregunté por ti, me dijeron que seguías en el club.

Hacía calor. En la gran explanada se escuchaba apenas el ruido de las pelotas rebotando en las cuerdas. Luciano miró hacia la cancha, donde su compañero lo aguardaba aburrido, manoseando la red. Pensó que podría acercarse a la cantina, que podría crearse una situación embarazosa.

—¿Estabas jugando? —preguntó el viejo—. Puedes seguir no más. ¡Yo seco esto y me voy! No he venido para hacer tertulia. Pero eso sí, déjame para el tranvía. Tengo que ir al muelle para buscar un trabajo.

—Tengo tiempo de sobra —replicó Luciano regresando la mirada hacia el mostrador. Su padre se llevaba a los labios el primer sorbo y en seguida se secó la boca con la mano, repitiendo ese gesto que se ve en las pulperías, entre los bebedores de barrio. Ambos permanecieron callados, cercanas las cabezas pero irremediablemente alejados por los años de ausen-

---

[46] Americ., chato.
[47] Americ., fastidiado.
[48] Especie de olla podrida que se sazona con ají.
[49] Marca de pisco.

136

cia. El viejo dirigió la mirada hacia las instalaciones del club, hacia el hermoso edificio perdido tras la arboleda.

—Todo esto es nuevo, ¡yo no lo conocía! Me acuerdo cuando era guardián y vivíamos allí, en esa caseta. Tú has progresado, ya no recoges bolas. Ahora te mezclas con la *cremita*...

—Hace años que no recojo bolas.

—¡Ahora juegas! —suspiró el viejo.

Luciano comenzó a sentirse incómodo. El empleado de la cantina no quitaba la vista de ese extraño visitante con la camisa sebosa y la barba mal afeitada. Hombres de esa catadura sólo entraban al club por la puerta falsa, cuando había un caño por desatorar.

—¡Allí viene tu rival! —dijo su padre, apurando su copa—. Me voy. Dame lo que te he pedido.

Luciano vio que su compañero de juego se acercaba a pasos elásticos, dando de raquetazos a invisibles pelotas. Metiendo la mano al bolsillo buscó ansiosamente unas monedas, las cerró entre sus dedos, las mantuvo un momento prisioneras pero terminó por abandonarlas.

—Bebe tranquilo —dijo—. A mí nadie me apura[50].

Su amigo se detuvo frente a la cantina.

—¿Vas a venir o no? Se me está enfriando el cuerpo.

—Te presento a mi padre —dijo Luciano.

—¿Tu padre?

Ambos se estrecharon la mano. Mientras cambiaban los primeros saludos, Luciano trataba de explicarse por qué su amigo había puesto esa entonación en su pregunta. Sin poderlo evitar, observó con más atención el aspecto de su padre. Sus codos raídos, la basta deshilachada del pantalón, adquirieron en ese momento a sus ojos una significación moral: se daba cuenta que en Lima no se podía ser pobre, que la pobreza era aquí una espantosa mancha, la prueba plena de una mala reputación.

—Hacía tiempo que no lo veía —añadió sin saber por qué—. Ha estado de viaje.

---

[50] Americ., apresurar.

—He estado en el Sur —confirmó el viejo—. Una gran turné de negocios por Santiago, por Buenos Aires... Yo me dedico a los negocios, un negocio de vinos, también de ferretería, pero ahora, con los impuestos, con las divisas, las cosas andan...

Súbitamente se calló. El joven lo miraba atónito. Luciano se dio cuenta que comenzaban a sudarle las manos.

—¿No se toman una copita? —añadió el viejo—. Ahora invito yo.

—Lo dejaremos para más tarde —intervino Luciano, impaciente—. Tenemos que terminar la partida. ¿Dónde nos vemos?

—Donde tú quieras. Ya te he dicho que voy para el Callao.

—Te acompaño a la puerta.

Ambos se encaminaron hacia la salida. Marchaban silenciosos.

—No has debido hacerme entrar aquí —balbuceó el viejo—. ¿Qué dirán tus amigos?

—¿Qué van a decir?

—En fin, aquí viene gente elegante. Hay que venir muy palé, con pantalón tubo, ¿eh?

—Si pasas por la casa, te puedo dar unas camisas.

El viejo lo miró irritado.

—¡No me vas a vestir ahora a mí: a mí, que te he comprado tus primeros chuzos![51]

Luciano trató de recordar a qué chuzos se refería su padre. Todos sus recuerdos de infancia le venían descalzos desde la puerta de un callejón. A pesar de ello, cuando llegaron al alambrado, extrajo todo el dinero que tenía en el bolsillo.

—A las seis en el jardín Santa Rosa —murmuró extendiendo la mano.

Cuando el viejo terminó de contar el dinero levantó la cara pero ya Luciano se encontraba lejos, como si hubiera querido ahorrarle una de esas embarazosas escenas de gratitud.

Poco después de las seis, Luciano llegaba al jardín Santa Rosa. Obedeciendo a un impulso de vanidad, se había puesto su mejor terno, sus mejores zapatos, un prendedor de oro

---

[51] Zapatos.

en la corbata, como si se propusiera demostrarle a su padre con esos detalles que su ausencia del hogar no había tenido ninguna importancia, que había sido —por el contrario— una de las razones de su prosperidad.

Esto no era exacto, sin embargo, y nadie sabía mejor que Luciano qué cantidad de humillaciones había sufrido su madre para permitirle terminar el colegio. Nadie sabía mejor que él, igualmente, que esa prosperidad que parecía leerse en su vestimenta, en sus relaciones de club —donde servía de pareja a los socios viejos y se emborrachaba con sus hijos— era una prosperidad provisional, amenazada, mantenida gracias a negocios oscuros. Si el club lo toleraba no era ciertamente por razones sociales sino porque Luciano, aparte de ser el infatigable *sparring*, conocía las debilidades de los socios y era algo así como el agente secreto de sus vicios, el órgano de enlace entre el hampa y el salón.

Lo primero que vio al cruzar el umbral fue a su padre, bajo el emparrado, bebiendo aguardiente y conversando con dos hombres. Deteniéndose, quedó un momento contemplándolo. Tenía el aspecto de estar sentado allí muchas horas, quizás desde que se despidieron en el club. Se había desanudado la corbata y gesticulaba mucho, ayudándose con las manos. Sus interlocutores lo escuchaban, divertidos. Clientes de otras mesas estiraban la oreja para escuchar fragmentos de su charla.

Su llegada debió producirle cierta inquietud porque esbozó con la mano un gesto inacabado, como ante un proyectil que vemos venir hacia nosotros y esfumarse en el camino. En seguida se levantó, derribando aparatosamente una silla.

—¡Ya está acá! —exclamó dando unos pasos, los brazos extendidos—. ¿Qué les decía yo? ¡Ha llegado mi ñato!

Luciano lo vio venir y a pesar suyo se encontró aferrado contra su pecho. Durante un tiempo, que le pareció interminable, sufrió la violencia de su abrazo. A sus narices penetraba un tufo de licor barato, de cebolla de picantería. Este detalle lo conmovió y sus manos, que al principio vacilaban, se crisparon con fuerza sobre la espalda de su padre. Luego de tantos años, bien valía la pena de un abrazo.

—Vamos a sentarnos —dijo el viejo—. Aquí te presento

unos amigos, todos chicos muy simpáticos. Trabajan en la banca. Acabo de conocerlos.

Luciano tomó asiento y por complacer a su padre se sirvió un pisco. Los empleados lo observaban con perplejidad. El prendedor de su corbata, pero sobre todo el rubí de su anular, parecía dejarlos cavilosos. No veían verdaderamente relación entre ese viejo seboso y charlatán y esa especie de mestizo con aires de dandi.

—El chico es ingeniero —mintió el viejo—. Ha estudiado en La Molina. Siempre sacó las mejores notas. Yo también, cuando estaba en la Facultad... ¿te acuerdas, Luciano?

Luciano permanecía silencioso y dejaba hablar a su padre. Al acudir a esa cita, su intención primera había sido acosarlo a preguntas, irlo acorralando hasta llegar a esa época de abandono en la cual todos los reproches eran posibles. Pero la presencia de los empleados y esa primera copa de pisco lo habían disuadido. Comenzaba a olvidarse de su ropa, de sus rencores, y a penetrar en ese mundo ficticio que crean los hombres cuando se sientan alrededor de una botella abierta. La mirada perdida en el fondo del jardín, veía a un grupo de parroquianos jugar a las bochas[52]. De vez en cuando su padre le pedía confirmar un embuste y él repetía maquinalmente: «Es verdad.» El rumor de su voz, además, irrigaba zonas muertas de su memoria. Había un partido de fútbol al cual su padre lo condujera de niño, algunas monedas de plata que le dieron acceso al paraíso de los turrones.

—¡Vamos a jugarnos un sapo![53] —exclamó el viejo—. ¡A ver tú, caballerazo, pásame la dolorosa![54].

El mozo se acercó. Luciano se vio conducido por su padre a un rincón.

—Eh, ¿tienes allí algunos morlacos[55] libres? Este par de bancarios está chupando a mis costillas. Pero, espérate, en el sapo nos desquitaremos.

---

[52] Juego de bolas.
[53] En Argentina y Chile, juego de la rana.
[54] Debe referirse, naturalmente, a la cuenta por lo consumido.
[55] Americ., dinero.

Luciano quedó arreglándose con el mozo mientras su padre avanzaba con los empleados hacia el juego del sapo. En el camino iba hablando en voz alta, palmeaba a los camareros, hacía chistes con los demás parroquianos, intervenía en todas las disputas. Su aspecto ambiguo de mercachifle y de reclutador de feria, su ronca voz de guarapero[56], lo habían hecho rápidamente popular y parecía, por momentos, el más antiguo de todos los clientes.

—¿Por dónde está el gerente? —gritaba—. ¡Díganle que aquí está don Francisco, presidente del club Huarasino, para invitarle un huaracazo![57].

Luciano apuró el paso y lo alcanzó. Había experimentado la necesidad de estar a su lado, de hacer ostensible su vinculación con ese hombre que dominaba un jardín de recreo. Cogiéndolo resueltamente del brazo, caminó silencioso a su vera.

El viejo le habló al oído:

—He apostado con los empleados una docena de Cristal[58].

—¡Pero si yo no sé jugar!

—¡Déjalo por mi cuenta!

Las fichas comenzaron a volar hacia la boca del sapo. Los empleados, que estaban un poco borrachos, las arrojaban como piedras y descascaraban la pared del fondo. Su padre, en cambio, medía sus tiros y efectuaba los lanzamientos con un estilo impecable. Luciano no se cansaba de observarlo, creía descubrir en él una elegancia escondida que una vida miserable había recubierto de gestos vulgares sin llegar por completo a destruir. Pensó cómo sería su padre con un buen chaleco y se dijo que bien valía la pena obsequiarle el más lujoso que encontrara.

Mientras tanto, las botellas de Cristal se vaciaban. A cada trago el viejo parecía rejuvenecer, alcanzar una talla legendaria. Su desbordante euforia contagió a Luciano, quien se dijo que tenían una noche por delante y que sería necesario hacer algo con ella. Los empleados estorbaban. Uno de ellos había

---

[56] Jaranero, el que canta en las fiestas.
[57] Copa bebida de golpe y hasta el final.
[58] Marca de cerveza.

caído vomitando bajo la enramada y el otro trataba de levantarlo.

—¡Vámonos! ¡Éstos ya enterraron el pico!

—¡Todavía no! —protestó el viejo y Luciano hubo de seguirlo a través de todos los apartados, mezclarse en sus conversaciones, verlo, por último, jugarse una partida de bochas, en mangas de camisa, tronando como un titán y aniquilando a sus adversarios.

—¡Así juegan los porteños! —vociferaba, mientras los palitroques volaban por los aires.

Al fin Luciano logró convencerlo que debían irse de allí.

—¿Habrá juerga? —indagó el viejo.

—¡Iremos al Once Amigos Bolognesi, a la Victoria[59], donde mis verdaderos patines![60].

Ambos abandonaron el jardín Santa Rosa y abrazados, cantando, se lanzaron por las calles de Magdalena a la caza de un taxi.

En el club —un garaje deshabitado, al cual se penetraba por un postigo— había una docena de personas de catadura dudosa, jugando al *craft*, a las damas, fumando, bebiendo cerveza. El estrépito que hizo Luciano al entrar, obligó a todos a volver la cabeza.

—¡Señores! —gritó cuando llegó al centro de la pieza—. ¡Les presento a mi padre!

Todos quedaron callados mirando a ese extraño hombre gordo que, la corbata desanudada, el pelo revuelto alrededor del pelado occipital, se apoyaba en el mostrador para no caer. Luciano avanzó hacia las mesas y echó por tierra los tableros y los cubiletes.

—¡Se acabó el juego! Ahora todo el mundo chupa con nosotros. Un padre como éste no se ve todos los días. Nos encontramos en la calle. Hacía ocho años que no lo veía.

Algunos amigos protestaron, otros trataron de reconstruir las partidas disputándose sobre la posición de las fichas, pero

---

[59] Barrios populares.
[60] Diminutivo de *patas:* amiguetes.

142

cuando escucharon que Luciano enviaba al cantinero por algunas botellas de champán, se resignaron a hacerle los honores al recién llegado.

—¡Pero si tiene tu misma quijada! —dijo uno, acercándose al viejo para estrecharle la mano. Otros se levantaron y lo abrazaron. Se hicieron los primeros brindis.

—¡A puerta cerrada! —dijo Luciano tirando el postigo—. ¡Aquí no entran ni los tombos![61].

Las mesas fueron arrimadas unas contra otras hasta formar una superficie descomunal. El primer trago sacó al viejo de su torpor y luego de lanzar algunos carajos para aclararse la voz, se dispuso a mostrarse digno de aquella acogida. Primero con réplicas, luego con anécdotas, fue apoderándose de la conversación. Cuando el cantinero llegó con el champán, él era el único que hablaba. Sus historias, contadas en la sabrosa jerga criolla, inventadas en su mayoría, interrumpidas, retomadas, vueltas a contar de una manera diferente, adobadas con groseros refranes de su cosecha, con invocaciones a valses populares, provocaban estallidos de risa.

En un rincón, Luciano asistía mudo a esta escena. Sus ojos animados, en lugar de posarse en su padre, viajaban por los rostros de sus amigos. La atención que en ellos leía, el regocijo, la sorpresa, eran los signos de la existencia paterna: en ellos terminaba su orfandad. Ese hombre de gran quijada lampiña, que él había durante tantos años odiado y olvidado, adquiría ahora tan opulenta realidad, que él se consideraba como una pobre excrecencia suya, como una dádiva de su naturaleza. ¿Cómo podría recompensarlo? Regalarle dinero, retenerlo en Lima, meterlo en sus negocios, todo le parecía poco. Maquinalmente se levantó y se fue aproximando a él, con precaución. Cuando estuvo detrás suyo, lo cogió de los hombros y lo besó violentamente en la boca.

El viejo, interrumpido, hizo un movimiento de esquive sobre la silla. Los amigos rieron. Luciano quedó desconcertado. Abriendo los brazos a manera de excusa, regresó a su silla. Su

---

[61] Policías. La pronunciación invertida de «botón» origina este vocablo de germanía, por la vistosa hilera de botones que lucía en los uniformes policiales.

padre prosiguió, luego de limpiarse los labios con la manga.

Se hablaba de mujeres. Luciano se sintió de súbito triste. En su copa de champán quedaba un concho[62] espumoso. Con un palillo de fósforo perforó sus burbujas mientras se acordaba de su madre, a quien visitaba de cuando en cuando en el callejón, llevándole frutas o pañuelos. Su atención se dispersaba. Alguien hablaba de ir a las calles alegres de La Victoria. Siempre era así: en las reuniones de hombres, por más numerosas que fueran, siempre llegaba un momento en que todos se sentían profundamente solos.

Pero eso no era lo que lo preocupaba. Era la voz de su padre. Ella se aproximaba, hacía fintas sobre una zona peligrosa. Luciano sintió la tentación de hundir la frente entre las manos, de taparse los oídos. Era ya tarde.

—¿Y cómo está la vieja?

La pregunta llegó desde el otro extremo de la mesa, a través de todas las botellas. Se había hecho un silencio. Luciano miró a su padre y trató de sonreír.

—Está bien —contestó y volvió a hundir su mirada en la copa vacía—. Tampoco le has hecho falta. Nunca ha preguntado por ti.

—Hace ocho o diez años que no le veo ni el bulto —prosiguió el viejo, dirigiéndose a los amigos—. ¡Cómo corre el tiempo! Nos hacemos viejos... ¿No queda más champán para mí?... Vivíamos en un callejón, vivíamos como cerdos, ¿no es verdad, Luciano? Yo no podía aguantar eso... un hombre como yo, en fin, sin libertad... viendo siempre la misma cara, el mismo olor a mujer, qué mierda, había que conocer mundo y me fui... Sí, señores, ¡me fui!

Luciano apretó la copa deseando que reventara entre sus dedos. El cristal resistió.

—Además... —continuó el viejo, sonriendo con sorna— yo, yo... ella, con el perdón de Luciano, pero la verdad es que ella, ustedes comprenden, ella...

—¡Calla! —gritó Luciano, poniéndose de pie.

—¡... ella se acostaba con todo el mundo!

---

[62] Poso, fondo.

Las carcajadas de los amigos estallaron. En un instante Luciano se encontró al lado de su padre. Cuando los amigos terminaron de reír vieron que el viejo tenía sangre en los labios. Luciano lo tenía aferrado por la corbata y su ágil cabeza volvía a golpear la gran cara pastosa.

—¡Agárrenlo, agárrenlo! —gritaba el viejo.

Entre cuatro cogieron a Luciano y lo arrastraron a un rincón. Su pequeño cuerpo se revolvía, de su boca salía un resuello rabioso.

—¡Si se quieren pegar que salgan a la calle! —exclamó uno—. ¡Aquí van a romper los confortables!

Luego de un forcejeo en el cual intervinieron todos los amigos —no se sabía si para contenerlos o para expulsarlos—, Luciano y su padre se encontraron en la calle.

—Al jirón Humboldt —dijo Luciano y se echó a caminar decididamente mientras se acomodaba la corbata y se alisaba el cabello con las manos. Su padre lo seguía a pasos cortos y precipitados.

—¡Espera! ¿Por qué tan lejos?

Cuando lo alcanzó, anduvo a su lado, borracho aún, hablando en voz alta, llenándolo de injurias.

—¿No lo sabías tú, acaso? ¡Con todo el mundo! ¿Quién daba para el diario, entonces?

Al llegar al jirón Humboldt comenzaron a recorrerlo, buscando una transversal oscura. Luciano se sentía fatigado, pensaba en las cien formas de enfrentarse a un rival corpulento y pesado: evitar el cuerpo a cuerpo, fintear provocando la fatiga, tierra en los ojos o una piedra metida con disimulo en el bolsillo de su saco.

—Acá —dijo el viejo, señalando una bocacalle penumbrosa en medio de la cual pendía un foco amarillo. En el tapabarro[63] de un colectivo[64] abandonado dejaron sus sacos. Luego se remangaron la camisa. Luciano metió la basta de su pantalón bajo la liga de sus medias. Cuadrándose, tomaron distancia.

---

[63] En Chile, guardabarro.
[64] Americ., autobús.

Luciano vio que su padre tenía la guardia abierta y que su gran vientre se le ofrecía como un blanco infalible. A pesar de ello, retrocedió unos pasos. El viejo se aproximó. Luciano volvió a retroceder. El viejo continuó avanzando.

—¿Me vas a dar pelea? ¡Aguárdate, que te calzo![65]

Luciano llegó a tocar la pared con la espalda e impulsándose con las manos arremetió hacia adelante. De un salto salvó la distancia y ya iba a descargar su puño cuando advirtió un gesto, tan sólo un gesto de desconcierto —de pavor— en el rostro de su padre, y su puño quedó suspendido en el aire. El viejo estaba inmóvil. Ambos se miraban a los ojos como si estuvieran prontos a lanzar un grito. Aún tuvo tiempo de pensar Luciano: «Parece que me miro en un espejo», cuando sintió la pesada mano que le hendía el esternón y la otra que se alargaba rozando sus narices. Recobrándose, tomó distancia y recibió a la forma que avanzaba con un puntapié en el vientre. El viejo cayó de espaldas.

Luciano cruzó velozmente por encima de él y recogiendo su saco corrió hacia la esquina. Al llegar al jirón Humboldt se detuvo en seco. El cuerpo continuaba allí —se le veía como un animal atropellado— en medio de la pista. Con prudencia se fue acercando. Al inclinarse, vio que el viejo dormía, la garganta llena de ronquidos. Tirándolo de las piernas lo arrastró hasta la vereda. Luego, volvió a inclinarse para mirar por última vez esa mandíbula recia, esa ilusión de padre que jamás volvería a repetirse. Arrancando su anillo del anular, lo colocó en el meñique del vencido, con el rubí hacia la palma. Después encendió un cigarrillo y se retiró, pensativo, hacia los bares de La Victoria.

(Berlín, 1958)

---

[65] *Calzarse a uno,* gobernarle, manejarle.

Por las azoteas

A los diez años yo era el monarca de las azoteas y gobernaba pacíficamente mi reino de objetos destruidos.

Las azoteas[66] eran los recintos aéreos donde las personas mayores enviaban las cosas que no servían para nada: se encontraban allí sillas cojas, colchones despanzurrados, maceteros rajados, cocinas de carbón, muchos otros objetos que llevaban una vida purgativa, a medio camino entre el uso póstumo y el olvido. Entre todos estos trastos yo erraba omnipotente, ejerciendo la potestad que me fue negada en los bajos. Podía ahora pintar bigotes en el retrato del abuelo, calzar las viejas botas paternales o blandir como una jabalina la escoba que perdió su paja. Nada me estaba vedado: podía construir y destruir y con la misma libertad con que insuflaba vida a las pelotas de jebe reventadas, presidía la ejecución capital de los maniquíes.

Mi reino, al principio, se limitaba al techo de mi casa pero poco a poco, gracias a valerosas conquistas, fui extendiendo sus fronteras por las azoteas vecinas. De estas largas campañas, que no iban sin peligros —pues había que salvar vallas o saltar corredores abismales— regresaba siempre enriquecido con algún objeto que se añadía a mi tesoro o con algún rasguño que acrecentaba mi heroísmo. La presencia esporádica de alguna sirvienta que tendía ropa o de algún obrero que repa-

---

[66] Espacio marginal, de lo inservible; debe entenderse también como el reino de la imaginación y del arte, en oposición a la realidad.

raba una chimenea, no me causaba ninguna inquietud pues yo estaba afincado soberanamente en una tierra en la cual ellos eran sólo nómades o poblaciones trashumantes.

En los linderos de mi gobierno, sin embargo, había una zona inexplorada que siempre despertó mi codicia. Varias veces había llegado hasta sus inmediaciones pero una alta empalizada de tablas puntiagudas me impedía seguir adelante. Yo no podía resignarme a que este accidente natural pusiera un límite a mis planes de expansión.

A comienzos del verano decidí lanzarme al asalto de la tierra desconocida. Arrastrando de techo en techo un velador desquiciado y un perchero vetusto, llegué al borde de la empalizada y construí una alta torre. Encaramándome en ella, logré pasar la cabeza. Al principio sólo distinguí una azotea cuadrangular, partida al medio por una larga farola. Pero cuando me disponía a saltar en esa tierra nueva, divisé a un hombre sentado en una perezosa. El hombre parecía dormir. Su cabeza caía sobre su hombro y sus ojos, sombreados por un amplio sombrero de paja, estaban cerrados. Su rostro mostraba una barba descuidada, crecida casi por distracción, como la barba de los náufragos.

Probablemente hice algún ruido pues el hombre enderezó la cabeza y quedó mirándome perplejo. El gesto que hizo con la mano lo interpreté como un signo de desalojo, y dando un salto me alejé a la carrera.

Durante los días siguientes pasé el tiempo en mi azotea fortificando sus defensas, poniendo a buen recaudo mis tesoros, preparándome para lo que yo imaginaba que sería una guerra sangrienta. Me veía ya invadido por el hombre barbudo; saqueado, expulsado al atroz mundo de los bajos, donde todo era obediencia, manteles blancos, tías escrutadoras y despiadadas cortinas. Pero en los techos reinaba la calma más grande y en vano pasé horas atrincherado, vigilando la lenta ronda de los gatos o, de vez en cuando, el derrumbe de alguna cometa de papel.

En vista de ello decidí efectuar una salida para cerciorarme con qué clase de enemigo tenía que vérmelas, si se trataba realmente de un usurpador o de algún fugitivo que pedía tan sólo derecho de asilo. Armado hasta los dientes, me aventuré fuera de mi fortín y poco a poco fui avanzando hacia la empalizada. En lugar de escalar la torre, contorneé la valla de maderas, buscando un agujero. Por entre la juntura de dos tablas apliqué el ojo y observé: el hombre seguía en la perezosa, contemplando sus largas manos trasparentes o lanzando de cuando en cuando una mirada hacia el cielo, para seguir el paso de las nubes viajeras.

Yo hubiera pasado toda la mañana allí, entregado con delicia al espionaje, si es que el hombre, después de girar la cabeza, no quedara mirando fijamente el agujero.

—Pasa —dijo, haciéndome una seña con la mano—. Ya sé que estás allí. Vamos a conversar.

Esta invitación, si no equivalía a una rendición incondicional, revelaba al menos el deseo de parlamentar. Asegurando bien mis armamentos, trepé por el perchero y salté al otro lado de la empalizada. El hombre me miraba sonriente. Sacando un pañuelo blanco del bolsillo —¿era un signo de paz?— se enjugó la frente.

—Hace rato que estás allí —dijo—. Tengo un oído muy fino. Nada se me escapa... ¡Este calor!

—¿Quién eres tú? —le pregunté.

—Yo soy el rey de la azotea —me respondió.

—¡No puede ser! —protesté—. El rey de la azotea soy yo. Todos los techos son míos. Desde que empezaron las vacaciones paso todo el tiempo en ellos. Si no vine antes por aquí fue porque estaba muy ocupado por otro sitio.

—No importa —dijo—. Tú serás el rey durante el día y yo durante la noche.

—No —respondí—. Yo también reinaré durante la noche. Tengo una linterna. Cuando todos estén dormidos, caminaré por los techos.

—Está bien —me dijo—. ¡Reinarás también por la noche! Te regalo las azoteas pero déjame al menos ser el rey de los gatos.

Su propuesta me pareció aceptable. Mentalmente lo convertía ya en una especie de pastor o domador de mis rebaños salvajes.

—Bueno, te dejo los gatos. Y las gallinas de la casa de al lado, si quieres. Pero todo lo demás es mío.

149

—Acordado —me dijo—. Acércate ahora. Te voy a contar un cuento. Tú tienes cara de persona que le gustan los cuentos. ¿No es verdad? Escucha, pues: «Había una vez un hombre[67] que sabía algo. Por esta razón lo colocaron en un púlpito. Después lo metieron en una cárcel. Después lo internaron en un manicomio. Después lo encerraron en un hospital. Después lo pusieron en un altar. Después quisieron colgarlo de una horca. Cansado, el hombre dijo que no sabía nada. Y sólo entonces lo dejaron en paz.»

Al decir esto, se echó a reír con una risa tan fuerte que terminó por ahogarse. Al ver que yo lo miraba sin inmutarme, se puso serio.

—No te ha gustado mi cuento —dijo—. Te voy a contar otro, otro mucho más fácil: «Había una vez un famoso imitador de circo que se llamaba Max. Con unas alas falsas y un pico de cartón, salía al ruedo y comenzaba a dar de saltos y a piar. ¡El avestruz! decía la gente, señalándolo, y se moría de risa. Su imitación del avestruz lo hizo famoso en todo el mundo. Durante años repitió su número haciendo gozar a los niños y a los ancianos. Pero a medida que pasaba el tiempo, Max se iba volviendo más triste y en el momento de morir llamó a sus amigos a su cabecera y les dijo: "Voy a revelarles un secreto. Nunca he querido imitar al avestruz, siempre he querido imitar al canario".»

Esta vez el hombre no rió sino que quedó pensativo, mirándome con sus ojos indagadores.

—¿Quién eres tú? —le volví a preguntar—. ¿No me habrás engañado? ¿Por qué estás todo el día sentado aquí? ¿Por qué llevas barba? ¿Tú no trabajas? ¿Eres un vago?

—¡Demasiadas preguntas! —me respondió, alargando un brazo, con la palma vuelta hacia mí—. Otro día te responde-

---

[67] En carta a Wolfgang Luchting, Ribeyro aclara las referencias intertextuales del cuento: «El hombre de la azotea cuenta tres historias al pequeño personaje. La del "hombre que sabía algo" está tomada de las *histoires brisées* de Paul Valéry; la del "tipo que se muere" de los *projects inédits* de Flaubert publicados por Marie-Jeanne Durry. Las dos otras alusiones son: Chesterton, cuando el tísico se refiere "a los botones de la camisa" y Cieza de León cuando se refiere al clima de Lima.» En *Julio Ramón Ribeyro y sus dobles,* ed. cit., pág. 29.

ré. Ahora vete, vete por favor. ¿Por qué no regresas mañana? Mira el sol, es como un ojo... ¿lo ves? Como un ojo irritado. El ojo del infierno.

Yo miré hacia lo alto y vi sólo un disco furioso que me enceguecía. Caminé, vacilando, hasta la empalizada y cuando la salvaba, distinguí al hombre que se inclinaba sobre sus rodillas y se cubría la cara con su sombrero de paja.

Al día siguiente regresé.

—Te estaba esperando —me dijo el hombre—. Me aburro, he leído ya todos mis libros y no tengo nada que hacer.

En lugar de acercarme a él, que extendía una mano amigable, lancé una mirada codiciosa hacia un amontonamiento de objetos que se distinguía al otro lado de la farola. Vi una cama desarmada, una pila de botellas vacías.

—Ah, ya sé —dijo el hombre—. Tú vienes solamente por los trastos. Puedes llevarte lo que quieras. Lo que hay en la azotea —añadió con amargura— no sirve para nada.

—No vengo por los trastos —le respondí—. Tengo bastantes, tengo más que todo el mundo.

—Entonces escucha lo que te voy a decir: el verano es un dios que no me quiere. A mí me gustan las ciudades frías, las que tienen allá arriba una compuerta y dejan caer sus aguas. Pero en Lima nunca llueve o cae tan pequeño rocío que apenas mata el polvo. ¿Por qué no inventamos algo para protegernos del sol?

—Una sombrilla —le dije—, una sombrilla enorme que tape toda la ciudad.

—Eso es, una sombrilla que tenga un gran mástil, como el de la carpa de un circo y que pueda desplegarse desde el suelo, con una soga, como se iza una bandera. Así estaríamos todos para siempre en la sombra. Y no sufriríamos.

Cuando dijo esto me di cuenta que estaba todo mojado, que la transpiración corría por sus barbas y humedecía sus manos.

—¿Sabes por qué estaban tan contentos los portapliegos de la oficina? —me preguntó de pronto—. Porque les habían dado un uniforme nuevo, con galones. Ellos creían haber cambiado de destino, cuando sólo se habían mudado de traje.

151

—¿La construiremos de tela o de papel? —le pregunté.

El hombre quedó mirándome sin entenderme.

—¡Ah, la sombrilla! —exclamó—. La haremos mejor de piel, ¿qué te parece? De piel humana. Cada cual daría una oreja o un dedo. Y al que no quiera dárnoslo, se lo arrancaremos con una tenaza.

Yo me eché a reír. El hombre me imitó. Yo me reía de su risa y no tanto de lo que había imaginado —que le arrancaba a mi profesora la oreja con un alicate— cuando el hombre se contuvo.

—Es bueno reír —dijo—, pero siempre sin olvidar algunas cosas: por ejemplo, que hasta las bocas de los niños se llenarían de larvas y que la casa del maestro será convertida en cabaret por sus discípulos.

A partir de entonces iba a visitar todas las mañanas al hombre de la perezosa. Abandonando mi reserva, comencé a abrumarlo con toda clase de mentiras e invenciones. Él me escuchaba con atención, me interrumpía sólo para darme crédito y alentaba con pasión todas mis fantasías. La sombrilla había dejado de preocuparnos y ahora ideábamos unos zapatos para andar sobre el mar, unos patines para aligerar la fatiga de las tortugas.

A pesar de nuestras largas conversaciones, sin embargo, yo sabía poco o nada de él. Cada vez que lo interrogaba sobre su persona, me daba respuestas disparatadas u oscuras:

—Ya te lo he dicho: yo soy el rey de los gatos. ¿Nunca has subido de noche? Si vienes alguna vez verás cómo me crece un rabo, cómo se afilan mis uñas, cómo se encienden mis ojos y cómo todos los gatos de los alrededores vienen en procesión para hacerme reverencias.

O decía:

—Yo soy eso, sencillamente, eso y nada más, nunca lo olvides: un trasto.

Otro día me dijo:

—Yo soy como ese hombre que después de diez años de muerto resucitó y regresó a su casa envuelto en su mortaja. Al principio, sus familiares se asustaron y huyeron de él. Luego se hicieron los que no lo reconocían. Luego lo admitieron pero haciéndole ver que ya no tenía sitio en la mesa ni lecho donde dormir. Luego lo expulsaron al jardín, después al camino, después al otro lado de la ciudad. Pero como el hombre siempre tendía a regresar, todos se pusieron de acuerdo y lo asesinaron.

A mediados del verano, el calor se hizo insoportable. El sol derretía el asfalto de las pistas, donde los saltamontes quedaban atrapados. Por todo sitio se respiraba brutalidad y pereza. Yo iba por las mañanas a la playa en los tranvías atestados, llegaba a casa arenoso y famélico y después de almorzar subía a la azotea para visitar al hombre de la perezosa.

Éste había instalado un parasol al lado de su sillona y se abanicaba con una hoja de periódico. Sus mejillas se habían ahuecado y, sin su locuacidad de antes, permanecía silencioso, agrio, lanzando miradas coléricas al cielo.

—¡El sol, el sol! —repetía—. Pasará él o pasaré yo. ¡Si pudiéramos derribarlo con una escopeta de corcho!

Una de esas tardes me recibió muy inquieto. A un lado de su sillona tenía una caja de cartón. Apenas me vio, extrajo de ella una bolsa con fruta y una botella de limonada.

—Hoy es mi santo —dijo—. Vamos a festejarlo. ¿Sabes lo que es tener treinta y tres años? Conocer de las cosas el nombre, de los países el mapa. Y todo por algo infinitamente pequeño, tan pequeño que la uña de mi dedo meñique sería un mundo a su lado. Pero, ¿no decía un escritor famoso que las cosas más pequeñas son las que más nos atormentan, como, por ejemplo, los botones de la camisa?

Ese día me estuvo hablando hasta tarde, hasta que el sol de brujas encendió los cristales de las farolas y crecieron largas sombras detrás de cada ventana teatina.

Cuando me retiraba, el hombre me dijo:

—Pronto terminarán las vacaciones. Entonces, ya no vendrás a verme. Pero no importa, porque ya habrán llegado las primeras lloviznas.

En efecto, las vacaciones terminaban. Los muchachos vivíamos ávidamente esos últimos días calurosos, sintiendo ya en lontananza un olor a tinta, a maestro, a cuadernos nuevos. Yo andaba oprimido por las azoteas, inspeccionando tanto espacio conquistado en vano, sabiendo que se iba a pique mi verano, mi nave de oro cargada de riquezas.

153

El hombre de la perezosa parecía consumirse. Bajo su parasol, lo veía cobrizo, mudo, observando con ansiedad el último asalto del calor, que hacía arder la torta de los techos.

—¡Todavía dura! —decía señalando el cielo—. ¿No te parece una maldad? Ah, las ciudades frías, las ventosas. Canícula, palabra fea, palabra que recuerda a un arma, a un cuchillo.

Al día siguiente me entregó un libro:

—Lo leerás cuando no puedas subir. Así te acordarás de tu amigo... de este largo verano.

Era un libro con grabados azules, donde había un personaje que se llamaba Rogelio. Mi madre lo descubrió en el velador. Yo le dije que me lo había regalado «el hombre de la perezosa». Ella indagó, averiguó y cogiendo el libro con un papel, fue corriendo a arrojarlo a la basura.

—¿Por qué no me habías dicho que hablabas con ese hombre? ¡Ya verás esta noche cuando venga tu papá! Nunca más subirás a la azotea.

Esa noche mi papá me dijo:

—Ese hombre está marcado. Te prohíbo que vuelvas a verlo. Nunca más subirás a la azotea.

Mi mamá comenzó a vigilar la escalera que llevaba a los techos. Yo andaba asustado por los corredores de mi casa, por las atroces alcobas, me dejaba caer en las sillas, miraba hasta la extenuación el empapelado del comedor —una manzana, un plátano, repetidos hasta el infinito— u hojeaba los álbumes llenos de parientes muertos. Pero mi oído sólo estaba atento a los rumores del techo, donde los últimos días dorados me aguardaban. Y mi amigo en ellos, solitario entre los trastos.

Se abrieron las clases en días aún ardientes. Las ocupaciones del colegio me distrajeron. Pasaba mañanas interminables en mi pupitre, aprendiendo los nombres de los catorce incas y dibujando el mapa del Perú con mis lápices de cera. Me parecían lejanas las vacaciones, ajenas a mí, como leídas en un almanaque viejo.

Una tarde, el patio de recreo se ensombreció, una brisa fría barrió el aire caldeado y pronto la garúa comenzó a resonar sobre las palmeras. Era la primera lluvia de otoño. De inmediato me acordé de mi amigo, lo vi jubiloso, recibiendo con as manos abiertas esa agua caída del cielo que lavaría su piel, su corazón.

Al llegar a casa estaba resuelto a hacerle una visita. Burlando la vigilancia materna, subí a los techos. A esa hora, bajo ese tiempo gris, todo parecía distinto. En los cordeles, la ropa olvidada se mecía y respiraba en la penumbra, y contra las farolas los maniquíes parecían cuerpos mutilados. Yo atravesé, angustiado, mis dominios y a través de barandas y tragaluces llegué a la empalizada. Encaramándome en el perchero, me asomé al otro lado.

Sólo vi un cuadrilátero de tierra humedecida. La sillona, desarmada, reposaba contra el somier oxidado de un catre. Caminé un rato por ese reducto frío, tratando de encontrar una pista, un indicio de su antigua palpitación. Cerca de la sillona había una escupidera de loza. Por la larga farola, en cambio, subía la luz, el rumor de la vida. Asomándome a sus cristales vi el interior de la casa de mi amigo, un corredor de losetas por donde hombres vestidos de luto circulaban pensativos.

Entonces comprendí que la lluvia había llegado demasiado tarde.

(Berlín, 1958)

155

Dirección equivocada

Ramón abandonó la oficina con el expediente bajo el brazo y se dirigió a la avenida Abancay. Mientras esperaba el ómnibus que lo conduciría a Lince[68], se entretuvo contemplando la demolición de las viejas casas de Lima. No pasaba un día sin que cayera un solar de la colonia, un balcón de madera tallada o simplemente una de esas apacibles quintas republicanas, donde antaño se fraguó más de una revolución. Por todo sitio se levantaban altivos edificios impersonales, iguales a los que había en cien ciudades del mundo. Lima, la adorable Lima de adobe y de madera, se iba convirtiendo en una especie de cuartel de concreto armado. La poca poesía que quedaba se había refugiado en las plazoletas abandonadas, en una que otra iglesia y en la veintena de casonas principescas, donde viejas familias languidecían entre pergaminos y amarillentos daguerrotipos.

Estas reflexiones no tenían nada que ver evidentemente con el oficio de Ramón: detector de deudores contumaces. Su jefe, esa misma mañana, le había ordenado hacer una pesquisa minuciosa por Lince para encontrar a Fausto López, cliente nefasto que debía a la firma cuatro mil soles en tinta y papel de imprenta.

Cuando el ómnibus lo desembarcó en Lince, Ramón se sintió deprimido, como cada vez que recorría esos barrios po-

---

[68] En esa suerte de mapa social de la ciudad de Lima que trazan los cuentos de Ribeyro, espacios como Lince o Pueblo Libre constituyen zonas de confluencia de las clases medias y el proletariado.

157

pulares sin historia, nacidos hace veinte años por el arte de alguna especulación, muertos luego de haber llenado algunos bolsillos ministeriales, pobremente enterrados entre la gran urbe y los lujosos balnearios del Sur. Se veían chatas casitas de un piso, calzadas de tierra, pistas polvorientas, rectas calles brumosas donde no crecía un árbol, una yerba. La vida en esos barrios palpitaba un poco en las esquinas, en el interior de las pulperías, traficadas por caseros y borrachines.

Consultando su expediente, Ramón se dirigió a una casa de vecindad y recorrió su largo corredor perforado de puertas y ventanas, hasta una de las últimas viviendas.

Varios minutos estuvo aporreando la puerta. Por fin se abrió y un hombre somnoliento, con una camiseta agujereada, asomó el torso.

—¿Aquí vive el señor Fausto López?

—No. Aquí vivo yo, Juan Limayta, gasfitero[69].

—En estas facturas figura esta dirección —alegó Ramón, alargando su expediente.

—¿Y a mí qué? Aquí vivo yo. Pregunte por otro lado —y tiró la puerta.

Ramón salió a la calle. Recorrió aún otras casas, preguntando al azar. Nadie parecía conocer a Fausto López. Tanta ignorancia hacía pensar a Ramón en una vasta conspiración distrital destinada a ocultar a uno de sus vecinos. Tan sólo un hombre pareció recurrir a su memoria.

—¿Fausto López? Vivía por aquí pero hace tiempo que no lo veo. Me parece que se ha muerto.

Desalentado, Ramón penetró en una pulpería para beber un refresco. Acodado en el mostrador, cerca del pestilente urinario, tomó despaciosamente una coca-cola. Cuando se disponía a regresar derrotado a la oficina, vio entrar en la pulpería a un chiquillo que tenía en la mano unos programas de cine. La asociación fue instantánea. En el acto lo abordó.

—¿De dónde has sacado esos programas?

—De mi casa, ¿de dónde va a ser?

—¿Tu papá tiene una imprenta?

---

[69] Fontanero.

—Sí.

—¿Cómo se llama tu papá?

—Fausto López.

Ramón respiró aliviado.

—Vamos allí. Necesito hablar con él.

En el camino conversaron. Ramón se enteró que Fausto López tenía una imprenta de mano, que se había mudado hacía algunos meses a pocas calles de distancia y que vivía de imprimir programas para los cines del barrio.

—¿Te pagan algo por repartir los programas?

—¿Mi papá? ¡Ni un taco! Los dueños de los cines me dejan entrar gratis a las seriales.

En los barrios pobres también hay categorías. Ramón tuvo la evidencia de estar hollando el suburbio de un suburbio. Ya los pequeños ranchos habían desaparecido. Sólo se veían callejones, altos muros de corralón con su gran puerta de madera. Menguaron los postes del alumbrado y surgieron las primeras acequias, plagadas de inmundicias.

Cerca de los rieles, el muchacho se detuvo.

—Aquí es —dijo, señalando un pasaje sombrío—. La tercera puerta. Yo me voy porque tengo que repartir todo esto por la avenida Arenales.

Ramón dejó partir al muchacho y quedó un momento indeciso. Algunos chicos se divertían tirando piedras en la acequia. Un hombre salió, silbando, del pasaje y echó en sus aguas el contenido dudoso de una bacinica.

Ramón penetró hasta la tercera puerta y la golpeó varias veces con los puños. Mientras esperaba, recordó las recomendaciones de su jefe: nada de amenazas, cortesía señorial, espíritu de conciliación, confianza contagiosa. Todo esto para no intimidar al deudor, regresar con la dirección exacta y poder iniciar el juicio y el embargo.

La puerta no se abrió pero, en cambio, una ventana de madera, pequeña como el marco de un retrato, dejó al descubierto un rostro de mujer. Ramón, desprevenido, se vio tan súbitamente frente a esta aparición, que apenas tuvo tiempo de ocultar el expediente a sus espaldas.

—¿Qué cosa quiere? ¿Qué hay? —preguntaba insistentemente la mujer.

159

Ramón no desprendió los ojos de aquel rostro. Algo lo fascinaba en él. Quizá el hecho de estar enmarcado en la ventanilla, como si se tratara de la cabeza de una guillotina.

—¿Qué quiere usted? —proseguía la mujer—. ¿A quién busca?

Ramón titubeó. Los ojos de la mujer no lo abandonaban. Estaba tan cerca de los suyos que Ramón, por primera vez, se vio introducido en el mundo secreto de una persona extraña, contra su voluntad, como si por negligencia hubiera abierto una carta dirigida a otra persona.

—¡Mi marido no está! —insistía la mujer—. Se ha ido de viaje, regrese otro día, se lo ruego...

Los ojos seguían clavados en los ojos. Ramón seguía explorando ese mundo inespacial, presa de una súbita curiosidad pero no como quien contempla los objetos que están detrás de una vidriera sino como quien trata de reconstruir la leyenda que se oculta detrás de una fecha. Solamente cuando la mujer continuó sus protestas, con voz cada vez más desfalleciente, Ramón se dio cuenta que ese mundo estaba desierto, que no guardaba otra cosa que una duración dolorosa, una historia marcada por el terror.

—Soy vendedor de radios —dijo rápidamente—. ¿No quiere comprar uno? Los dejamos muy baratos, a plazos.

—¡No, no, radios no, ya tenemos, nada de radios! —suspiró la mujer y, casi asfixiada, tiró violentamente el postigo.

Ramón quedó un momento delante de la puerta. Sentía un insoportable dolor de cabeza. Colocando su expediente bajo el brazo, abandonó el pasaje y se echó a caminar por Lince, buscando un taxi. Cuando llegó a una esquina, cogió el cartapacio, lo contempló un momento y debajo del nombre de Fausto López escribió: «Dirección equivocada.» Al hacerlo, sin embargo, tuvo la sospecha de que no procedía así por justicia, ni siquiera por esa virtud sospechosa que se llama caridad, sino simplemente porque aquella mujer era un poco bonita.

(Amberes, 1957)

160

El profesor suplente

Hacia el atardecer, cuando Matías y su mujer sorbían un triste té y se quejaban de la miseria de la clase media, de la necesidad de tener que andar siempre con la camisa limpia, del precio de los transportes, de los aumentos de ley, en fin, de lo que hablan a la hora del crepúsculo los matrimonios pobres, se escucharon en la puerta unos golpes estrepitosos y cuando la abrieron irrumpió el doctor Valencia, bastón en mano, sofocado por el cuello duro.

—¡Mi querido Matías! ¡Vengo a darte una gran noticia! De ahora en adelante serás profesor. No me digas que no... ¡espera! Como tengo que ausentarme unos meses del país, he decidido dejarte mis clases de historia en el colegio. No se trata de un gran puesto y los emolumentos no son grandiosos pero es una magnífica ocasión para iniciarte en la enseñanza. Con el tiempo podrás conseguir otras horas de clases, se te abrirán las puertas de otros colegios, quién sabe si podrás llegar a la Universidad... eso depende de ti. Yo siempre te he tenido una gran confianza. Es injusto que un hombre de tu calidad, un hombre ilustrado, que ha cursado estudios superiores, tenga que ganarse la vida como cobrador... No señor, eso no está bien, soy el primero en reconocerlo. Tu puesto está en el magisterio... No lo pienses dos veces. En el acto llamo al director para decirle que ya he encontrado un reemplazo. No hay tiempo que perder, un taxi me espera en la puerta... ¡Y abrázame, Matías, dime que soy tu amigo!

Antes de que Matías tuviera tiempo de emitir su opinión, el doctor Valencia había llamado al colegio, había hablado con el director, había abrazado por cuarta vez a su amigo y había partido como un celaje, sin quitarse siquiera el sombrero.

Durante unos minutos, Matías quedó pensativo, acariciando esa bella calva que hacía la delicia de los niños y el terror de las amas de casa. Con un gesto enérgico, impidió que su mujer intercalara un comentario y, silenciosamente, se acercó al aparador, se sirvió del oporto reservado a las visitas y lo paladeó sin prisa, luego de haberlo observado contra la luz de la farola.

—Todo esto no me sorprende —dijo al fin—. Un hombre de mi calidad no podía quedar sepultado en el olvido.

Después de la cena se encerró en el comedor, se hizo llevar una cafetera, desempolvó sus viejos textos de estudio y ordenó a su mujer que nadie lo interrumpiera, ni siquiera Baltazar y Luciano, sus colegas de trabajo, con quienes acostumbraba reunirse por las noches para jugar a las cartas y hacer chistes procaces contra sus patrones de la oficina.

A las diez de la mañana, Matías abandonaba su departamento, la lección inaugural bien aprendida, rechazando con un poco de impaciencia la solicitud de su mujer, quien lo perseguía por el corredor de la quinta, quitándole las últimas pelusillas de su terno de ceremonia.

—No te olvides de poner la tarjeta en la puerta —recomendó Matías antes de partir—. Que se lea bien: *Matías Palomino, profesor de historia.*

En el camino se entretuvo repasando mentalmente los párrafos de su lección. Durante la noche anterior no había podido evitar un temblorcito de gozo cuando, para designar a Luis XVI, había descubierto el epíteto de Hidra[70]. El epíteto pertenecía al siglo XIX y había caído un poco en desuso pero Matías, por su porte y sus lecturas, seguía perteneciendo al siglo XIX y su inteligencia, por donde se la mirara, era una inteligencia en desuso[71]. Desde hacía doce años, cuando por dos

---

[70] Según el mito de Heracles, era una serpiente monstruosa, de aliento mortal, que habitaba en las zonas pantanosas de Lerna, en Argólida.

[71] ¿Cómo no pensar en una autoalusión irónica de parte de quien ha sido llamado «el mejor novelista peruano del siglo XIX»?

veces consecutivas fue aplazado en el examen de bachillerato, no había vuelto a hojear un solo libro de estudios ni a someter una sola cogitación al apetito un poco lánguido de su espíritu. Él siempre achacó sus fracasos académicos a la malevolencia del jurado y a esa especie de amnesia repentina que lo asaltaba sin remisión cada vez que tenía que poner en evidencia sus conocimientos. Pero si no había podido optar al título de abogado, había elegido la prosa y el corbatín del notario: si no por ciencia, al menos por apariencia, quedaba siempre dentro de los límites de la profesión.

Cuando llegó ante la fachada del colegio, se sobreparó en seco y quedó un poco perplejo. El gran reloj del frontis le indicó que llevaba un adelanto de diez minutos. Ser demasiado puntual le pareció poco elegante y resolvió que bien valía la pena caminar hasta la esquina. Al cruzar delante de la verja escolar, divisó un portero de semblante hosco, que vigilaba la calzada, las manos cruzadas a la espalda.

En la esquina del parque se detuvo, sacó un pañuelo y se enjugó la frente. Hacía un poco de calor. Un pino y una palmera, confundiendo sus sombras, le recordaron un verso, cuyo autor trató en vano de identificar. Se disponía a regresar —el reloj del Municipio acababa de dar las once— cuando detrás de la vidriera de una tienda de discos distinguió a un hombre pálido que lo espiaba. Con sorpresa constató que ese hombre no era otra cosa que su propio reflejo. Observándose con disimulo, hizo un guiño, como para disipar esa expresión un poco lóbrega que la mala noche de estudio y de café había grabado en sus facciones. Pero la expresión, lejos de desaparecer, desplegó nuevos signos y Matías comprobó que su calva convalecía tristemente entre los mechones de las sienes y que su bigote caía sobre sus labios con un gesto de absoluto vencimiento.

Un poco mortificado por la observación, se retiró con ímpetu de la vidriera. Una sofocación de mañana estival hizo que aflojara su corbatín de raso. Pero cuando llegó ante la fachada del colegio, sin que en apariencia nada la provocara, una duda tremenda lo asaltó: en ese momento no podía precisar si la Hidra era un animal marino, un monstruo mitológico o una invención de ese doctor Valencia, quien empleaba

163

figuras semejantes, para demoler a sus enemigos del Parla
mento. Confundido, abrió su maletín para revisar sus apun
tes, cuando se percató que el portero no le quitaba el ojo de
encima. Esta mirada, viniendo de un hombre uniformado
despertó en su conciencia de pequeño contribuyente tenebro
sas asociaciones y, sin poder evitarlo, prosiguió su marcha
hasta la esquina opuesta.

Allí se detuvo resollando. Ya el problema de la Hidra no le
interesaba: esta duda había arrastrado otras muchísimo más
urgentes. Ahora en su cabeza todo se confundía. Hacía de
Colbert[72] un ministro inglés, la joroba de Marat la colocaba
sobre los hombros de Robespierre y por un artificio de su
imaginación, los finos alejandrinos de Chenier[73] iban a para
a los labios del verdugo Sansón. Aterrado por tal deslizamien
to de ideas, giró los ojos locamente en busca de una pulpería
Una sed impostergable lo abrasaba.

Durante un cuarto de hora recorrió inútilmente las calle
adyacentes. En ese barrio residencial sólo se encontraban sa
lones de peinado. Luego de infinitas vueltas se dio de bruce
con la tienda de discos y su imagen volvió a surgir del fondo
de la vidriera. Esta vez Matías la examinó: alrededor de los ojo
habían aparecido dos anillos negros que describían sutilmente
un círculo que no podía ser otro que el círculo del terror.

Desconcertado, se volvió y quedó contemplando el pano
rama del parque. El corazón le cabeceaba como un pájaro en
jaulado. A pesar de que las agujas del reloj continuaban giran
do, Matías se mantuvo rígido, testarudamente ocupado en
cosas insignificantes, como en contar las ramas de un árbol, y
luego en descifrar las letras de un aviso comercial perdido en
el follaje.

Un campanazo parroquial lo hizo volver en sí. Matías se
dio cuenta de que aún estaba en la hora. Echando mano

---

[72] Jean-Baptiste Colbert, estadista francés (1619-1683), ministro de Luis XIV.
[73] André de Chénier, poeta francés. Heredero del clasicismo; por su adm
ración hacia Grecia y su culto por la forma es considerado como precursor del
Parnaso. Participó en la defensa de Luis XVI y fue guillotinado dos días ante
de la caída de Robespierre.

todas sus virtudes, incluso a aquellas virtudes equívocas como la terquedad, logró componer algo que podría ser una convicción y, ofuscado por tanto tiempo perdido, se lanzó al colegio. Con el movimiento aumentó su coraje. Al divisar la verja asumió el aire profundo y atareado de un hombre de negocios. Se disponía a cruzarla cuando, al levantar la vista, distinguió al lado del portero a un cónclave de hombres canosos y ensotanados que lo espiaban, inquietos. Esta inesperada composición —que le recordó a los jurados de su infancia— fue suficiente para desatar una profusión de reflejos de defensa y, virando con rapidez, se escapó hacia la avenida.

A los veinte pasos se dio cuenta que alguien lo seguía. Una voz sonaba a sus espaldas. Era el portero.

—Por favor —decía—. ¿No es usted el señor Palomino, el nuevo profesor de historia? Los hermanos lo están esperando.

Matías se volvió, rojo de ira.

—¡Yo soy cobrador! —contestó brutalmente, como si hubiera sido víctima de alguna vergonzosa confusión.

El portero le pidió excusas y se retiró. Matías prosiguió su camino, llegó a la avenida, torció hacia el parque, anduvo sin rumbo entre la gente que iba de compras, se resbaló en un sardinel, estuvo a punto de derribar a un ciego y cayó finalmente en una banca, abochornado, entorpecido, como si tuviera un queso por cerebro.

Cuando los niños que salían del colegio comenzaron a retozar a su alrededor, despertó de su letargo. Confundido aún, bajo la impresión de haber sido objeto de una humillante estafa, se incorporó y tomó el camino de su casa. Inconscientemente eligió una ruta llena de meandros. Se distraía. La realidad se le escapaba por todas las fisuras de su imaginación. Pensaba que algún día sería millonario por un golpe de azar. Solamente cuando llegó a la quinta y vio que su mujer lo esperaba en la puerta del departamento, con el delantal amarrado a la cintura, tomó conciencia de su enorme frustración. No obstante se repuso, tentó una sonrisa y se aprestó a recibir a su mujer, que ya corría por el pasillo con los brazos abiertos.

—¿Qué tal te ha ido? ¿Dictaste tu clase? ¿Qué han dicho los alumnos?

—¡Magnífico!... ¡Todo ha sido magnífico! —balbuceó Matías—. ¡Me aplaudieron! —pero al sentir los brazos de su mujer que lo enlazaban del cuello y al ver en sus ojos, por primera vez, una llama de invencible orgullo, inclinó con violencia la cabeza y se echó desoladamente a llorar.

(Amberes, 1957)

Fénix[74]

A Javier Heraud[75]

Después de haber dado los golpes, soy yo ahora el que los recibe y duro, sin descanso, como la buena bestia que soy. Pero no son tanto los golpes lo que me fatiga, pues mi piel es un solo callo, sino el calor de la selva. Yo he vivido siempre a

---

[74] De *Tres historias sublevantes* (Lima, 1964). En entrevista con González Vigil ha comentado Ribeyro: «Es el único libro en el cual pensé desde el comienzo labrar una arquitectura mayor: tres relatos largos, cada uno de ellos sobre una de las grandes zonas geográficas del Perú (tradicionalmente conocidas como Costa, Sierra y Selva) y, al mismo tiempo, sobre tres tipos de lucha: el de la Costa, la lucha del hombre por la vivienda; el de la Sierra, la lucha por la tierra; y el de la Selva, por la dignidad. Son tres combates perdidos, puesto que los protagonistas de estas historias terminan derrotados.» El desenlace, previsiblemente fatal, era propuesto por el autor para ilustrar la inutilidad del combate solitario. Además de «Al pie del acantilado», se recoge allí el único cuento «indigenista» de Ribeyro: «El chaco».

«Fénix» comparte con otros relatos suyos («Los predicadores», «Las cosas andan mal, Carmelo Rosa») un cierto aire de excentricidad en relación al conjunto de su obra. La exploración de ciertas técnicas narrativas modernas (punto de vista múltiple, *collage,* monólogo interior...) parece haberle tentado alguna vez. Con todo, tales muestras no quedan sino como coqueteos de una escritura que ha renunciado a la magia menor de los experimentos formales.

[75] Poeta peruano (1942-1963), muerto a los 21 años en la guerrilla, en los umbrales de la selva amazónica. Su muerte hizo de él el símbolo de la juventud revolucionaria peruana. Véase el «Homenaje a Javier Heraud», de Mario Vargas Llosa (en su *Contra viento y marea,* vol. I, Barcelona, Seix Barral, 1983, págs. 36-37), donde se recoge la situación de violencia extremada del Perú de entonces (?).

la orilla del mar, respirando el aire seco de Paramonga[76], en una costa sin lluvias y aquí todo es vapor que brota de los pantanos y agua que cae del cielo y plantas y árboles y maleza que nos echa su aliento de ponzoña. A cien metros de nuestra carpa corre el Marañón[77], de tumbos[78] colorados y terrosos y, al otro lado del Marañón, los montes silbadores, cada vez más apretados y húmedos, que llegan al Amazonas. No sé cómo puede vivir la gente aquí, donde se suda tanto. Duermo en una hamaca y al enano Max le pago cincuenta centavos para que me eche baldes de agua durante la noche y espante a los murciélagos. Nuestro patrón dice que pronto nos iremos pues todos los soldados de Baguas[79] han visto ya nuestro circo y están cansados de oír a los payasos repetir los mismos chistes. Pero si nos quedamos es porque aún no ha venido la gente de Pucará[80] y de Corral Quemado y porque aún podemos llegar a Jaén recorriendo otros campamentos. Odio esta vida y me iría a los mares si alguien quisiera hacer algo de mí —¡ya han hecho tantas cosas!— pero me quedo por Irma y por Kong[81], el animal, la estrella.

Fénix[82] fue el hombre fuerte de su pueblo, cuántas veces me lo ha dicho, cuántas veces. Medía cerca de dos metros y pesaba más de cien kilos. De un solo puñetazo derribaba a una mula. Y de pronto alguien vino, le robó su fuerza y la fue vendiendo de ciudad en ciudad, hasta no dejar de él ni la sombra de lo que fue, ni siquiera el remedo de su sombra. Si

---

[76] Población costera, entre Lima y Chimbote.

[77] Río del Perú, una de las principales ramas del Amazonas.

[78] Americ., pasiflorácea. Fruto de esa planta.

[79] *Bagua*, provincia del Perú, Departamento del Amazonas.

[80] Municipio del Perú, Departamento de Cajamarca, Provincia de Jaén —que se menciona luego.

[81] Alusión al mítico King-Kong, otro ser solitario y hostigado por la sociedad.

[82] La historia de Fénix es el eje del cuento. El Hombre Fuerte nos relata sus miedos y deseos, mientras los otros personajes, como Irma aquí, arrojan nuevas perspectivas sobre él. Su metamorfosis, su simbolismo están ya prefigurados en el nombre: el ave que renace.

yo lo hubiera conocido en ese tiempo, lo querría, lo querría como una loca, y me hubiera hundido para siempre en su pecho, me hubiera convertido en un pelo suyo, en una cicatriz, en un tatuaje. Pero Fénix llegó a mí cansado, cuando su músculo era puro pellejo y su ánimo se había vuelto triste. A veces, sin embargo, cuando habla de su pueblo, algo regresa a él y algo le deja: su voz suena como una campana nueva y en la penumbra arden sus ojos. Será verdad tal vez que cantaba en el cañaveral, que desatascaba de un empujón los carros atollados en el arenal, que se comía crudos a los cangrejos, que cortaba la caña como si fuera flores y que en la plaza de Paramonga, los domingos, su pecho era el más robusto, el que asomaba con más alegría por la camisa blanca.

Hubiera preferido nacer rey, claro, o millonario, pero ya que no tengo corona ni fortuna aprovechemos esta vida como mejor podamos. He luchado, con más fuerza que muchos y he dejado a cuántos tirados en el arroyo. No tengo principios ni quiero tenerlos. Las buenas almas que hagan novenas y ganen la vida eterna. Mueran los curas, mueran los millonarios. Yo, Marcial Chacón, he vendido periódicos, a nadie se lo oculto. Y ahora soy dueño del circo: ¡cómo he penado para tener esta carpa, estas graderías, los camiones, los trapecios, los caballos y el oso! He sudado en todas las provincias. Trabajo, en consecuencia no me insulten. Pero sobre todo, hago que trabajen los demás. Vivo de su trabajo pero no a la manera de un parásito sino como un inteligente administrador. Soy superior a ellos, ¿quién me lo puede discutir? Reconozco también que hay superiores a mí: los que tienen más plata. El resto, son mis sirvientes, los compro. Soy superior al enano Max, más alto que él, más rico: le pego cuando me da la gana. Soy superior a Irma, puesto que la alimento y hago que se gane la vida y la meto a mi cama cuando me place. Soy superior a Fénix, porque puedo despacharlo del circo en cualquier momento u ordenarle que levante pesas más pesadas. Soy superior al oso porque soy más inteligente. Soy superior a todos estos soldados porque no tengo jefe. Soy un hombre libre. Diría casi que soy feliz si pudiera abandonar el circo en manos de una persona honrada y vivir de mis rentas. Pero no hay personas honradas y además no se gana tanto como para pagar un gerente. Por lo tanto, sigo con los míos de acá para allá, levanto mi tienda bajo sol o bajo lluvia, agito el látigo contra los remolones y como, bebo y hago el amor lo más que puedo.

Me gustan las mariposas, las mariposas amarillas con pintas negras, todas las mariposas que hay cerca del río. Si no fuera enano podría alcanzarlas con la mano cuando se paran en las ramas. Pero más me gusta Irma, sus piernas delgadas, sus pechos. Me gustan hasta sus arrugas, las que tiene en el vientre. Yo se las he visto, de noche, a través de la ranura de la tienda. He visto cómo se desviste y mira su cuerpo en el espejo y lo mira de abajo para arriba. La he visto también abierta como una araña, pataleando bajo el peso del patrón. Eso es horrible. Pero a pesar de ser horrible lo veo, cada vez que el patrón entra en su tienda o la lleva a la suya a zamacones[83]. Enano soy, por desgracia, y cabezón y feo. No tengo mujer ni tendré. Soy como Fénix, el hombre fuerte, un hombre solo. Pero él, al menos, cuando boxeaba, hace ya años, era querido. Iba a los burdeles, me cuenta, dormía con varias putas a la vez y amanecía borracho, tirado por las acequias. Él me cuenta todo eso cuando vamos caminando por esta maleza, en las tardes. Me habla de Irma y del calor, de los zancudos[84], de su pueblo, donde no llueve, dice, donde hay caña de azúcar, donde tiene siete hermanos negros que trabajan en el cañaveral. Pronto nos iremos, felizmente, yo tampoco me acostumbro aquí. De noche ni duermo. Doy vueltas por la hamaca de Fénix, le echo aire y agua cuando me lo pide y espío las tiendas, la araña patuda, que se revuelca, la baba del patrón.

Lo mejor del circo es el oso. El teniente nos ha traído desde Corral Quemado para verlo luchar contra el fortachón. Vi-

---

[83] Empujones.
[84] Americ., mosquito.

nimos en un camión y en el tambo[85] de la Benel nos paramos
para almorzar. Allí tomamos cerveza, todos, hasta emborra-
charnos un poco. Es bueno el sábado, caramba, bueno aunque se sea soldado. Bueno el billar, las cholas que andan por
las chacras[86], los partidos de fútbol en la polvareda. Nosotros,
soldados del séptimo de Zapadores, los que hacemos los caminos y los puentes. Lo malo es que en el regimiento hay mucho serrano[87], tanto chuto[88] que ni siquiera sabe hablar como
gente decente. Yo soy mestizo, medio mal, cabeceado entre
indio y blanco; por eso será que el teniente me prefiere, aunque me da esos combos[89] que me hacen ver estrellas. Lo bueno de los serranos es que son duros para el trabajo, aguantado-
res. Lo único que los fastidia aquí es el calor. De los treintidós
que éramos en Corral Quemado, quedamos veinticuatro, pues
ocho se enfermaron cuando se hizo el puente de Baguas; empezaron a toser y hubo que mandarlos a Lima o despacharlos
a su tierra. Allá ellos si no se acostumbran. Yo, costeño y acho-
lado[90], me las arreglo bien. Dentro de un año asciendo y con
la vara del teniente seré sargento y después oficial. Ahora, hasta que comience la función, estamos de licencia. Veremos si
hay faldas por estos potreros[91] y si encontramos un tambo
donde secarnos la garganta.

Carajo, me dijo el capitán Rodríguez, carajo delante de mi
tropa. Carajo me dijo en el cuartel de San Martín de Mirlflo-
res. Los cholos estaban alineados en un grupo de combate.
Estaba allí Eusebio, mi ordenanza, al que le grito Eusebio y
cuando viene hasta mí corriendo y se cuadra, le doy un trompón en la mandíbula hasta hacerlo caer. A pesar de eso nadie

---

[85] Voz quechua: venta, posada, parador a lo largo de los caminos.
[86] Voz quechua: hacienda de tamaño reducido.
[87] Tradicionalmente población indígena y campesina.
[88] De pelo tieso.
[89] Chile y Perú: puñetazo.
[90] Americ., dícese del que tiene el mismo color de tez o de pelo que el
cholo.
[91] Americ., finca rústica, cercada y destinada principalmente a la cría de
toda especie de ganado.

limpia las botas mejor que él ni rasquetea[92] mejor su caballo.
Carajo, me dijo el capitán delante de mis cholos. Eso no se
dice nunca cuando hay subordinados. Fue igual que sobre la
cara de Eusebio, con más fuerza tal vez porque había rabia en
mi puño: como era flaco, lo hice rodar. Capitán en el suelo,
con sus galones sucios de tierra. Cholos riéndose. Teniente
Sordi ante tribunal de disciplina. Y de pronto, cuando creo
que me van a dar de baja, hacen peor, me sacan del San Martín y me mandan de castigo a Corral Quemado, a mil kilómetros de Lima, a cuarenta grados a la sombra. Un rancho de ca-
ñas y un brazo de río. Dos años aquí. Dos años viendo la cara
de mis veinticuatro cholos y dándole de combos a Eusebio.
Ni Lima ni mujer, a no ser la hija de la Benel, que es sucia y
se pone a contar las vigas del techo cuando hacemos el amor.
Todo eso por un carajo mal dado y por un puñetazo en cara
del capitán Rodríguez. Y adiós Miraflores[93], adiós paseos a caballo por la huaca Juliana[94], al amanecer. El circo, ahora: un
hombre contra un oso.

   Los macheteros se lavaban sus brazos con cuidado y los miraban con lástima, como si fueran brazos ajenos. Eso era en
Paramonga, hasta ahora me acuerdo. Mis siete hermanos no
hacían otra cosa que emborracharse después del trabajo y tirarse en las hamacas, mirando las arenas y sin ganas de vivir.
A veces se despertaban en la noche gritando horribles pesadi-
llas. Claro, desde niños no hacían otra cosa que cortar caña,

---

[92] Americ., almohazar, estregar las caballerías con la almohaza para lim-
piarlas.
[93] Barrio residencial de Lima, al sur de la capital, junto a la costa, tantas veces recreado en la narrativa de Ribeyro.
[94] *Huaca Juliana*. Las *huacas* eran lugares sagrados para los incas. La Huaca
Juliana es uno de esos yacimientos prehispánicos, en Miraflores, que Ribeyro
recupera a menudo como paisaje de su infancia. El joven narrador de «Los eucaliptos» rememoraba su carácter misterioso: «Era una ciudad muerta. Una
ciudad para los muertos (...) Bajo la luz del sol era acogedora y nosotros cono-
cíamos de memoria sus terraplenes y el sabor de su tierra. A la hora del crepúsculo (...) huíamos, despavoridos, por sus faldas. Se hablaba de un tesoro escondido, de una bola de fuego que alumbraba la luna.»

los zambos[95]. Por eso me fui de la hacienda, gracias al gordo Bartolo, que me vio un día levantar cuatro arrobas de azúcar. «Boxeador, me dije, boxeador, compadre. Tú te vienes a Lima, zambo, hay que probar suerte en el ring.» Además, yo no era un santo: había perjudicado a una menor. Casi me fui a la carrera. Al comienzo, Lima fue el hambre, las manos en los bolsillos, la vagancia, una pensión en la plaza Bolognesi donde paraban todos los hombres fuertes, hombres con las orejas reventadas, con las narices chatas, algunos viejos ya y que orinaban sangre después de los contrasuelazos en el coliseo Manco Cápac. «Zambo tú en el interbarrios, me decía el gordo Bartolo, come bien, no chupes y verás. Tú, boxeador, pasta de campeón.» Buen ojo tenía Bartolo, porque en el interbarrios nadie aguantó mi zurda. Cinturón de oro. Foto en *La Crónica*. Fénix, la *Dinamita de Paramonga*. ¿Cuánto hace de eso, mi dios, cuánto? Pellejo ahora, callo por todo sitio, y sudor, sudor, sudor...

Caminar sobre la soga no es nada, torcerme hasta meter mi cabeza entre mis muslos tampoco, pero lo horrible son esas noches calientes, cuando el patrón viene a mi tienda o me lleva a la suya. A veces, fuete en la mano, yo sobre el colchón, con sueño, con ganas de vomitar. Luego su peso, su baba, su boca que apesta a cebolla. Antes de encender su cigarro ya me está echando porque después de usarme ya no soy nada para él, soy una cosa que odia. Y así, de la cama al ruedo, del ruedo a la cama. Y Fénix que no hace nada, que mira sólo, que se queja del sol, que cobra, que se calla, como todos. ¿Qué se puede hacer? Y esta noche otra vez. Ya llegó la gente de Pucará y un camión de Corral Quemado. Soldados, menos mal que éstos no protestan si las cosas salen mal. Verme solo en calzón será para ellos una fiesta. Después se acostarán entre ellos o se masturbarán o qué se harán. ¡Y el oso que respira mal! Ahora el patrón estuvo mirándolo y metiéndole la mano en la boca. El oso está viejo, más que Fénix tal vez. Por eso se

---

[95] Americ., que tiene sangre de indio y negro, manifiesta en el color de la piel, como en la peculiar calidad del cabello.

entienden entre los dos y se quieren como dos hermanos, como animales sufridos que son.

A los animales como a la gente: a puntapiés. Nadie conoce mejor que yo el efecto moral de una buena patada. Yo las he recibido a tiempo, a tiempo dejé de recibirlas y ahora tengo el derecho de darlas. Así que si el ron no levanta a Kong, a Kong lo levantará el patadón. De otro modo vamos a perder la mejor taquilla de este maldito lugar: doscientos cholos de Pucará, unos treinta de Corral Quemado, cien de Baguas, aparte de la gente de las chacras, que siempre vienen a ver las mismas cosas, los imbéciles. Y mañana a levantar la tienda. Y pasado mañana en Jaén o en Olmos, ya se verá, para donde sople el buen aire. Que el calor está fuerte, caramba, y que si vienen las lluvias, como se dice, con los agujeros que hay en la carpa nos vamos a ver en apuros. De modo que adelante, Marcial Chacón, que vayan los payasos a tocar la cometa por los caminos, que barran el ruedo, que enciendan las luces, pues dentro de un rato anochece. Y que el oso abra los ojos, que si no, que si no...

Todos los enanos se parecen a mí. En el circo del capitán Paz, en Lima, yo era el único enano: me hacían cabalgar sobre un chivato y meterme en la maleta del payaso. De pronto llegaron tres enanos del sur: eran igualitos a mí, la misma nariz aplastada, la misma cabezota. Pero eran más bajos que yo, el mayor me llegaba a la oreja. Eran requeteenanos. Por eso me echaron del circo o quizás porque me peleaba con los otros enanos —y nos peleábamos hasta a mordiscones, peor que la gente grande— o porque un día me perdí en el Callao y no llegué a la función. Desde ese día pasé varios meses en los bares del Callao, gorreando tragos y butifarras a los marineros. Era famoso allí. Cuando llegaban barcos con gringos, les servía de guía en las cantinas y los llevaba donde las putas. Mucha *money* en esa época, *beautiful girls, thank you, I speak english,* yo enano, *ten dollars, I go to bed with you* y otras cosas más. Hasta que en una temporada dejaron

174

de venir barcos, mis amigos se fueron y yo quedé solo en las cantinas, recogiendo puchos[96], mendrugos, sin banco donde dormir, verde de puro hambre. Un día me fui caminando hasta Lima, siguiendo la línea del tranvía. Llegué al Paseo de la República y me eché a dormir en el pasto. Allí fue donde me encontró Marcial Chacón: «Necesito un enano. Coge tu sombrero y sígueme.» Hace tres años de eso y desde entonces de pueblo en pueblo, por costa y por sierra, hasta aquí.

La contorsionista está buena. Acabo de verla detrás de la carpa, conversando con el dueño del circo. ¿Cómo demonios habrá venido a parar aquí? Seguro como en las películas: su madre tísica, cinco hermanitos que mantener. A lo mejor es de esas que lo presta, con platita de por medio, por supuesto. No estaría mal darle un apretón por allí. Aunque a lo mejor en calzón no vale nada. En eso soy desconfiado y me he llevado varios chascos. La chola Benel, por ejemplo, que cuando se quita el sostén las tetas se le desbordan. Antes de darle el trompón al capitán Rodríguez, tenía una buena hembrita en Miraflores, empleada en una zapatería. ¡Para qué recordar! Era una mujer de un civil, un marica que sabía todo pero que nunca me dijo nada. Los civiles son todos maricas. Apenas ven un uniforme se orinan de miedo. Yo quisiera ver a un civil metido en Corral Quemado durante dos años, sin ver otra cosa que sus cholos, la carretera y el Marañón. ¿Qué hablaría el dueño con la contorsionista? La había agarrado de la muñeca, la jalaba. A lo mejor es su marido. Ni zonzo[97] que fuera. Y el enano que rondaba por allí. Ya los payasos andan por el camino de Baguas anunciando la función. Me gustaría ver al oso. Dicen que el fortachón lo vence. Debe ser truco. Una estrella, dos, tres, cinco. La cerveza de Baguas sabe a jabón. ¡Qué vida esta, carajo! Si no tuviera dos galones me tiraría un tiro. Teniente Sordi, con barba de puro aburrimiento.

---

[96] Americ., colillas de cigarro.
[97] Tonto, insulso.

¡Ay, mi Lima! A veces la extraño también. Me digo: qué hago con este uniforme verde. Seguiría trabajando en la carpintería si no fuera porque me levaron, yo que andaba feliz por Abajo del Puente[98]. Pero es verdad que aquí me respetan, caramba, que si el teniente Sordi me da de combos, yo también se los doy a los serranos. Además me han enseñado a leer, como y duermo gratis, he aprendido a montar a caballo (no sé para qué, es verdad), las sirvientas me prefieren a los civiles y hasta sé disparar un fusil. Una vez disparé sobre un zambo. Fue en esa revuelta que hubo en una hacienda del norte. Es la única vez que he disparado sobre un hombre. Yo estaba en el regimiento de Chiclayo[99] cuando nos avisaron que unos tipos habían bloqueado la carretera. Eran unos tipos que trabajaban en la hacienda La Libertad y que no querían dejar pasar los carros, los camiones cargados de fruta que iban a Lima. Teníamos otro jefe, entonces, un comandante. A mí me tocó ir. En medio del arenal los obreros estaban parapetados, habían puesto piedras y troncos en la carretera Panamericana. Yo no sé lo que pasó. Creo que nos tiraron piedras ellos. Pero el comandante dijo que disparáramos. Yo disparé contra un zambo. ¿Por qué? Ni sé quién sería pero una vez un zambo me rompió la jeta en el Rímac. Además, el jefe dijo que tirásemos. Lo maté. Cuando le cuento esto a mi teniente dice que él también disparó en la guerra con Ecuador pero hace más de diez años. Dice que yo he tenido suerte porque hay muchos que se pasan toda su vida sin disparar. Ahora el barbudo está medio borracho. Nos ha hecho dar diez vueltas al canchón de fútbol y meternos al río antes de llevarnos al circo.

Kong está mal. Acabo de discutir con el patrón. Dice que con amoníaco lo puede hacer levantar y le ha dado a oler un frasco y le ha metido un algodón en la boca. Lo que le falta a Kong es comida, pero de la buena, carne por ejem-

---

[98] *Abajo del Puente* es el barrio que se extiende más allá del Rímac, de carácter marginal. Históricamente, la zona de los negros en Lima.

[99] Capital del Departamento de Lambayeque, al noroeste de Lima.

plo, la que yo le conseguía cuando estábamos en el sur, carne de perro callejero, de mulo que se muere en los potreros. Aquí, sólo yerbas y raíces. Además está viejo, el pobre Kong, que ni dientes tiene. Este calor le hace daño también, ya se desacostumbró con tanto tiempo que ha pasado en otros climas. Tirado en su jaula se revuelca, caliente está su hocico, su hocico que conozco de cerca, su olor a pulgas aplastadas, su sudor que le hace arder el pelaje, su mirada legañosa. Kong y sus tetas de hombre, en medio del pecho que se le pela de puro viejo. Y dentro de un cuarto de hora empieza la función. Ya están entrando los soldados a las graderías. Kong, el tremendo animal tirado en su jaula, con su algodón de amoníaco en el hocico. Ron dice el patrón que le dará y si así tampoco se levanta, patada en la costilla, patada en el culo, patada de patrón. Mi viejo hermano, hermano peludo, ojos de papá, de abuelito, mi pariente sin habla, de grititos, de rugidos, el que se deja abrazar y tumbar, de puro bueno seguro o de cansado o de sueño o de aburrido. Kong, hermanito, levántate, que ya viene el batallón, que ya viene el patadón.

Un latigazo en la cara: como si fuera un corte de cuchillo. ¿Por qué? Porque traté de defender a Kong. Marcial le daba de puntapiés en las costillas y lo jalaba del pescuezo con una soga. Ya había comenzado a llegar el público y Kong seguía tirado en su jaula. Fénix no ha visto nada pues salió un rato a caminar por la maleza para ver si encontraba algo que darle al oso. Salió sólo con una barra de hierro, ya que nosotros no tenemos con qué cazar. Cuando quise decirle a Marcial que así no se levantaría nunca el oso, levantó el brazo y me dio un fuetazo en la cara. Lo hizo con naturalidad, en medio de su impaciencia, como quien se espanta una mosca. Claro que después quiso besarme, pedirme perdón —él a veces hasta se arrodilla pero sólo para mejor morderme las piernas—, pero yo huí de su lado. Encerrada en mi tienda, lo siento dar vueltas, gritar órdenes. Ahorita empieza la función. Menos mal que hoy arrancan los trapecistas, después el enano, los payasos, después yo. Tengo que enseñar mis piernas y además, ahora, esta marca en la cara. El ojo me lagrimea y en mi mejilla nace una cicatriz.

Esto se pone feo: el oso no se levanta ni a puntapiés; creo que está perdiendo hasta el resuello. Ya empezaron los trapecistas. Es verdad que todavía falta el enano, Irma, el caballo, el intermedio. Pero, ¡mierda!, si suprimimos la pelea con el oso, nos van a incendiar el circo. Nadie habla más que de la pelea. He escuchado a los soldados que hacen apuestas, a que vence el oso, a que gana el gigantón. Y Fénix ha desaparecido, el único que puede hacerlo levantar. Lo peor sería que el oso se me derrumbe en plena pelea y se den cuenta de la estafa. Una vez en Huanta[100], hace un año, el oso se echó en pleno ruedo apenas comenzó la pelea y no quiso levantarse. Tuvimos que decir que Fénix había logrado hacerle la llave Nelson y lo había puesto fuera de combate. A pesar de ello nos tiraron mazorcas de maíz, casi nos linchan, tuvimos que devolver la plata de las entradas y levantar nuestra tienda en plena madrugada. No sé con qué podríamos reemplazar ahora este número. Y el calor aumenta. El aire está amodorrado, quizás llueva esta noche. Irma encerrada en su tienda por lo del fuetazo. Todo sale mal hoy día. Pero el público ríe. Seguramente que Zanahoria acaba de darle al enano una de esas divertidísimas patadas en el culo. ¿Por qué las patadas serán siempre tan graciosas? Ahí regresa Fénix, menos mal, con un mono agarrado de la cola.

A fierrazos dice que lo mató, al pobre monito enfermo: el primero le hundió un ojo y el otro le partió el espinazo. Todo en vano porque el oso no come mono o no quiere comerlo ahora. Fénix está con pena, por el mono y por el oso. Mira la piel del macaco desollado y cuenta que ni gritar podía cuando lo encontró en el bosque, que se vino hacia él arrastrándose, dando de coletazos a las hormigas. Con la piel del moni-

---

[100] Municipio perteneciente al Departamento de Ayacucho, al norte de Lima.

to puedo hacerme un abrigo, justo cae para mi tamaño. En materia de ropa, es una suerte ser enano: de cualquier retazo nos sale un traje. ¡Pero para lo demás! Ahora Zanahoria, por ejemplo, cuando yo tenía que saltar en el ruedo me dio esa patada en el trasero más fuerte que otras veces. Me tiene cólera porque escupo más lejos que él y lo gano jugando damas. Si fuera de su tamaño ya le hubiera refregado el hocico contra el barro. Ahora veremos qué pasa con la función. El patrón tendrá que suspender la pelea. Y a la pobre Irma la veo doblarse con su calzoncito rojo en el ruedo, mientras los soldados la señalan con el dedo y le mandan chupetes en la boca.

La mujercita tiene la cara hinchada y un poco de panza pero está buena, requetebuena. Me gustaría que me haga esas piruetas en la cama. Si no hubiera tomado tanta cerveza me tiraría un lance después de la función. Juraría que cuando trepó a la soga me miraba, buscaba mis ojos y se sonreía. Sería por mi barba. O por mi pinta: siempre las mujeres me han mirado. Teniente Sordi, teniente buena pinta. La zapatería de Miraflores y otras tantas; mujeres he tenido como vellos en el brazo. Hombre peludo, hombre suertudo. Y con dos galones encima, no hay potito[101] que resista. ¡Ah, si no fuera por el combo! A esta hora, bien afeitado, por el malecón, con mi hembrita. El cinema, los chocolates con esos polvitos que las ponen arrechas, no sé cómo se llaman. Y después, colchón de plumas. Pero seguiré en esta selva, sabe Dios cuánto tiempo más, acostándome con la chola tetona. ¡Qué vida ésta! Me da ganas de hacer algo, no sé, cortar árboles, escaparme al mar. Conozco a mis cholos hasta por la manera de roncar, los he mirado como miraba mis estampillas a los doce años. Ahora viene el intermedio y después el peleón. A que gana el fortachón. Ya aposté con mi ordenanza. Y después otra cervecita y a la cama, a soñar con el calzón rojo o con que me ascienden a capitán.

---

[101] En Argentina y Perú, nalgas.

Este circo me huele a ensarte[102]. El intermedio dura ya diez minutos y la segunda parte no comienza. El enano salió un rato ahora para hacer sus maromas[103] pero todos lo pifiaron. Lo que queremos es que comience la pelea. Le he apostado una libra a mi teniente a que gana el oso, toda mi propina del próximo sábado. Yo di la señal de patear las graderías y ya todos me han copiado. Ta, ta, ta, suenan los zapatos contra la madera, ta, ta, ta. Parece que esto se va a desarmar. Y la luz parpadea. Debe estar alimentada por un motor a gasolina, como el que hay en Pucará. En Corral Quemado, en cambio, sólo tenemos quinqués. Es decir, el teniente. Los demás con velas. En Lima vivía en un cuartito pero tenía luz eléctrica: apretaba el botón y zas, se encendía el foco. Ta, ta, ta, siguen sonando los pies; a mala hora di la señal, pues hacen un ruido del diablo estos serranos copiones. El dueño de la carpintería, en Lima, decía que a estos cholos debían matarlos o cortarles los huevos: «Ni producen ni consumen, decía, son el tumor nacional.» Quería gringos[104] por todo sitio, gringos trabajando en las minas, gringos sembrando papas, gringos construyendo casas. ¡Bonita idea! Y él ni siquiera era blanco pues parecía salchichón pasado por la sartén.

Maldita idea la del patrón: quiere que me disfrace de oso. Si no fuera por la piel de monito no se hubiera acordado que había una piel de oso guardada en un baúl, una piel de oso con arañas, polillas y hasta pulgas. ¡Ponérsela con este calor! Él luchará contra mí. Dirá que el fortachón está enfermo y que para no defraudar al público, él lo reemplazará en la pelea. Y yo reemplazaré al oso. No será la primera vez que me disfrazo. Cuando luchaba cachascán[105] en el coliseo Manco Cápac —después que me liquidaron del box porque me no-

---

102 Americ., *ensartarse,* hacer caer en un engaño o trampa.
103 Americ., *maroma,* función de volatines o maromeros.
104 Extranjeros, norteamericanos especialmente.
105 Lucha libre (del inglés *catch).*

180

quearon siete veces seguidas— salí al ring con una careta de japonés, con un capuchón de cura, con un cuerno de toro, y qué sé yo con cuántas cosas más. Mi nacionalidad cambiaba con mis disfraces, hasta mi nombre cambiaba. Fui el hijo del Sol Naciente, Jack el Renegado, el Búfalo de las Pampas. Al final me decían el Hombre Llanta pues mi especialidad era caer fuera del ring, sobre la mesa del jurado, y dar botes y botes entre el público. Así, hasta que me quebré tres costillas. Y ahora de oso, ¡sólo me faltaba esto! Pero oso de verdad, con hocico y todo. El patrón dice que hasta debo rugir. ¿Cómo rugirá un oso? El pobre Kong, de viejo, ni rugía. Lanzaba como grititos de rata. Tendré que ensayar. Cri, cri, cri... Y a caminar en cuatro patas, con la nariz en tierra. Cri, cri, cri. Rata, hombre, oso, qué sé yo lo que soy.

¡Qué susto me he llevado! Veo entrar un oso a mi tienda y era Fénix con la piel ésa, que no sé de dónde habrá sacado. Dice que luchará contra el patrón. Éste le ha dicho que a los diez minutos de pelea, cuando le haga una seña, debe dejarse poner de espaldas en el ruedo. ¡Pobre Fénix! Con semejante piel en este infierno. Estaba sudando a chorros y quiso que le diera unas puntadas a la cabezota que se le ha separado del cuello. Me preguntó qué tal se le veía y yo me quedé callada. No quise decírselo, pero ese disfraz peludo le iba como el guante a la mano. Me pareció que era su ropa natural, su misma piel que él acababa, no se sabe cómo, de recuperar. Es que él, aun sin piel, ha sido siempre una especie de oso manso, de oso cansado, o es que ha terminado por parecerse al animal de tanto frotarse contra su pelaje y sus enormes brazos. A través del mascarón vio mi hinchazón en la cara y quiso saber qué me había pasado. ¡Para qué decirle la verdad! Le dije que me había raspado con la soga al hacer equilibrio. Quiso pasarme la mano por la cara pero su mano estaba enfundada en la garra velluda. Ni tocarme pudo, su misma voz me llegaba oscura, como a través de un bosque. Entre él y yo se interponía la piel y era como si perteneciéramos a reinos diferentes. Nada nos podía juntar en ese momento: yo mujer y él sólo una bestia.

Respetable público: Por una indisposición de último momento, Fénix el Hombre Fuerte, no podrá presentarse esta noche en su terrible combate contra Kong, el oso de la selva africana. En vista de ello y para no defraudar a tan distinguida concurrencia, yo, Marcial Chacón, en mi calidad de director del circo Chacón Hermanos, he decidido reemplazar al Hombre Fuerte en esta difícil pelea. Para tranquilizar a los espectadores, sobre todo a los espectadores exigentes, que se han hecho merecidamente la idea de presenciar un combate platónico y homérico, debo advertirles que ya en una ocasión tuve que enfrentar al oso. Fue hace tres años, en la localidad de Pisco, la patria del aguardiente, y todos los que asistieron a esa memorable velada no olvidarán jamás el espectáculo que ofrecimos, la bestia de la selva africana y yo, Marcial Chacón, en un combate singular y a muerte. Vencí yo, naturalmente, pero después de un esfuerzo inconmensurable, que me exigió dos semanas de asistencia hospitalaria. Arriesgando mi vida no vacilo esta noche en salir al ruedo frente a tan furioso enemigo, solamente por el cariño que tengo a mi público y porque la divisa de mi circo es: «Entretener, aunque reventemos.»

¡Empezó la lluvia! Por mí que venga hasta el diluvio y se derrumbe esta carpa. Ya estoy harto de escuchar insultos. Que me digan enano está bien, porque lo soy, o que me digan retaco, zócalo, mediopolvo y todo lo demás. Pero que me silben cuando salgo al ruedo o se pongan a mear en las galerías, yo que salgo a entretenerlos y que me dejo moler a patadas, eso sí que no lo aguanto. Y eso que era un número de regalo pues no me corresponde trabajar en el intermedio. Todo por la idea del patrón de hacer tiempo para que Fénix se disfrace de oso y él de luchador. Que se las arreglen ellos, Fénix peludo y el patrón panzón en calzoncillos. Yo ya no tengo nada que ver. Y para colmo, está entrando agua al ruedo. Ahorita me mandan echar aserrín para que los luchadores no se resbalen. Enano de los mandados, cabezota, ojo de pescado, chicapierna, quijadón... ¿Quiénes serían mis padres? Lo único que sé es que me fabricaron mal y de vergüenza me tiraron por alguna parte. O como algunos dicen, que me parió una perra.

¡Vaya, al fin salió el oso! Es más grande de lo que creía. Esta bestia es capaz de tragarse a un hombre, sobre todo si el fortachón está enfermo y ha tenido que reemplazarlo el dueño. A mala hora aposté una libra con mi ordenanza. Pero no, Chacón también es fuerte, un poco panzudo tal vez, allí acaba de entrar. Y es valiente, caramba, yo, en confianza, no me metería con el animalote ése. Claro que ya debe conocer sus mañas, pero de todos modos un animal no piensa y en el momento menos pensado saca la garra. Vamos a ver, ya comienzan las fintas, esto se pone interesante. ¡Buena! Por poco lo agarra el oso, si no se agacha a tiempo le vuela la cabeza de un manotón. He debido traer mi pistola por si acaso. No vaya a ser que esta fiera se trepe a las tribunas. ¡Otra vez! Ahora el luchador le dio cuatro o cinco golpes en el pecho. Pero el oso parece de piedra. Rápido se alejó el luchador. Tiene que ser así porque un abrazo de oso dicen que es como echarse un camión encima. Ahora le da otro golpe, ¡buena! El oso lo persigue...

Así cualquiera: si no hace más que correr. Mete un golpe y se va para atrás. Lo que debe hacer es esperarlo, darle pelea. Quiero ver una buena trenzada. Esto no es box sino lucha, lucha franca. ¡Así, ahora! Por poco lo agarra. Yo lo vi entre sus brazos. Pero el cuco se zafó. Es una culebra ese patrón: cuando ya va a caer, se escapa. Pero estoy seguro que gano la apuesta. Ese oso es un fenómeno, va derechito detrás de su rival. ¡Dale, dale, allí están abrazados! Se volvió a salir. Ahora grita el oso, grita como si tuviera dolor de muelas. Los cholos alrededor de mí, están asustados. El teniente también. Vuelve a gritar, el luchador se acerca. ¡Otra vez abrazados! Diablos, Chacón tiene fuerza, el oso no lo puede tumbar. Trastabillan en el aserrín. ¡Cayeron! De pie todo el mundo. Se revuelcan... Chacón se levantó. El oso está mal, mierda. No, ya se levanta. Allí va detrás del luchador. Chacón corre. ¡Date la vuelta, marica! El oso parece cansado, se pasa la garra por el hocico. Sería una vaina que lo ganen, toda mi propina del sábado.

El patrón tiene miedo: lo veo en sus ojos. El segundo golpe que me dio me ha dolido. De buena gana me iría a toser un rato o a escupir. ¡Y los minutos se hacen tan largos! Cuando terminemos me daré un baño en el Marañón. Pero, ¿cuándo terminaremos? Tiene que hacerme la seña. La gente grita. Hay que animar más la pelea. Pero no puedo hacerlo, no es rival para mí. Si fuera un profesional, podríamos hacer algunas figuras. Aunque me da ganas de ensayar algo, una de esas llaves de los viejos tiempos. Acércate, Chacón, acércate, ven hacia aquí, así... ¡Otra vez el puñete! Y se va para atrás. Eso no me lo había dicho, que me iba a dar fuerte en la cabeza. Debajo de esta piel tengo mi pellejo de hombre, de hombre sufrido, pero esos golpes hacen daño. Claro, él puede hacer lo que quiera y yo nada. Se acerca otra vez, ahora lo agarro. Ya, ya está aquí. Así, así, despacito, vamos a revolcarnos un rato, tú patrón, yo tu sirviente. No te asustes, no te voy a quebrar un hueso. Está con miedo, qué raro, con miedo el patrón. Bueno, levántate, yo me quedo aquí un rato en el suelo. Me ha dicho al oído que en la próxima debo hacerme el vencido, enterrar la cabeza en el barro. Sí, ya lo sé, en la próxima me haré el vencido, estoy sudando ya y además tengo ganas de irme al río. En la próxima llorará el oso, gloria para el vencedor.

Los dos, en medio del griterío. Primera vez, en mucho tiempo, que me pongo a ver qué pasa en el ruedo. Y me da pena por Fénix, su triste papel de oso. Si la gente supiera que ese animal al que golpean es un hombre como todos, o quizá deba decir «fue un hombre como todos». Porque, ¿qué cosa es Fénix al fin? Ni él mismo lo sabe. Ahora hasta ruge. Marcial lo ha cogido por atrás, le pasa el brazo por el pescuezo, lo tiró al suelo. Parece que Fénix no ve, quizás la cabezota se le ha movido y no tiene por dónde mirar. Camina como a ciegas, en cuatro pies, de un lado para otro y de esto se aprovecha Chacón. Le pega como de verdad, en un momento le dio hasta con la rodilla y los soldados aplaudieron. Sí, seguramente no veía, porque acaba de cogerse la cabeza con las garras como para ponérsela en su sitio. ¿A qué horas terminará

184

esto? Y el público parece que hubiera perdido el aliento. Ni siquiera el teniente barbudo, que tanto me miraba cuando hice equilibrio, quita la vista de los luchadores. Otra vez Chacón le da con la rodilla, peor todavía, con el pie. Fénix lo persigue, parece que lo va a agarrar, están aquí, delante de mí, me ha visto, se queda parado...

Fénix de mis amores, ¿estás cansadito? Cuando iba detrás del panzón y ya estaba a punto de agarrarlo, mira hacia la entrada de los artistas y se queda parado. Su pechote peludo se infla y se desinfla. Irma está en la entrada, acabo de verla. Ya se puso su traje para taparse las piernas y se lleva la mano a la cara, seguro para sobarse la hinchazón. ¿Qué esperas, Fénix? El público está callado, sólo se oye la lluvia rebotar contra la lona encerada. Chacón, en el centro de la pista, aguarda con los brazos extendidos hacia adelante. Rara situación. Chacón avanza hacia Fénix, entra en su terreno, le pasa las manos por delante de la cara (valiente, valiente, dice la gente), mira a Irma, mira al público. Pero Fénix no se mueve. Yo veo todo por debajo de las graderías, por entre las botas de los soldados, en un recoveco donde sólo cabe un enano. Todos inmóviles. ¿Por qué nadie se mueve? Me doy duro en la frente para ver si estoy soñando. Chacón vuelve a avanzar hacia Fénix. «No te acerques», grita un soldado. Chacón da un salto atrás, asustado. Fénix avanza ahora pero no hacia el ruedo sino hacia la puerta, hacia Irma. El público pifea. «Se quiere escapar», dice. Otro grita: «No le dejen irse.» Mi plata, mi plata, protestan todos, oso marica.

Este animal es medio loco: cuando la pelea está más reñida se olvida de todo y se queda como un idiota, mirando la entrada. A lo mejor lo que quiere es irse a descansar porque, para ser justos, lo único que ha hecho es encajar golpes. Hasta patadas. Pero todo vale con un animal. Lo cierto es que ya gané mi libra. Aunque tal vez... sí, ahora se mueve otra vez, vuelve la cabezota hacia el ruedo. Allí lo veo avanzar pero cansado, cansado, de mala gana. El luchador lo está esperando, dando saltitos sobre un pie y después sobre el otro. El oso estira una garra y sólo agarra aserrín. ¡Sus golpes son tan avisados! Ahora vuelve a la carga, el patrón le da un par de golpes y se aleja. El oso sigue avanzando, parece que quiere pararse, sí, está de pie, grita, avanza otra vez, rápido, muy rápido. El hombre retrocede, esquiva, trata de meter un golpe pero se arrepiente. El oso lo persigue, parado en sus dos pezuñas. ¡No corras, remátalo de una vez! El patrón lo espera esta vez. Lo golpea, el oso contesta. Están abrazados. Se dan de manotazos, encima, ahora sí, ¿qué?

Harto ya, harto Chacón, harto de tanto calor, de tanto contrazuelazo. Déjame echarme sobre ti un rato, sólo un ratito. Así, que sienta tu corazón contra mi corazón, que sienta tu respirar. Raro colchón eres para un hombre como yo, colchón de carne de gallina. Pálido estás ojitos de colibrí, grita si quieres, grita con tu boca morada, grita para que te oigan los soldados. ¿Por qué no trajiste tu cuchillo? Me lo hubieras hundido en la cara. Pero sin cuchillo, oh Chacón, o sin fuete, sin otra cosa que tus propias manos, ay Chacón, estás como amarrado. No abras los ojos, no, si ya me voy a levantar, y esa lengüita, ¿por qué la sacas? ¿No oyes cómo grita la gente? Diles que hacemos circo, circo para que se entretengan. Circo hago desde que nací. Haz circo tú también. Vamos, déjame que te abrace un poco, déjame quererte, Chacón, te quiero tanto que me pasaría la noche aquí, mirando tus ojos, oyendo tu respirar. Pero quiero irme al río a bañar, porque me has hecho sudar y no sólo sudor sino que hasta orines sudan mis ojos y sal que me quema los párpados. ¿No ves? Si hasta lloro, creo, de tanto dolor. Porque me das pena, Chacón, pena de tu lengüita morada, de tus ojos que ya no saben mirar.

¿Qué cosa pasa? Fénix está encima de Marcial. Los soldados hace rato que gritan. Ahora se han puesto de pie y señalan la pista y pegan de alaridos. «Lo está asfixiando», dicen. ¿Será verdad? Yo sólo veo un cuerpo echado sobre otro. Fénix parece dormir. Ahora levanta la cabeza y la hace girar lentamente, muy lentamente, como si buscara algo. Mira hacia aquí. «Quítenlo de encima», grita el barbudo. Fénix se levanta: los soldados se avientan de las tribunas, saltan en confusión, algunos salen por debajo de la tienda. ¿Adónde van? Se escapan, seguramente, hacia su campamento... Fénix comienza a caminar, está parado sobre sus dos pies, sus brazos cuelgan, va hacia la puerta, se detiene, vuelve hacia aquí. Algunos soldados han quedado en la parte alta de la tribuna, el teniente entre ellos, y no se atreven a bajar. Quieren treparse por los soportes. Y Marcial sigue en el suelo, sin moverse, con los puños apretados, la lengua casi arrancada. El enano sale por debajo de las graderías y se le acerca. «Cuidado», le gritan desde arriba. El enano pasa al lado de Fénix y va donde Marcial, se agacha, le mira la cara, le mete un dedo en el ojo, lo jala de la lengua, se desabrocha la bragueta, se pone a mear.

El capitán no me ha querido creer, le digo que lo ha estrangulado, que lo ha aplastado contra el suelo hasta ponerlo verde. Si lo he visto con mis propios ojos, no sólo la pelea, sino hasta el propio muerto. Allí estaba sobre el aserrín, mojado por la lluvia y meado por el enano. La contorsionista me ha contado no sé qué historia, que el oso es un hombre, que el hombre es un oso. Está loca. Pero mi ordenanza ha visto también y, a pesar de que le debo una libra, está impresionado como yo, como todos. Ya me decía: debía haber traído mi revólver. Pero iremos a buscarlo, es un peligro dejar un animal así cerca del campamento. Doce cholos me han dado y antorchas además y un perro. El enano nos dirá por dónde se ha ido, porque si no lo mandaremos al calabozo por haber ofendido al muerto. Con un vivo se pueden tomar ciertas libertades, ¡pero con un muerto! Ahora él nos llevará donde la fiera. Mi fusil está bien aceitado y en la cacerina tengo mis balas dum-dum. Hay que poner orden aquí, para eso nos pagan y para eso he pasado dos años en Corral Quemado sin quemar un cartucho. Te ilustrarás, teniente Sordi, y a lo mejor por allí hasta se te descuelga un galón.

Escampa. Noche espléndida, estrellada, como al lado del mar. Paramonga y los cañaverales, dunas de la costa, todo eso parece venirme del cielo tan limpio. Pero del suelo sólo me llega el lodazal. Dejo mis surcos hondos. Avanzo, libre, hacia el río, con mi cabeza de oso en la mano, decapitado, feliz. Atrás, sólo la tienda iluminada del circo. En el circo, Marcial, Max, Irma, Kong, los soldados meones, todo enterrado, todo olvidado[106]. Avanzo hacia el agua, sereno al fin, a hundirme en ella, a cruzar la selva, tal vez a construir una ciudad. Merezco todo eso por mi fuerza. No me arrepiento de nada. Soy el vencedor. Si esas luces de atrás son antorchas, si esos ruidos que cruzan el aire son ladridos, tanto peor. Los llevo hacia la violencia, es decir, hacia su propio exterminio. Yo avanzo, rodeado de insectos, de raíces, de fuerzas de la naturaleza, yo mismo soy una fuerza y avanzo aunque no haya camino, me hago un camino avanzando[107]...

(París, 1962)

---

[106] En la entrada correspondiente al 10 de julio de 1963 Ribeyro anota en su *Diario:* «Pero a medida que iba escribiendo el cuento estos personajes se iban tipificando cada vez más, hasta el punto de que cada uno de ellos encarnaba a ciertos grupos representativos de nuestra estructura social. Fénix iba siendo progresivamente la encarnación de nuestro pueblo, Chacón, la de la clase dirigente, el enano Max el intelectual, el teniente Sordi los cuadros altos del ejército, el cabo Eusebio la tropa. De este simbolismo sólo me he dado cuenta en las últimas páginas, que son las más "dirigidas", pero en las anteriores, inconscientemente, había ya puesto en boca de los personajes frases delatoras.»

[107] Wolfgang Luchting especula sobre los cambios que la muerte de Javier Heraud puede haber forzado en la composición de «Fénix». En todo caso, las últimas frases del cuento parecen una remembranza de *El río,* el primer libro publicado por Heraud. De forma simbólica y visionaria, se despliegan allí versos que Ribeyro debe de haber tenido presentes: «voy bajando por las piedras / voy bajando por las rocas duras (...) / bajo cada vez más / furiosamente / más violentamente».

Asimismo el fin previsible de Fénix evoca la premonición de la propia muerte que el poeta había dado en «Elegía»: «No tuve miedo de la muerte (...) / y supuse que / al final moriría / alguna tarde / entre pájaros / y árboles.»

188

Nada que hacer,
Monsieur Baruch[108]

El cartero continuaba echando por debajo de la puerta una publicidad a la que monsieur Baruch permanecía completamente insensible. En los últimos tres días había deslizado un folleto de la Sociedad de Galvanoterapia en cuya primera página se veía la fotografía de un hombre con cara de cretino bajo el rótulo «Gracias al método del doctor Klein ahora soy un hombre feliz»; había también un prospecto del detergente Ayax proponiendo un descuento de cinco centavos por el paquete familiar que se comprara en los próximos diez días; se veía por último programas ilustrados que ofrecían las memorias de sir Winston Churchill pagaderas en catorce mensualidades, un equipo completo de carpintería doméstica cuya pieza maestra era un berbiquí eléctrico y finalmente un volante de colores particularmente vivos sobre «El arte de escribir y redactar», que el cartero lanzó, con tal pericia que estuvo a punto de caer en la propia mano de monsieur Baruch. Pero éste, a pesar de encontrarse muy cerca de la puerta y con los ojos puestos en ella, no podía interesarse por esos asuntos, pues desde hacía tres días estaba muerto.

Hacía tres días justamente monsieur Baruch se había despertado en la mitad de la tarde, después de una noche de insomnio total en la cual había tratado de recordar sucesiva-

---

[108] Publicado en *Los cautivos* (1972). Colección en la que se recogían cuentos de escenario europeo, en su mayoría narrados en primera persona.

mente todas las camas en las que había dormido en los últimos veinte años y todas las canciones que estuvieron de moda en su juventud. Lo primero que hizo al levantarse fue dirigirse al lavatorio de la cocina, para comprobar que seguía obstruido y que, como en los días anteriores, le sería necesario, para lavarse, llenar el agua en una cacerola y enjuagarse sólo los dedos y la punta de la nariz.

Luego, sin darse el trabajo de quitarse el pijama, se abocó por rutina a un problema que lo había ocupado desde que Simón le cedió esa casa, hacía un año, y que nunca había logrado resolver: ¿cuál de las dos piezas de ese departamento sería la sala-comedor y cuál la dormitorio-escritorio? Desde su llegada a esa casa había barajado el pro y el contra de una eventual decisión y cada día surgían nuevas objeciones que le impedían ponerla en práctica. Su perplejidad venía del hecho que ambas habitaciones eran absolutamente simétricas con relación a la puerta de calle —que daba sobre un minúsculo vestíbulo donde sólo cabía una percha— y a que ambas estaban amobladas en forma similar: en ambas había un sofácama, una mesa, un armario, dos sillas y una chimenea condenada. La diferencia residía en que la habitación de la derecha comunicaba con la cocina y la de la izquierda con el *water closet*. Hacer su dormitorio a la derecha significaba poner fuera de su alcance inmediato el excusado, adonde un viejo desfallecimiento de su vejiga lo conducía con inusitada frecuencia; hacerlo a la izquierda implicaba alejarse de la cocina y de sus tazas de café nocturnas, que se habían convertido para él en una necesidad de orden casi espiritual.

Por todo ello es que monsieur Baruch, desde que llegó a esa casa, había dormido alternativamente en una u otra habitación y comía en una u otra mesa, según las soluciones sucesivas y siempre provisionales que le iba dando a su dilema. Y esta especie de nomadismo que ponía en práctica en su propia casa le había producido un sentimiento paradójico: por un lado le daba la impresión de vivir en una casa más grande, pues podía concluir que tenía dos salas-comedor y dos dormitorios-escritorio, pero al mismo tiempo se daba cuenta que la similitud de ambas piezas reducía en realidad su casa, ya que se trataba de una duplicación inútil del espacio, como la que podía provenir de un espejo, pues en la segunda habitación no podía encontrar nada que no hubiera en la primera y tratar de adicionarlas era una superchería, como la de quien al hacer el recuento de los títulos de su biblioteca pretende consignar en la lista dos ediciones exactas del mismo libro.

Ese día monsieur Baruch tampoco pudo resolver el problema y dejándolo en suspenso una vez más regresó a la cocina para preparar su desayuno. Con su taza de café humeante en una mano y una tostada seca en la otra se instaló en la mesa más cercana, dio cuenta meticulosamente de su frugal alimento y luego se trasladó a la mesa de la habitación contigua, donde lo esperaba una carpeta con papel de carta. Cogiendo una hoja escribió unas breves líneas, que metió en un sobre. Encima de éste anotó: Madame Renée Baruch, 17 Rue de la Joie[109], Lyon. Y más abajo, con un bolígrafo de tinta roja, añadió: personal y urgente.

Dejando el sobre en un lugar visible de la mesa monsieur Baruch prospectó mentalmente el resto de su jornada y aisló dos hechos que de costumbre realizaba antes de enfrentarse una vez más a la noche: comprarse un periódico y prepararse otro café con su tostada seca. Mientras esperaba que anocheciera vagó de una habitación a otra, mirando por sus respectivas ventanas. La de la derecha daba al corredor de una fábrica donde nunca supo qué fabricaban, pero que debía ser un lugar de penitencia, pues sólo la frecuentaban obreros negros, argelinos e ibéricos. La de la izquierda daba al techo de un garaje, detrás del cuál, haciendo un esfuerzo, podía avistarse un pedazo de calle, por donde los automóviles pasaban interminablemente con sus faros ya encendidos. Pasó también un carro de bomberos haciendo sonar su sirena. Alguna casa ardía a la distancia.

Monsieur Baruch prolongó su paseo más de lo habitual, convenciéndose ya que debía renunciar al periódico. Aparte de las ofertas de trabajo, nunca los terminaba de leer, no entendía lo que decían: ¿qué querían los vietnamitas?, ¿quién era ese señor Lacerda?[110], ¿qué cosa era una ordenadora elec-

---

[109] Repárese en el guiño irónico: «Calle de la alegría», frente a la desdicha solitaria del personaje.

[110] Periodista y político brasileño (1914-1977).

trónica?, ¿dónde quedaba Karachi? Y en este paseo, mientras anochecía, volvió a sentir ese pequeño ruido en el interior de su cráneo, que no provenía, como lo había descubierto, del televisor de madame Pichot ni del calentador de agua del señor Belmonte ni de la máquina en la cual el señor Ribeyro escribía en los altos: era un ruido semejante al de un vagón que se desengancha del convoy de un tren estacionado e inicia por su propia cuenta un viaje imprevisto.

En el departamento ahora oscuro se mantuvo un momento al lado del conmutador de la luz, interrogándose. ¿Y si salía a dar una vuelta? Ese barrio apenas lo conocía. Desde su llegada había estudiado el itinerario más corto para llegar a la panadería, a la estación del metro y a la tienda de comestibles y se había ceñido a él escrupulosamente. Sólo una vez osó apartarse de su ruta para caer en una plaza horrible que, según comprobó, se llamaba la plaza de la Reunión, circunferencia de tierra, con árboles sucios, bancas rotas, perros libertinos, ancianos tullidos, rondas de argelinos sin trabajo y casas, santo Dios, casas chancrosas, sin alegría ni indulgencia, que se miraban aterradas, como si de pronto fueran a dar un grito y desaparecer en una explosión de vergüenza.

Descartado también el paseo, monsieur Baruch encendió la luz de la habitación donde había dejado la carta, comprobó que seguía en su lugar y atravesando la siguiente habitación a oscuras entró en la cocina. En cinco minutos se afeitó con esmero, se puso un terno limpio y regresó ante el espejo del lavatorio para observarse el rostro. No había en él nada diferente de lo habitual. El largo régimen de café y tostadas había hundido sus carrillos, es verdad, y su nariz, que él siempre consideró con cierta conmiseración debido a su tendencia a encorvarse con los años, le pendía ahora entre las mejillas como una bandera arriada en señal de dimisión. Pero sus ojos tenían la expresión de siempre, la del pavor que le producía el tráfico, las corrientes de aire, los cinemas, las mujeres hermosas, los asilos, los animales con casco, las noches sin compañía y que lo hacía sobresaltarse y protegerse el corazón con la mano cuando un desconocido lo interpelaba en la calle para preguntarle la hora.

Debía ser el momento del film de sobremesa, pues del televisor vecino llegó una voz varonil, que podía ser muy bien la de Jean Gabin en comisario[111] de policía hablando en argot con un cigarrillo en la boca, pero monsieur Baruch, indiferente a la emoción que seguramente embargaba a madame Pichot, se limitó a enjuagar su máquina de afeitar, extraer la hoja y apagar la luz. Vestido se introdujo en la ducha, que quedaba dentro de una caseta metálica, en un rincón de la cocina y abriendo el caño dejó que el agua fría le fuera humedeciendo la cabeza, el cuello, el terno. Aferrando bien la hoja de afeitar entre el índice y el pulgar de la mano derecha levantó la mandíbula y se efectuó una incisión corta pero profunda en la garganta. Sintió un dolor menos vivo del que había supuesto y estuvo tentado de repetir la operación. Pero finalmente optó por sentarse en la ducha con las piernas cruzadas y se puso a esperar. Su ropa ya empapada lo hizo tiritar, por lo cual levantó el brazo para cerrar el caño. Cuando las últimas gotas dejaron de caer sobre su cabeza experimentó en el pecho una sensación de tibieza y casi de bienestar, que le hizo recordar las mañanas de sol en Marsella, cuando iba por los bares del puerto ofreciendo sin mucha fortuna corbatas a los marineros o aquellas otras mañanas genovesas, cuando ayudaba a despachar a Simón en su tienda de géneros. Y luego sus proyectos de viaje a Lituania, donde le dijeron que había nacido y a Israel, donde debía tener parientes cercanos, que él imaginaba numerosos, dibujando en sus rostros en blanco su propio rostro.

Un nuevo carro de bomberos pasó a la distancia haciendo sonar su sirena y entonces se dijo que era absurdo estar metido en esa caseta oscura y mojada, como quien purga una falta o se oculta de una mala acción (¿pero toda su vida acaso no había sido una mala acción?) y que mejor era extenderse en el sofá de cualquiera de las habitaciones y fundar con ese gesto una nueva pieza en su casa, la capilla mortuoria, pieza que desde que llegó sabía que existía potencialmente, asechándolo, en ese espacio simétrico.

No tuvo ninguna dificultad en ponerse de pie y salir de la ducha. Pero cuando estaba a punto de abandonar la cocina

---

[111] *en comisario,* galicismo.

sintió una arcada que lo dobló y empezó a vomitar con tal violencia que perdió el equilibrio. Antes de que pudiera apoyarse en la pared se encontró tendido en el suelo bajo el dintel de la puerta, con las piernas en la cocina y el tronco en la habitación contigua. En la siguiente habitación la luz había quedado encendida y desde su posición decúbito ventral monsieur Baruch podía ver la mesa y en su borde el lomo de la carpeta con papel de carta.

Mentalmente se exploró el cuerpo, a la caza de algún dolor, de alguna fractura, de algún deterioro grave que revelara que su máquina humana estaba definitivamente fuera de uso. Pero no sentía ningún malestar. Lo único que sabía es que le era imposible ponerse de pie y que si algo en fin había sucedido era que en adelante debía renunciar a llevar una vida vertical y contentarse con la existencia lenta de las lombrices y sus quehaceres chatos, sin relieve, su penar al ras del suelo, del polvo de donde había surgido.

Inició entonces un largo viaje a través del piso sembrado de prospectos y periódicos viejos. Los brazos le pesaban y en su intento de avanzar comenzó a utilizar la mandíbula, los hombros, a quebrar la cintura, las rodillas, a raspar el suelo con la punta de sus zapatos. Se contuvo un rato tratando de recordar dónde había dejado esa larga venda con la que en invierno se envolvía la cintura para combatir sus dolores de ciática. Si la había dejado en el armario de la primera pieza sólo tendría que avanzar cuatro metros para llegar a él. De otro modo, su viaje se volvería tan improbable como el retorno a Lituania o el periplo al reino de Sión.

Mientras memorizaba y se debatía contra la sensación de que el aire se había convertido en algo agrio e irrespirable y reproducía los actos de sus últimas semanas y recreaba los objetos que guardaba en todos los cajones de la casa, monsieur Baruch sintió una vez más la sirena de los bomberos, pero acompañada esta vez por el traqueteo del vagón que se desengancha y acelerando progresivamente se lanza desbocado por la campiña rasa, sin horario ni destino, cruzando sin verlas las estaciones de provincia, los bellos parajes marcados con una cruz en las cartas de turismo, desapegado, ebrio, sin otra conciencia que su propia celeridad y su condición de

194

algo roto, segregado, condenado a no terminar más que en una vía perdida, donde no lo esperaba otra cosa que el enmohecimiento y el olvido.

Tal vez sus párpados cayeron o el globo de sus ojos abiertos se inundó con una sustancia opaca, porque dejó de ver su casa, sus armarios y sus mesas para ver nítidamente, esta vez sí, inesperadamente, a la luz de un proyector interior, maravillosamente, las camas en las que había dormido en los últimos veinte años, incluyendo la última doble de la tienda del Marais[112], donde Renée se apelotonaba a un lado y no permitía que pasara de una línea geométrica e ideal que la partía por la mitad. Camas de hoteles, pensiones, albergues, siempre estrechas, impersonales, ásperas, ingratas, que se sucedían rigurosamente en el tiempo, sin que faltara una sola, y se sumaban en el espacio formando un tren nocturno e infernal, sobre el que había reptado como ahora, durante noches sin fin, solo, buscando un refugio a su pavor. Pero lo que no pudo percibir fueron las canciones, aparte de un croar sin concierto, como de decenas de estaciones de radio cruzadas, que pugnaban por acallarse unas a otras y que sólo lograban hacer descollar palabras sueltas, tal vez títulos de aires de moda[113], como traición, infidelidad, perfidia, soledad, cualquiera, angustia, venganza, verano, palabras sin melodía, que caían secamente como fichas en su oído y se acumulaban proponiendo tal vez una charada o constituyendo el registro escueto, capitular, de una pasión mediocre, sin dejar por ello de ser catastrófica, como la que consignan los diarios en su página policial.

El bordoneo cesó bruscamente y monsieur Baruch se dio cuenta que veía otra vez, veía la lámpara inaccesible en la habitación contigua y bajo la lámpara la carpeta de cartas inaccesible. Y ese silencio en el que flotaban ahora los objetos familiares era peor que la ceguera. Si al menos empezara a llover sobre la calamina reseca o si madame Pichot elevara el volumen de su televisor o si al señor Belmonte se le ocurriera

---

[112] Barrio histórico de París.
[113] Posible galicismo: *air à la mode* («canciones en boga»).

darse un baño tardío, algún ruido, por leve o estridente que fuere, lo rescataría de ese mundo de cosas presentes y silenciosas, que privadas del sonido parecían huecas, engañadoras, distribuidas con artificio por algún astuto escenógrafo para hacerle creer que seguía en el reino de los vivos.

Pero no oía nada y ni siquiera lograba recordar en qué rincón de la casa había podido dejar la venda de la ciática y lo más que podía era progresar en su viaje, sin mucha fe además, pues los periódicos se arrugaban ante su esfuerzo, formaban ondulaciones y accidentes que él se sentía incapaz de franquear. Aguzando la vista leyó un gran titular «Sheila acusa» y más abajo, con letras más discretas, «Lord Chalfont asegura que la libra esterlina no bajará» y al lado un recuadro que anunciaba «Un tifón barre el norte de Filipinas» y luego, con letras casi imperceptibles —y qué tenacidad ponía en descifrarlas— «Monsieur y madame Lescène se complacen en anunciar el nacimiento de su nieto Luc-Emmanuel.» Y después volvió a sentir el calor, la agradable brisa en su pecho y al instante escuchó la voz de Bernard diciéndole a Renée que si no le aumentaban de sueldo se iría de la tienda del Marais y la de Renée que decía que ese muchacho merecía un aumento y su propia voz recomendando esperar aún un tiempo y el crujido de las escaleras la primera vez que descendió en puntillas para espiar cómo conversaban y bromeaban detrás del mostrador, entre carteras, paraguas y guantes y un rasguido que no podía ser otro que el del mensaje que dejó Renée antes de su fuga, escrito en un papel de cuaderno y que él hizo añicos después de leerlo varias veces, pensando idiotamente que rompiendo la prueba destruiría lo probado.

Las voces y los ruidos se alejaron o monsieur Baruch renunció a sintonizarlos, pues al girar el globo del ojo efectuó una comprobación que lo obligó a cambiar en el acto todos sus proyectos: más cerca que los armarios de ambas habitaciones y de su venda improbable estaba la puerta de calle. Por su ranura inferior veía la luz del descanso de la escalera. Empezó entonces a girar sobre su vientre, con una dificultad extrema, pues le era necesario modificar toda la orientación de su itinerario inicial y mientras trataba de hacerlo la luz del descanso se encendió y se apagó varias veces, al par que sonaban pasos en las escaleras, pero probablemente en redondo o en los pisos más bajos o en el sótano, pues nunca, nunca terminaban de acercarse.

Con el esfuerzo que hizo por cambiar de rumbo, su cabeza dejó de apoyarse en la mandíbula y cayó pesadamente hacia un lado quedando reclinada sobre una oreja. Las paredes y el techo giraban ahora, la chimenea pasó varias veces delante de sus ojos, seguida por el armario, el sofá y los otros muebles y a la zaga una lámpara y estos objetos se perseguían unos a otros, en una ronda cada vez más desaforada. Monsieur Baruch apeló entonces a un último recurso, tenido hasta ese momento en reserva y quiso gritar, pero en ese desorden, ¿quién le garantizaba dónde estaba su boca, su lengua, su garganta? Todo estaba disperso y las relaciones que guardaba con su cuerpo se habían vuelto tan vagas que no sabía realmente qué forma tenía, cuál era su extensión, cuántas sus extremidades. Pero ya el torbellino había cesado y lo que veía ahora, fijo ante sus ojos, era un pedazo de periódico donde leyó «Monsieur y madame Lescène se complacen en anunciar el nacimiento de su nieto Luc-Emmanuel».

Entonces abandonó todo esfuerzo y se abandonó sobre los diarios polvorientos. Apenas sentía la presencia de su cuerpo flotando en un espacio acuoso o inmerso en el fondo de una cisterna. Nadaba ahora con agilidad en un mar de vinagre. No, no era un mar de vinagre, era una laguna encalmada. Trinaba un pájaro en un árbol coposo. Discurría el agua por la verde quebrada. Nacía la luna en el cielo diáfano. Pacía el ganado en la fértil pradera. Por algún extraño recodo había llegado al paisaje ameno de los clásicos, donde todo era música, orden, levedad, razón, armonía. Todo se volvía además explicable. Ahora comprendía, sin ningún raciocinio, apodícticamente, que debía haber hecho el dormitorio en el lugar donde dejó la venda o haber dejado la venda en el lugar que iba a ser el dormitorio y haber echado a Bernard de la tienda y denunciado a Renée por haber huido con la plata y haberla perseguido hasta Lyon rogándole de rodillas que volviera y haberle dicho a Renée de partir[114] sin que Bernard lo supiera y

---

[114] *de partir.* De nuevo un galicismo. Calcos de expresiones francesas se encuentran a menudo en su *Diario* —curiosamente, no así en los cuentos.

haberse matado la noche misma de su fuga para no sufrir un año entero y haber pagado a un asesino para que acuchillara a Bernard o a Renée o a los dos o a él mismo en las gradas de una sinagoga y haberse ido solo a Lituania dejando a Renée en la indigencia y haberse casado en su juventud con la empleada de la pensión de Marsella a la que le faltaba un seno y haber guardado la plata en el banco en lugar de tenerla en la casa y haber hecho el dormitorio donde estaba tendido y no haber ido a la primera cita que le dio Renée en el Café des Sports y haberse embarcado en ese mercante rumbo a Buenos Aires y haberse dejado alguna vez un espeso bigote y haber guardado la venda en el armario más cercano para poder ahora que se moría, lejos ya del rincón ameno, caído más bien en un barranco inmundo, tentar una curación *in extremis,* darse un plazo, durar, romper la carta anunciadora, escribirla la mañana siguiente o el año siguiente y seguirse paseando aún por esa casa, sesentón, cansado, sin oficio ni arte ni destreza, sin Renée ni negocio, mirando la fábrica enigmática o los techos del garaje o escuchando cómo bajaba el agua por las tuberías de los altos o madame Pichot encendía su televisor.

Y todo era además posible. Monsieur Baruch se puso de pie, pero en realidad seguía tendido. Gritó, pero sólo mostró los dientes. Levantó un brazo, pero sólo consiguió abrir la mano. Por eso es que a los tres días, cuando los guardias derribaron la puerta, lo encontramos extendido, mirándonos, y a no ser por el charco negro y las moscas hubiéramos pensado que representaba una pantomima y que nos aguardaba allí por el suelo, con el brazo estirado, anticipándose a nuestro saludo.

(París, 1967)

Espumante en el sótano[115]

Aníbal se detuvo un momento ante la fachada del Ministerio de Educación y contempló, conmovido, los veintidós pisos de ese edificio de concreto[116] y vidrio. Los ómnibus que pasaban rugiendo por la avenida Abancay le impidieron hacer la menor invocación nostálgica y, limitándose a emitir un suspiro, penetró rápidamente por la puerta principal.

A pesar de ser las nueve y media de la mañana, el gran hall de la entrada estaba atestado de gente que hacía cola delante de los ascensores. Aníbal cruzó el tumulto, tomó un pasadizo lateral y, en lugar de coger alguna de las escaleras que daban a las luminosas oficinas de los altos, desapareció por una especie de escotilla que comunicaba con el sótano.

—¡Ya llegó el hombre! —exclamó, entrando a una habitación cuadrangular, donde tres empleados se dedicaban a clasificar documentos. Pero ni Rojas ni Pinilla ni Calmet levantaron la cara.

—¿Sabes lo que es el occipucio? —preguntaba Rojas.

—¿Occipucio? Tu madre, por si acaso —respondió Calmet.

---

[115] Perteneciente al volumen *El próximo mes me nivelo* (Lima, 1972), de contenido muy heterogéneo. Al lado de relatos de inspiración autobiográfica, aparecen otros como «Espumante en el sótano», con esa característica atmósfera ribeyriana, entre dolorosa y ridícula: espumante en vez de champán, celebración frustada, reconocimiento que se muda en humillación; en fin, realidad perversa y sin grandeza. *(Espumante* es americanismo: Vino efervescente, parecido al champaña, generalmente de sabor dulce.)

[116] Americ., hormigón armado.

—Gentuza —dijo Aníbal—. No saben ni saludar.

Sólo en ese momento sus tres colegas se percataron que Aníbal Hernández llevaba un terno azul cruzado, un paquete en la mano derecha y dos botellas envueltas en papel celofán, apretadas contra el corazón.

—Mira, se nos vuelve a casar el viejo —dijo Pinilla.

—Yo diría que es su santo —agregó Rojas.

—Nada de eso —protestó Aníbal—. Óiganlo bien: hoy, primero de abril, cumplo veinticinco años en el Ministerio.

—¿Veinticinco años? Ya debes ir pensando en jubilarte —dijo Calmet—. Pero la jubilación completa. La del cajón con cuatro cintas.

—Más respeto —dijo Aníbal—. Mi padre me enseñó a entrar en palacio y en choza. Tengo boca para todo, gentuza.

La puerta se abrió en ese momento y por las escaleras descendió un hombre canoso, con anteojos.

—¿Están listas las copias? El secretario del Ministerio las necesita para las diez.

—Buenos días, señor Gómez —dijeron los empleados—. Allí se las hemos dejado al señor Hernández para que las empareje.

Aníbal se acercó al recién llegado, haciéndole una reverencia.

—Señor Gómez, sería para mí un honor que usted se dignase hacerse presente...

—¿Y las copias?

—Justamente, las copias, pero sucede que hoy hace exactamente veinticinco años que...

—Vea, Hernández, hágame antes esas copias y después hablaremos.

Sin decir más, se retiró. Aníbal quedó mirando la puerta mientras sus tres compañeros se echaban a reír.

—¿Es verdad, entonces? —preguntó Calmet.

—Es un trabajo urgente, viejo —intervino Pinilla.

—¿Y cuándo le he corrido yo al trabajo? —se quejó Aníbal—. Si hoy me he retrasado es por ir a comprar las empanadas y el champán. Todo para invitar a los amigos. Y no sigas hablando, que te pongo la pata de chalina[117].

---

[117] Americ., chal estrecho que usan las mujeres.

Empujando una puerta con el pie, penetró en la habitación contigua, minúsculo reducto donde apenas cabía una mesa en la cual dejó sus paquetes, junto a la guillotina para cortar papel. La luz penetraba por una alta ventana que daba a la avenida Abancay. Por ella se veían, durante el día, zapatos, bastas de pantalón, de vez en cuando algún perro que se detenía ante el tragaluz como para espiar el interior y terminaba por levantar una pata para mear con dignidad.

—Siempre lo he dicho —rezongó—. En palacio y en choza. Pero eso sí, el que busca me encuentra.

Quitándose el saco, lo colgó cuidadosamente en un gancho y se puso un mandil negro. En la mesa había ya un alto de copias fotostáticas. Acercándose a la guillotina, empezó su trabajo de verdugo. Al poco rato Pinilla asomó.

—Dame las cincuenta primeras para llevárselas al jefe.

—Yo se las voy a llevar —dijo Aníbal—. Y oye bien lo que te voy a decir: cuando tú y los otros eran niños de teta, yo trabajaba ya en el Ministerio. Pero no en este edificio, era una casa vieja del centro. En esa época...

—Ya sé, ya sé, las copias.

—No sabes. Y si lo sabes, es bueno que te lo repita. En esa época yo era Jefe del Servicio de Almacenamiento.

—¿Han oído? —preguntó Pinilla volviéndose hacia sus dos colegas.

—Sí —contestó Calmet—. Era Jefe del Servicio de Almacenamiento. Pero cambió el gobierno y tuvo que cambiar de piso. De arriba para abajo. Mira, aquí hay cien papeles más para cortar, en el orden en que están.

Aníbal asomó:

—Oye tú, Calmet, hijo de la gran... bretaña. Tú tienes sólo dos años aquí. Estudiaste para abogado, ¿verdad? Para aboasno sería. Pues te voy a decir algo más: Gómez, nuestro jefe, entró junto conmigo. Claro, ahora ha trepado. Ahora es un señor, ¿no?

—Las copias y menos labia.

Aníbal cogió las copias emparejadas y se dirigió hacia la escalera.

—Y todavía hay otra cosa: el Director de Educación Secundaria, don Paúl Escobedo, ¿lo conocen? Seguramente ni le han visto el peinado. Don Paúl Escobedo vendrá a tomar una copa conmigo. Ahora lo voy a invitar, lo mismo que a Gómez.

—¿Y por qué no al ministro? —preguntó Rojas pero ya Aníbal se lanzaba por las escaleras para llevar las copias a su jefe.

Gómez lo recibió serio:

—Esas copias me urgen, Aníbal. No quise decírtelo delante de tus compañeros pero tengo la impresión que hoy llegaste con bastante retraso.

—Señor Gómez, he traído unas botellitas para festejar mis veinticinco años de servicio. Espero que no me va a desairar. Allá las he dejado en el sótano. ¡Ya tenemos veinticinco años aquí!

—Es verdad —dijo Gómez.

—Irán todos los muchachos del servicio de fotografías, los miembros de la Asociación de Empleados y don Paúl Escobedo.

—¿Escobedo? —preguntó Gómez—. ¿El director?

—Hace diez años trabajamos juntos en la Mesa de Partes. Después él ascendió. Tú estabas en provincia en esa época.

—Está bien, iré. ¿A qué hora?

—A golpe de doce, para no interrumpir el servicio.

En lugar de bajar a su oficina, Aníbal aprovechó que un ascensor se detenía para colarse.

—Al veinteavo, García —dijo al ascensorista y acercándose a su oído agregó—: Vente a la oficina de copias fotostáticas a mediodía. Cumplo veinticinco años de servicio. Habrá champán.

En la puerta del despacho del director Escobedo, un ujier lo detuvo.

—¿Tiene cita?

—¿No me ve con mandil? Es por un asunto de servicio.

Pero salvado este primer escollo, tropezó con una secretaria que se limitó a señalarle la sala de espera atestada.

—Hay once personas antes que usted.

Aníbal vacilaba entre irse o esperar, cuando la puerta del director se abrió y don Paúl Escobedo asomó conversando con un señor, al que acompañó hasta el pasillo.

—Por supuesto, señor diputado —dijo, retornando a su despacho.

Aníbal lo interceptó.

—Paúl, un asuntito.

—Pero bueno, Hernández, ¿qué se te ofrece?

—Fíjate, Paúl, una cosita de nada.

—Espera, ven por acá.

El director lo condujo hasta el pasillo.

—Tú sabes, mis obligaciones...

Aníbal le repitió el discurso que había lanzado ante el señor Gómez.

—¡En los líos en que me metes, caramba!

—No me dejes plantado, Paúl, acuérdate de las viejas épocas.

—Iré, pero eso sí, sólo un minuto. Tenemos una reunión de directores, luego un almuerzo.

Aníbal agradeció y salió disparado hacia su oficina. Allí sus tres colegas lo esperaban coléricos.

—¿Así que en la esquina, tomándote tu cordial? ¿Sabes que han mandado tres veces por las copias?

—Toquen esta mano —dijo Aníbal—. Huélanla, denle una lamidita, zambos[118]. Me la ha apretado el director. ¡Ah, pobres diablos! No saben ustedes con quién trabajan.

Poco antes de mediodía, después de haber emparejado quinientas copias, Aníbal se dio cuenta que no tenía copas. Cambiando su mandil por su saco cruzado, corrió a la calle. En la chingana[119] de la esquina se tomó una leche con coñac y le explicó su problema al patrón.

—Tranquilo, don Aníbal. Un amigo es un amigo. ¿Cuántas necesita?

Con veinticuatro copas en una caja de cartón, volvió a la oficina. Allí encontró al ascensorista y a tres empleados de la Asociación. Sus colegas, después de poner un poco de orden, habían retirado de una mesa todos los implementos de trabajo para que sirviera de buffet.

---

[118] Los colegas de Aníbal no deben de ser zambos, pero el sentido es transparente: utiliza la palabra para subrayar su inexistente superioridad.

[119] Voz quechua: taberna en la que puede haber canto y baile.

Aníbal dispuso encima de ella las empanadas, las copas y las botellas de champán, mientras por las escaleras seguían llegando invitados. Pronto la habitación estuvo repleta de gente. Como no había suficientes ceniceros echaban la ceniza al suelo. Aníbal notó que los presentes miraban con insistencia las botellas.

—Hace calor —decía alguien.

Como las alusiones se hacían cada vez más clamorosas, no le quedó más remedio que descorchar su primera botella, sin esperar la llegada de sus superiores.

—Aníbal se ha rajado con su champán —decía Pinilla.

—Ojalá que todos los días cumpla bodas de plata.

Aníbal pasó las empanadas en un portapapeles, pero a mitad de su recorrido las empanadas se acabaron.

—Excusas —dijo—. Uno siempre se queda corto.

Por atrás, alguien murmuró:

—Deben ser de la semana pasada. Ya me reventé el hígado.

Temiendo que su primera botella de champán se terminara, Aníbal sirvió apenas un dedo en cada copa. Éstas no alcanzaban.

—Tomaremos por turnos —dijo Aníbal—. Democráticamente. ¿Nadie tiene miedo al contagio?

—¿Para eso me han hecho venir? —volvió a escucharse al fondo.

Aníbal trató de identificar al bromista, pero sólo vio un cerco de rostros amables que sonreían.

—¿Qué esperamos para hacer el primer brindis? —preguntó Calmet—. Esto se me va a evaporar.

Pero en ese momento el grupo se hendió para dejar paso al señor Gómez. Aníbal se precipitó hacia él para recibirlo y ofrecerle una copa más generosa.

—¿No ha venido el director Escobedo? —le preguntó en voz baja.

—Ya no tarda —dijo Aníbal—. De todos modos haremos el primer brindis.

Después de carraspear varias veces logró imponer un poco de silencio a su alrededor.

—Señores —dijo—. Les agradezco que hayan venido, que se hayan dignado realzar con su presencia este modesto ágape.

Levanto esta copa y les digo a todos los presentes: prosperidad y salud.

Los salud que respondieron en coro ahogaron el comentario del bromista:

—¿Y yo con qué brindo? ¿Quieren que me chupe el dedo?

Aníbal se apresuró a llenar las copas vacías que se acumulaban en la mesa y las repartió entre sus invitados. Al hacerlo, notó que éstos se hallaban un poco cohibidos por la presencia del señor Gómez; no se atrevían a entablar una conversación general y preferían hacerlo por parejas, de modo que su reunión corría el riesgo de convertirse en una yuxtaposición de diálogos privados, sin armonía ni comunicación entre sí. Para relajar la atmósfera, empezó a relatar una historia graciosa que le había ocurrido hacía quince años, cuando el señor Gómez y él trabajaban juntos en el servicio de mensajeros. Pero, para asombro suyo, el señor Gómez lo interrumpió:

—Debe ser un error, señor Hernández, en esa época yo era secretario de la biblioteca.

Algunos de los presentes rieron y otros, defraudados por la pobreza del trago, se aprestaron a retirarse con disimulo, cuando por las escaleras apareció el director Paúl Escobedo.

—¡Pero esto parece una asamblea de conspiradores! —exclamó, al encontrarse en el estrecho reducto—. Se diría que están tramando echar abajo al ministro. ¿Qué tal, Aníbal? Vamos durando, viejo. Es increíble que haya pasado, ¿cuánto dijiste?, casi un cuarto de siglo desde que entramos a trabajar. ¿Ustedes saben que el señor Hernández y yo fuimos colegas en la Mesa de Partes?

Aníbal destapó de inmediato su segunda botella, mientras el señor Gómez, rectificando un desfallecimiento de su memoria, decía:

—Ahora que me acuerdo, es cierto lo que decía enantes[120], Aníbal, cuando estuvimos en el servicio de mensajeros...

Aníbal llenó las copas de sus dos superiores, se sirvió para sí una hasta el borde y abandonó la botella al resto de los presentes.

---

[120] Americ., vulgar., antes.

—¡A servirse, muchachos! Como en su casa.

Los empleados se acercaron rápidamente a la mesa, formando un tumulto, y se repartieron el champán que quedaba entre bromas y disputas. Mientras Aníbal avanzaba hacia sus dos jefes con su copa en la mano se dio cuenta que al fin la reunión cuajaba. El director Escobedo se dirigía familiarmente a sus subalternos, tuteándolos, dándoles palmaditas en la espalda, mientras Gómez pugnaba por entablar con su jefe una conversación elevada.

—Sin duda esto es un poco estrecho —decía—. Yo he elevado ya un memorándum al señor ministro en el que hablo del espacio vital.

—Lo que sucede es que faltó previsión —respondió Escobedo—. Una repartición como la nuestra necesita duplicar su presupuesto. Veremos si este año se puede hacer algo.

—¡Viva el señor director! —exclamó Aníbal, sin poderse contener.

Después de un momento de vacilación, los empleados respondieron en coro:

—¡Viva!

—¡Viva nuestro ministro!

Los vivas se repitieron.

—¡Viva la Asociación de Empleados y su justa lucha por sus mejoras materiales! —gritó alguien a quien, por suerte, le había tocado tres ruedas de champán. Pero su arenga no encontró eco y las pocas respuestas que se articularon quedaron coaguladas en una mueca en la boca de sus gestores.

—¿Me permiten unas breves palabras? —dijo Aníbal, sorbiendo el concho de su champán—. No se trata de un discurso. Yo he sido siempre un mal orador. Sólo unas palabras emocionadas de un hombre humilde.

En el silencio que se hizo, alguien decía en el fondo de la pieza:

—¿Champán? ¡Esto es un infame espumante!

Aníbal no oyó esto, pero sí el director Escobedo, que se apresuró a intervenir.

—Nos agradaría mucho, Aníbal. Pero esto no es una ceremonia oficial. Estamos reunidos aquí entre amigos sólo para beber una copa de champán en tu honor.

—Sólo dos palabras —insistió Aníbal—. Con el permiso de ustedes, quiero decirles algo que llevo aquí en el corazón; quiero decirles que tengo el orgullo, la honra, mejor dicho, el honor imperecedero, de haber trabajado veinticinco años aquí... Mi querida esposa, en paz descanse, quiero decir la primera, pues mis colegas saben que enviudé y contraje segundas nupcias, mi querida esposa siempre me dijo: Aníbal, lo más seguro es el ministerio. De allí no te muevas. Pase lo que pase. Con terremoto con revolución. No ganarás mucho, pero al fin de mes tendrás tu paga fija, con que, con que...

—Con que hacer un sancochado[121] —dijo alguien.

—Eso —convino Aníbal—, un sancochado. Yo le hice caso y me quedé, para felicidad mía. Mi trabajo lo he hecho siempre con toda voluntad, con todo cariño. Yo he servido a mi patria desde aquí. Yo no he tenido luces para ser un ingeniero, un ministro, un señorón de negocios, pero en mi oficina he tratado de dejar bien el nombre del país.

—¡Bravo! —gritó Calmet.

—Es cierto que en una época estuve mejor. Fue durante el gobierno de nuestro ilustre presidente José Luis Bustamante[122], cuando era jefe del Servicio de Almacenamiento. Pero no me puedo quejar. Perdí mi rango, pero no perdí mi puesto. Además, ¿qué mayor recompensa para mí que contar ahora con la presencia del director don Paúl Escobedo y de nuestro jefe, señor Gómez?

Algunos empleados aplaudieron.

—No es para tanto —intervino el señor Escobedo, y como Aníbal había quedado un momento callado, añadió—: ¡Te agradecemos mucho, Aníbal, tus amables palabras! En mi calidad no sólo de amigo, sino de jefe de un departamento, permíteme felicitarte por tu abnegada labor y agradecerte por el celo con que siempre...

—Perdone, señor director —lo interrumpió Aníbal—. Aún no he terminado. Yo decía, ¿qué mayor orgullo para

---

[121] Americ., cocido hecho con carne, yuca, plátanos y otros ingredientes.
[122] Candidato del Frente Democrático Nacional, triunfó en las elecciones presidenciales de 1945 gracias al apoyo del APRA y de los sectores conservadores. Fue depuesto por el ejército en 1948.

mí que contar con la presencia de tan notorios caballeros? Pero no quiero tampoco dejar pasar la ocasión de recordar en estos momentos de emoción a tan buenos compañeros aquí presentes, como Aquilino Calmet, Juan Rojas y Eusebio Pinilla, y a tantos otros que cambiaron de trabajo o pasaron a mejor vida. A todos ellos va mi humilde, mi amistosa palabra.

—Fíjate, Aníbal —intervino nuevamente Escobedo mirando su reloj—. Me vas a disculpar...

—Ahora termino —prosiguió Aníbal—. A todos ellos va mi humilde, mi amistosa palabra. Por eso es que, emocionado, levanto mi copa y digo: éste ha sido uno de los más bellos días de mi vida. Aníbal Hernández, un hombre honrado, padre de seis hijos, se lo dice con toda sinceridad. Si tuviera que trabajar veinte años más acá, lo haría con gusto. Si volviera a nacer, también. Si Cristo recibiera en el Paraíso a un pobre pecador como yo y le preguntara, ¿qué quieres hacer?, yo le diría: trabajar en el servicio de copias del Ministerio de Educación. ¡Salud, compañeros!

Aníbal levantó su copa entre los aplausos de los concurrentes. Fatalmente, a nadie le quedaba champán y todos se limitaron a hacer un brindis simbólico.

El director Escobedo se acercó para abrazarlo.

—Muy bien, Aníbal; mis felicitaciones otra vez. Pero ahora me disculpas. Como te dije, tengo una serie de cosas que hacer.

Saludando en bloque al resto de los empleados, se retiró de prisa, seguido de cerca por el señor Gómez. El resto fue desfilando ante Aníbal para estrecharle la mano y despedirse. En pocos segundos el sótano quedó vacío.

Aníbal miró su reloj, comprobó que eran las doce y media y se precipitó a su reducto para pasarse por los zapatos una franela que guardaba en su armario. Su mujer le había dicho que no se demorara, pues le iba a preparar un buen almuerzo. Sería conveniente pasar por una bodega para llevar una botella de vino.

Cuando se lanzaba por las escaleras, se detuvo en seco. En lo alto de ellas estaba el señor Gómez, inmóvil, con las manos en los bolsillos.

—Todo está muy bien, Aníbal, pero esto no puede quedar así. Estarás de acuerdo en que la oficina parece un chiquero. ¿Me haces el favor?

Sacando una mano del bolsillo, hizo un gesto circular, como quien pasa un estropajo, y dando media vuelta desapareció.

Aníbal, nuevamente solo, observó con atención su contorno: el suelo estaba lleno de colillas, de pedazos de empanada, de manchas de champán, de palitos de fósforos quemados, de fragmentos de una copa rota. Nada estaba en su sitio. No era solamente un sótano miserable y oscuro, sino —ahora lo notaba— una especie de celda, un lugar de expiación.

—¡Pero mi mujer me espera con el almuerzo! —se quejó en alta voz, mirando a lo alto de las escaleras. El señor Gómez había desaparecido. Quitándose el saco, se levantó las mangas de la camisa, se puso en cuatro pies y con una hoja de periódico comenzó a recoger la basura, gateando por debajo de las mesas, sudando, diciéndose que si no fuera un caballero les pondría a todos la pata de chalina.

(París, 1967)

Terra incognita[123]

El doctor Álvaro Peñaflor interrumpió la lectura del libro de Platón que tenía entre las manos y quedó contemplando por los ventanales de su biblioteca las luces de la ciudad de Lima que se extendían desde La Punta hasta el Morro Solar. Era un anochecer invernal inhabitualmente despejado. Podía distinguir avisos luminosos parpadeando en altos edificios y detrás la línea oscura del mar y el perfil de la isla de San Lorenzo.

Cuando quiso reanudar su lectura notó que estaba distraído, que desde esa galaxia extendida a sus pies una voz lo llamaba. Habituado a los análisis finos escrutó nuevamente por la ventana y se escrutó a sí mismo y terminó por descubrir que la voz no estaba fuera sino dentro de él. Y esa voz le decía: sal, conoce tu ciudad, vive.

Ya días antes esa voz había intentado hacerse presente, pero la había sofocado. Su mujer y sus dos hijas habían partido hacia México y Estados Unidos en una *tour* económica, hacía dos semanas, y desde entonces, por primera vez desde que se casó, se había quedado completamente solo. Solo en

---

[123] De *Silvio en El Rosedal*, en el tercer tomo de *La palabra del mudo* (Lima, 1977). «Reunirlos en volumen ha sido un problema externo a la creación literaria y una convención dictada por el mecanismo de la fabricación del libro», anota Ribeyro en el «Prólogo», comentando el carácter dispar de los cuentos. En todo caso uno de los rasgos más llamativos del nuevo libro era la intensificación de la ironía, por momentos con un aire de farsa y caricatura («Alienación», «Tristes querellas en la vieja quinta»).

esa casa que después de veinte años de ahorros había construido en una colina de Monterrico[124] y en la cual creía haber encontrado el refugio ideal para un hombre desapegado de toda ambición temporal, dedicado sólo a los placeres de la inteligencia.

Pero la soledad tenía muchos rostros. Él había conocido únicamente la soledad literaria, aquella de la que hablaban poetas y filósofos, sobre la cual había dictado cursillos en la universidad y escrito incluso un lindo artículo que mereció la congratulación de su colega, el doctor Carcopino[125]. Pero la soledad real era otra cosa. Ahora la vivía y se daba cuenta cómo crecía el espacio y se dilataba el tiempo cuando uno se hallaba abandonado a su propio transcurrir en un lugar que, aunque no fuese grande, se volvía insondable, porque ninguna voz respondía a la suya ni ningún ser retractaba su existencia. La vieja criada Edelmira estaba, es verdad, pero perdida en las habitaciones interiores, ocupada en misteriosos trajines de los cuales no le llegaban sino los signos, un piso encerado, unas camisas lavadas, un golpe en la puerta anunciando que la cena estaba servida.

El golpe llegó también esta vez, pero el doctor no respondió. Detrás de la puerta Edelmira dejó escuchar una exclamación perpleja, pero cuando el doctor dijo que no se preocupara, que tenía una invitación a comer, se escucharon unos pasos enojados que se alejaban hasta esfumarse en el silencio. Sólo entonces el doctor comprendió que sus palabras se habían anticipado a su decisión y, puesto que ya lo había dicho, no le quedó más remedio que ponerse el saco, buscar las llaves de su automóvil y bajar las escaleras.

Cuando estuvo frente al volante quedó absolutamente absorto. Él tenía un conocimiento libresco pero perfecto de las viejas ciudades helenas, de todos los laberintos de la mitología, de las fortalezas donde perecieron tantos héroes y fueron heridos tantos dioses, pero de su ciudad natal no sabía casi nada, aparte de los caminos que siempre había seguido para ir

---

[124] Barrio residencial, en las afueras de Lima: la periferia lujosa.
[125] La sátira ribeyriana escoge a menudo los nombres de los personajes para manifestarse.

a la universidad, a la biblioteca nacional, a la casa del doctor Carcopino, donde su madre. Por eso, al poner el carro en marcha, se dio cuenta que sus manos temblaban, que este viaje era realmente una exploración de lo desconocido, la *terra incognita*.

Vagó y divagó por urbanizaciones recientes, florecientes, cuyo lenguaje trató en vano de descifrar y que no le dijo nada. Al fin una pista lo arrancó de ese archipiélago de un confort monótono y más bien tenebroso y lo condujo hacia Miraflores, adonde iba muy rara vez, pero del cual conservaba algunos recuerdos juveniles: el parque, un restaurante con terraza, un vino pasable, muchachas que entonces le parecieron de una belleza inmortal.

No le fue difícil ubicar el local, pero notó que había sufrido una degradación: la terraza había sido suprimida. Se instaló entonces en el interior ruidoso, donde grupos familiares comían pizzas y spaghetti. Pidió una ternera a la milanesa y se decidió a beber un vino chileno. Pero le bastó un somero examen de su contorno para darse cuenta que de allí no cabía esperar nada. Las bellas deidades de su adolescencia habían desaparecido, frecuentaban seguramente otros lugares o eran ahora esas matronas saciadas que tronaban en una mesa blandiendo como signo de realeza un tenedor.

A pesar de ello terminó su vino y al hacerlo el local se volvió más risueño. Distinguió incluso una mujer que estaba sola, bella por añadidura, y que observaba indecisa un helado piramidal, con crema, cerezas y chocolate, al que al parecer no sabía por dónde atacar. Eliminando a todo el resto sólo concentró su atención en ella. Tenía un ensortijado cabello de Medusa[126] y perfil que calificó de alejandrino. Se entretuvo en inventarle varios destinos —psicóloga, poetisa, actriz de teatro— hasta que sus miradas se cruzaron. Ello ocurrió varias veces y el doctor comenzó a encontrar la noche diabólicamente seductora. Pidió media botella más de vino, encendió un cigarrillo, examinó durante un momento la decoración del lugar y cuando volvió la mirada donde la solitaria

---

[126] Una de las tres Gorgonas, de temible cabeza cubierta de serpientes.

notó con sorpresa que había devorado su helado en un santiamén y que llamando al mozo pagaba la cuenta y se retiraba. A partir de ese momento el local se ensombreció. El doctor penó para encontrar sabroso su vino, se escrutó con ansiedad llamando a la voz que antes lo llamaba, sin escuchar nada ni dentro ni fuera de sí. Esa salida había sido un fiasco total. No quedaba otra cosa que retornar a la lectura de Platón.

Pero cuando estuvo en la calle el aire fresco lo reanimó, escuchó el ruido del mar y en lugar de enrumbar[127] a su casa recorrió en su automóvil la avenida principal observando sus calzadas, por donde derivaban retardados paseantes, cafés nuevos que iban cerrando, árboles que se mecían en la noche límpida, hasta que llegó al parquecito Salazar. Para asombro suyo grupos de muchachas y muchachos circulaban aún por sus veredas o platicaban en torno a una banca. No eran muchos, pero estaban allí y era reconfortante verlos, pues simbolizaban algo, eran como los milicianos de la noche resistiéndose a abandonar una ciudad que iba siendo anegada por el sueño.

Estacionando su automóvil quedó observándolos. Los grupos que circulaban en sentido contrario se detenían al cruzarse, quedaban un momento conversando y recomenzaban su marcha, intercambiando algunos de sus componentes. Los que estaban en torno a la banca cedían algunos de los suyos a los ambulantes y recibían otros en canje. Era un ir y venir aparentemente caótico, pero que obedecía a reglas inmemoriales, que se cumplían rigurosamente. Así, en pequeños espacios como ése, donde la gente se encontraba, se conocía, dialogaba, se afrontaba, debían haber surgido las premisas de la ciudad ateniense.

Y una figura entre todas lo intrigó. Era una muchacha en pantalones, de pelo muy largo, que parecía encarnar en un debate una posición extrema, pues era acosada por todos y se defendía haciendo graciosas fintas con el cuerpo o repartiendo gestos que mantenían a sus adversarios a distancia. Pero de pronto algo ocurrió, pues los que estaban junto a la banca

---

[127] Americ., encaminarse, dirigirse.

214

quedaron callados y los que paseaban los imitaron y todos estaban inmóviles y miraban hacia él, el único auto detenido a esas horas en el lugar. De lejos daban la impresión de que parlamentaban en voz baja y un emisario partió en reconocimiento, la muchacha del pelo largo. Conforme se iba acercando el doctor registraba sus rasgos, sus formas y cuando estuvo cerca del auto comprobó que se trataba de un muchacho. El adolescente pasó cerca de la portezuela mirándolo con descaro y regresó donde sus amigos corriendo. Algo les dijo porque éstos rieron. Algunos lo señalaron con el dedo, otro hizo un ademán equívoco con el brazo. Escuchó claramente la palabra *viejo y* otras que entendió a medias pero que lo dejaron confuso. El ágora antigua estallaba, se ensuciaba. Encendiendo el contacto puso el carro en marcha y se alejó avergonzado.

Conducía distraído, extraviado, por calles arboladas y lóbregas, donde ya no se veía a nadie y sin ver tampoco a nadie, pues en espíritu estaba en su biblioteca, siete mil volúmenes lo rodeaban, del brazo de Jenofonte o de Tucídides recorría reinados, guerras, coronaciones y desastres. Y odiaba haber cedido a esa tentación banal, esa excursión por los extramuros de la serenidad, olvidando que hacía años había elegido una forma de vivir, la lectura de viejos manuales, la traducción paciente de textos homéricos y el propósito ilusorio pero tenaz de proponer una imagen antigua, probablemente escéptica, pero armoniosa y soportable de la vida terrenal.

El claxon de una camioneta que estuvo a punto de embestirle lo sacó de sus meditaciones. Acababa de atravesar un puente sobre la Vía Expresa, el vino astringente le había dejado la garganta seca, ese barrio aún animado debía ser Surquillo, distinguió la enseña luminosa del bar El Triunfo, decían que era un antro de trancas y de grescas, no podía ser el ruido del mar lo que llegaba a sus oídos sino el canto de las sirenas, sus libros estaban tan lejos y la sed lo abrasaba, su auto estaba ya detenido frente al establecimiento y con paso resuelto caminaba hacia la puerta batiente.

En lugar de sirenas, hombres hirsutos y ceñudos bebían cerveza en los apartados pegados al muro o en las mesitas del espacio central. Ocupando una de éstas pidió también una cerveza y se deleitó con el primer sorbo de una amarga frescura y lo repitió llenándose la boca de espuma. Las noches podían ser eternas si uno sabía usar de ellas. Se entretuvo mirando las repisas cimbradas por el peso de la botellería, pero cuando quiso realmente implantar un sentido, un orden a lo que lo rodeaba, se dio cuenta que nada comprendía, que no había entrado a ningún lugar ni nada había entrado en él. Era el sediento perdido en el desierto, el náufrago aterrado buscando entre las brumas la costa de la isla de Circe[128]. Figuras cetrinas en saco blanco patinaban sobre las baldosas con platos en la mano, una sirena gorda surgió en un apartado acosada por una legión de perfiles caprenses, por algún sitio alguien secaba vasos con un trapo sucio, algo así como un chino hacía anotaciones en una libreta, alguien rió a su lado y al mirarlo vio que desde millones de años atrás afluían a su rostro los rasgos del tiranosaurio, se llevó un vaso más a la boca buscando en la espuma la respuesta y ahora la sirena era la Venus Hotentote[129] lacerada por los tábanos, sátiros hilares se dirigían con la mano en la bragueta hacia una puerta oscura y todo estaba lleno de moscas, miasmas y mugidos. Al levantar la mano tenía delante una grasienta corbata de mariposa. Dejó unos billetes y salió mirando escrupulosamente sus zapatos, avanzaba primero un pie y después el otro, sobre un dibujo de una incomprensible geometría, entre colillas de cigarros y cápsulas de botellas.

Anduvo tambaleándose por la acera, su auto debía estar en algún lugar, avanzó una centena de metros, llegó a una esquina, otro bar abría su enorme portón, mesitas de mármol acogían a una población chillona que hacía desaforados gestos con los brazos. No tuvo ánimo de entrar allí y prosiguió su camino, seguía buscando, pero no era la buena senda, desapareció el asfalto, los faroles se hicieron raros, perros veloces cruzaron la pista, escuchó correr el agua de una acequia, olía a matorral, un animal alado le rozó el cabello. Estaba en el reino de las sombras. Allí debían reposar los dioses vencidos, los héroes occisos de la *Ilíada*.

---

[128] Maga que convirtió a los hombres de Ulises en cerdos y que habitaba en la isla de Ea, quizá Circeo, al sur de Roma.

[129] Hilarante conjunción de culturas clásica y africana para la descripción de la gorda sirena.

Un estrecho zaguán lo absorbió y se encontró con los codos apoyados en un mostrador de madera. A lo lejos se escuchaba croar a las ranas. Detrás de esos muros de adobe debía estar el descampado. Le había parecido leer a la entrada un letrero pintado a la brocha gorda que rezaba El Botellón. Por eso pidió el botellón y el botellón ya estaba allí, echando espuma por el pico y no pudo evitar el cogerlo entre sus manos, eso era lo que quería, la regla había sido transgredida, lo levantó con un gesto de adoración y bebió del gollete como hacían los otros, mientras escuchaba al hombre que hablaba a su lado o recitaba o cantaba, no lo sabía, era un rostro tiznado, gruesos labios emitían un discurso cadencioso, estimado caballero, un humilde servidor de usted, aprovechando de las circunstancias, hijo de un cortador de caña, nunca es tarde para aprender, decirle con toda modestia...

¿Qué decía? Haciendo un esfuerzo fijó su atención y descubrió al gigante, al invencible guerrero que se reposaba de sus lides y se esparcía narrando sus hazañas. Su ruda mano estaba apoyada en el mostrador y mostraba los estigmas del combate. Pero viéndolo bien, no era un guerrero, era el héroe civil confesando su culpa antes de ir al suplicio. Pero ni siquiera era eso, apenas un negro corpulento, medio borracho, que le hacía salud con su botella y le pedía un cigarrillo.

El doctor se lo ofreció y como premio inmediato recibió una palmada en la espalda. Pero luego un botellón espumante y ya estaba escuchándolo, once hermanos, al camión le faltaba una llanta, don Belisario era un hijo de puta, con perdón de usted, y toda esta historia tan llena de galardones, refranes y paréntesis lo fascinaba como la lectura de un texto hermético y a su vez ofreció un botellón, mientras se animaba a intercalar un comentario que hizo reflexionar a su interlocutor y lo forzó a nuevos comentarios y de pronto era él quien hablaba, por algún extraño camino había llegado a la poesía, los ojos del gigante estaban muy abiertos, de sus labios hinchados salió una copla en respuesta a una cita de Anacreonte[130], pero todo era muy frágil, el hilo tendido estaba a punto de

---

[130] Lírico griego cuyos cantos exaltan el vino, los goces de la mesa y, sobre todo, el amor.

romperse, detrás del mostrador alguien gritaba que todo el mundo debía irse, justo cuando el negro reía y le ponía la mano en el hombro, ya son las tres de la mañana, no tenemos licencia, sonaron golpes en el mostrador y todos estaban de pie, el portón se cerraba, iban saliendo en grupos a la calle oscura, parejas abrazadas tomaban senderos secretos hacia las copas del alba y el negro le preguntaba, ilustre caballero, dónde vamos a tomarnos, querido amigo, el último botellón y él respondió en mi casa.

Algo había sucedido. El negro se le recostó bruscamente al dar una curva, perdió el timón y se estrellaron contra una cerca de barro: una abolladura en el guardafango. Pero eso era ya historia antigua, tan lejana como la batalla de las Termópilas[131]. Ya habían entrado a la biblioteca, el negro estuvo a punto de caer de espaldas cuando vio tantos libros, preguntó si los había leído todos y terminó por hundirse en el sillón de cuero, el mismo en el cual el doctor Carcopino, desde hacía tantísimos años, acostumbraba a repantigarse para comunicarle sus últimas lecturas de historia romana. Pero eso no era lo importante, ni el accidente ni el desconocido en lugar de Carcopino, era otra cosa, el hilo se había roto o se había enredado, el doctor estaba sentado frente al coloso y veía sus ojos enormes que lo miraban y sus gruesas manos inmóviles en las acodaderas del sillón, sin decir nada ni pedir nada, como si estuviera fuera del tiempo, espiándole, a la espera. Entonces, claro, recordó, habían venido a tomar un trago y ya se preguntaba de dónde sacaría algo con qué hacer un brindis, si en esa casa jamás había nada que beber y por ello se excusó y fue a husmear por el comedor, por la cocina, pero sigilosamente, no fuera que Edelmira se despertara, las viejas tenían sueño ligero y sus manos temblaban en la oscuridad, palpando tazas, ensaladeras, hasta que se animó a encender la luz y descubrió un depósito de olvidadas botellas, un pisco, un whisky, un oporto y llevó todo a la biblioteca en un azafa-

---

[131] Famoso combate entre griegos y persas en el 480 a.C.

te con un poco de hielo. Los ojos del negro emitieron un destello y sus labios sonrieron, pero no dijo nada y él tuvo que preguntarle qué quería, un pisco naturalmente, en otra copa sirvió un whisky y al hacer el primer brindis todo pareció dar marcha atrás y era como si estuvieran nuevamente en El Botellón, el gigante hablaba de sus once hermanos, del hijo de puta de don Belisario, con el perdón de usted, y el doctor sentía la tentación de asesinar a ese patrón tiránico y al mismo tiempo de romper con los dientes la dura caña dulce y caminar descalzo por las playas del sur.

Al hacer el segundo brindis tomó el relevo y empezó una exposición sobre la agricultura en la época de Pericles, las palabras le fluían como de una urna de oro, brotaban espontáneamente todas las flores de su erudición, sin hiato pasó del agro a la escultura, regalándose con su propia elocuencia, agobiado casi por el esplendor de una inteligencia que refulgía a esa hora ante un interlocutor que no daba otro signo de vida que su boca cada vez más abierta y que por último, como transpiraba, se desabrochó algunos botones de su camisa dejando ver un tórax convexo de una soberbia musculatura. Entonces el doctor se dio cuenta que no se había equivocado, que en El Botellón había visto justo, ese hombre era el héroe arcaico, la imagen de Aristogitón[132] y se lo dijo, pero como el negro no interpretó el mensaje y se limitó a servirse otra copa, se puso de pie para inspeccionar los libros de su biblioteca, todo podía olvidar menos dónde estaba precisamente ese libro y abriendo sus páginas le mostró la figura de un esplendoroso desnudo con el brazo erguido en un gesto triunfal.

El negro la observó largo rato, sin dar mayores muestras de interés y terminó por decir calato[133], la tiene muerta y por echarse a reír, mientras se abría un botón más de la camisa descubriendo un escapulario del Señor de los Milagros[134]. El doctor ya estaba contando la historia de ese ciudadano ate-

---

[132] Tiranicida ateniense, adepto al amor griego. Se dice que mató al hijo de Pisístrato porque éste amaba al mismo adolescente.

[133] Peruan., desnudo.

[134] Imagen muy popular en Lima cuya tradición arranca del siglo XVIII, por haber quedado ilesa después del terremoto de 1746. Tallada al parecer por un artesano negro.

niense que asesinó a un déspota en compañía de un amigo y fue por ello torturado a muerte, pero se interrumpió al ver el escapulario. Cerró entonces su libro y quedó vacilando, pero ahora era el negro el que decía ilustrísimo profesor, la fe venía de herencia, querido doctor, había cargado tres veces el anda[135], escuche amigo, una cosa es la religión y otra la vida, oiga usted, eso no impide olvidarse de las necesidades del cuerpo y ya estaba sirviéndose otra copa, mientras señalaba el libro que el doctor tenía cerrado contra su pecho y repetía lo del hombre calato que la tiene muerta y redoblaba su risa pataleando contra el piso alfombrado. El doctor estuvo a punto de imitarlo, pero se contuvo, iba hacia los estantes a guardar su libro, el abismo que crea la diferencia de cultura, escribir un ensayo sobre la forma de hacer accesible el arte al pueblo, colocó el libro en su lugar, mostrarle otras imágenes, pero cuando volvió la cabeza notó que el negro sostenía su copa vacía en la mano y se había quedado dormido en el sillón, completamente descamisado y cubierto de sudor. Entonces dirigió la mirada hacia los ventanales y vio las luces de Lima, que seguían clamando angustiosamente en la noche impávida.

Quitándose el saco se sentó en el sillón y como no sabía qué hacer se sirvió un whisky. En su escritorio distinguió un alto de papeles, un curso en preparación sobre Aristófanes, pero los olvidó y volvió su mirada hacia el gigante dormido, un Aristogitón ilusorio que iba recobrando el ropaje del camionero ebrio. Imaginó un instante que entraba el doctor Carcopino con un legajo bajo el brazo, pero rechazó indignado esta imagen y otra vez observó los ventanales, avisos luminosos se apagaban, algo indicaba el amanecer inminente. Edelmira era madrugadora y lo primero que hacía al levantarse era recoger de la biblioteca el cenicero sucio y la taza de café. Acercándose al sillón rozó con la mano la mejilla del coloso pero no logró sino arrancarle un ronquido. Con ambas manos lo abofeteó, cada vez más fuerte, la cabeza se bambo-

---

[135] Chile y Perú: tablero para conducir efigies, personas o cosas. Se refiere a la procesión del Señor de los Milagros, en octubre.

leaba de un lado para otro, no llegaba ninguna respuesta, apenas la copa cayó de su mano. Yendo al baño regresó con una toalla mojada, le frotó la frente, la cara, los hombros, pero nada salía de ese pesado monolito. Por último lo cogió de las muñecas y trató de levantarlo, era un combate desigual, lograba un instante atraerlo hacia sí pero cedía ante su peso, consiguió separarlo del espaldar y ponerlo casi de pie para luego caer encima de él, lo tenía abrazado, olía su sudor, sentía en la cara la piel de su pecho, la barbilla mal afeitada le raspaba la frente, buscó su garganta y apretó, ojos enormes se abrieron, ojos asustados, carajo, lo empujaba hacia atrás, qué pasa, estuvo a punto de hacerlo caer, pero algo debió recordar pues ahora se excusaba, distinguido caballero, cualquiera se queda dormido, ilustre doctor, y miraba parpadeando su pecho desnudo, su camisa en el suelo y luego al doctor, que a su vez pedía perdón, no había sido nada, voy a llamar un taxi y el negro se miraba otra vez el torso, el pantalón y se dejaba caer en el sillón indagando por su copa, necesito otra oiga usted, pero no era posible, allí estaba la ducha, un chorro de agua fría le haría bien y al fin Aristogitón estaba de pie, más fornido que nunca, preguntando por qué tenía que irse de allí y si no había una cama donde tirarse.

Y el ruido del agua llegaba desde la ducha, mientras iba amaneciendo. El doctor estaba en su sillón, fumando, mirando agobiado los siete mil libros que lo circundaban. El taxi debía estar en camino. Tal vez en el cuarto de huéspedes, si hubiera pensado antes, abandonar a alguien así. Una voz tronó en el baño y de un salto se puso de pie, Edelmira y su leve sueño, el doctor Carcopino, estaba pidiendo una toalla y se atrevía a reír bromeando a propósito de los caños tan gordos y encorvados y tuvo que entrar con un paño enorme y ver la recia forma oscura contra la mayólica blanca, mientras el coloso aún medio perdido entre El Botellón, el agro, la ducha, el escapulario, seguía diciendo que la religión no tenía nada que ver con las necesidades de la vida y que después de todo no había ningún problema, siempre que hubiera una cama blanda donde tirarse y algo que le permitiese cambiar la llanta del camión

El doctor había enmudecido. La idea del cuarto de huéspedes la abandonó, había escuchado en los bajos el claxon de un automóvil, no sabía aún qué ritmo era el del coloso, el chofer del taxi podía tocar el timbre, cada cual se vestía a una velocidad, pero el negro era de los rápidos y ya estaba en la biblioteca abotonándose la camisa, siempre sonriente, una copa le vendría bien, luego un café caliente. Ya el cielo estaba celeste, podía llevarse la botella pero no habría café, debía comprender, sus obligaciones, y lo estaba empujando hacia las escaleras, mientras el negro no ofrecía mucha resistencia, esas cosas ocurrían, ilustrísimo doctor, ha sido un placer, pero alguien tiene que pagar el taxi, ya sabe usted a sus órdenes, todas las noches en El Botellón, y el billete pasó de una mano a otra y al fin la puerta estaba cerrada con doble llave y el doctor pudo subir jadeando hasta la biblioteca.

Miró por los ventanales. El taxi se alejaba en la ciudad ya extinguida. En su escritorio seguían amontonados sus papeles, en los estantes todos sus libros, en el extranjero su familia, en su interior su propia efigie. Pero ya no era la misma[136].

(París, 1975)

---

[136] Uno de los más logrados cuentos de Ribeyro, por el finísimo manejo de la ambigüedad. La pulsión homosexual del doctor *Peñaflor* es sugerida antes que desarrollada, concordando, por lo demás, con el tratamiento, siempre indirecto y discreto, de lo erótico en su obra.

El relato recoge la idea de una proyectada novela policial. Su línea argumental, que Ribeyro explica en un pasaje de su *Diario*, arroja alguna luz sobre el sentimiento de culpa del doctor y el destino oscuro de los personajes «de color» en la narrativa: el negro se lleva uno de los libros y el doctor se ve obligado a matarlo, por temor a un chantaje.

Tristes querellas
en la vieja quinta[137]

Cuando Memo García se mudó la quinta era nueva, sus muros estaban impecablemente pintados de rosa, las enredaderas eran apenas pequeñas matas que buscaban ávidamente el espacio y las palmeras de la entrada sobrepasaban con las justas la talla de un hombre corpulento. Años más tarde el césped se amarilló, las palmeras, al crecer, dominaron la avenida con su penacho de hojas polvorientas y manadas de gatos salvajes hicieron su madriguera entre la madreselva, las campanillas y la lluvia de oro. Memo, entonces había ya perdido su abundante cabello oscuro, parte de sus dientes, su andar se hizo más lento y moroso, sus hábitos de solterón más reiterativos y prácticamente rituales. Las paredes del edificio se descascararon y las rejas de madera de las casas exteriores se pudrieron y despintaron. La quinta envejeció junto con Memo, presenció nacimientos, bodas y entierros y entró en una época de decadencia que, por ello mismo, la había impregnado de cierta majestad.

Todo el balneario había además cambiado[138]. De lugar de reposo y baños de mar, se había convertido en una ciudad

---

[137] Publicado en *Silvio en el Rosedal* (Lima, 1977), volumen donde, al lado de relatos cortos y dialogados, encontramos «cuentos de procesos», que ya no son la descripción de un fragmento de la vida de un personaje sino de un lapso mucho más largo. Por lo demás en ellos el diálogo ha desaparecido casi del todo, en favor de la palabra del narrador.

[138] El mismo lamento expresado por Ramón, en «Dirección equivocada» y por tantos otros personajes de Ribeyro. Para la interpretación de este sentimiento pasadista, véase el análisis introductorio.

moderna, cruzada por anchas avenidas de asfalto. Las viejas mansiones republicanas de las avenidas Pardo, Benavides, Grau, Ricardo Palma, Leuro y de los malecones, habían sido implacablemente demolidas para construir en los solares edificios de departamentos de diez y quince pisos, con balcones de vidrio y garajes subterráneos. Memo recordaba con nostalgia sus paseos de antaño por calles arboladas de casas bajas, calles perfumadas, tranquilas y silenciosas, por donde rara vez cruzaba un automóvil y donde los niños podían jugar todavía al fútbol. El balneario no era ya otra cosa que una prolongación de Lima, con todo su tráfico, su bullicio y su aparato comercial y burocrático. Quienes amaban el sosiego y las flores se mudaron a otros distritos y abandonaron Miraflores a una nueva clase media laboriosa y sin gusto, prolífica y ostentosa, que ignoraba los hábitos antiguos de cortesanía y de paz y que fundó una urbe vocinglera y sin alma, de la cual se sentían ridículamente orgullosos.

Memo ocupó desde el comienzo y para siempre un departamento al fondo de la quinta, en el pabellón transversal de dos pisos, donde se alojaba la gente más modesta. Ocupaba en la planta alta una pieza con cocina y baño, extremadamente apacible, pues limitaba por un lado con el jardín de una mansión vecina y por el otro con un departamento similar al suyo, pero utilizado como depósito por un inquilino invisible. De este modo llevaba allí, especialmente desde que se jubiló, una vida que se podría calificar de paradisíaca. Sin parientes y sin amigos, ocupaba sus largos días en menudas tareas como coleccionar estampillas[139], escuchar óperas en una vieja vitrola[140], leer libros de viajes, evocar escenas de su infancia, lavar su ropa blanca, dormir la siesta y hacer largos paseos, no por la parte nueva de la ciudad, que lo aterraba, sino por calles como Alcanfores, La Paz, que aún conservaban si no la vieja prestancia señorial algo de placidez provinciana.

Su vida, en una palabra, estaba definitivamente trazada. No esperaba de ella ninguna sorpresa. Sabía que dentro de

---

[139] Americ., sello de correos.
[140] Americ., vitrola, tocadiscos.

diez o veinte años tendría que morirse y solo además, como había vivido solo desde que desapareció su madre. Y gozaba de esos años póstumos con la conciencia tranquila: había ganado honestamente su vida —sellando documentos durante un cuarto de siglo en el Ministerio de Hacienda—, había evitado todos los problemas relativos al amor, el matrimonio, la paternidad, no conocía el odio ni la envidia ni la ambición ni la indigencia y, como a menudo pensaba, su verdadera sabiduría había consistido en haber conducido su existencia por los senderos de la modestia, la moderación y la mediocridad.

Pero, como es sabido, nada en esta vida está ganado ni adquirido. En el recodo más dulce e inocente de nuestro camino puede haber un áspid escondido. Y para Memo García los proyectos edénicos que se había forjado para su vejez se vieron alterados por la aparición de doña Francisca Morales.

Primero fue el ruido de un caño abierto, luego un canturreo, después un abrir y cerrar de cajones lo que le revelaron que había alguien en la pieza vecina, esa pieza desocupada cuyo silencio era uno de los fundamentos de su tranquilidad. Ese día había estado ausente durante muchas horas y bien podía entretanto haberse producido, sin que él lo presenciara, alguna mudanza en la quinta. Para comprobarlo salió al balcón que corría delante de los departamentos, justo en el momento en que una señora gorda, casi enana, de cutis oscuro, asomaba con un pañuelo amarrado en la cabeza y una jaula vacía en la mano. Le bastó verla para dar media vuelta y entrar nuevamente a su casa tirando la puerta, al mismo tiempo que ella lo imitaba. Apenas habían tenido tiempo para mirarse a los ojos, pero les había bastado ese fragmento de segundo para reconocerse, identificarse y odiarse.

Memo permaneció un momento indeciso, poseído por un sentimiento nuevo, acompañado de vagos y puramente teóricos deseos homicidas, pero luego resolvió que el único partido a tomar era espiar a su vecina. Por intuición sabía que la única manera de derrotar a un enemigo —y esa señora gorda lo era— consistía en conocer escrupulosamente su vida, dominar por el intelecto sus secretos más recónditos y descubrir sus aspectos más vulnerables.

Al cabo de una semana de observación descubrió que se levantaba a las seis de la mañana para ir a misa, que había puesto una tarjeta en la puerta donde se leía *Francisca Viuda de Morales,* que hacía sus compras en la pulpería de la esquina, que no recibía visitas, que algunas tardes iba a curiosear tiendas al Parque, que usaba un sombrero de anchas alas y un traje negro muy largo para ir probablemente al cementerio y que el resto del día dormía, cosía, leía y canturreaba en su cuarto o en el balcón sentada en una vieja mecedora.

Mal que bien comenzó a sospechar que se trataba de una vecina soportable, que alteraba apenas sus hábitos y dotaba más bien a su soledad de un decorado sonoro hecho de los muros más inocuos, hasta la vez que se le ocurrió, como sucedía cada diez o quince días, escuchar una de sus óperas en su vitrola de cuerda. Apenas Caruso había atacado su aria preferida sintió en la pared un ruido seco. ¿Algún descuido de su vecina? Pero al poco rato el ruido se repitió y cuando Memo volvió a poner el disco los golpes se hicieron insistentes. «¿Va a quitar esa música de porquería?» Memo quedó helado. Nadie en la vida lo había interpelado de esa manera. No sólo era un insulto pérfido contra su persona sino una ofensa a su cantor favorito. Sin hacer caso continuó escuchando a Caruso. Pero la voz de contralto de su vecina se impuso: «Pedazo de malcriado, ¿no se da cuenta que me molesta con esos chillidos?» Memo quedó un momento callado y al fin apretando los puños y los dientes gritó: «¡Aguántelos!» A mala hora. Ya no fueron golpes esporádicos los que removieron la pared, sino un martilleo insoportable, hecho seguramente con el metal de una cacerola. Memo estuvo a punto de ceder, pero adivinando que una primera concesión lo llevaría al sometimiento absoluto, aumentó el volumen de su vitrola y prosiguió escuchando impasible su ópera. La vieja continuó golpeando y refunfuñando y al fin cansada se fue de su casa tirando la puerta.

Este primer incidente alarmó un poco a Memo, pero al mismo tiempo halagó su vanidad, no se había dejado impresionar por esas bravatas y al final había salido con su gusto. Una vecina vieja y gorda no iba a mudar su rutina ni a menguar su tranquilidad. En los días siguientes continuó escuchando óperas, sin que la vecina pudiera impedírselo. Después de algunas protestas como «¡Ya empieza usted con su fregadera!¹⁴¹. ¡Me quiere volver loca!», optaba por irse de paseo hasta el atardecer. Memo tuvo la impresión de que el enemigo cedía terreno y que esa primera batalla estaba prácticamente ganada.

Una tarde vio llegar a doña Pancha con una enorme caja de cartón, que lo intrigó. Estuvo tentado primero de salir al corredor y espiarla por la ventana, pero finalmente optó por pegar el oído a la pared. La escuchó canturrear y deambular por la pieza desplazando muebles. Al poco rato una voz de hombre llenó la habitación vecina. Era alguien que hablaba de las ventajas del fijador de cabello Glostora. Memo se desplomó en su sillón: ¡un aparato de radio! El locutor anunciaba ahora el programa «Una hora en el trópico». Y la hora en el trópico empezó con la voz aflautada de un cantante de boleros. Memo escuchó dos o tres canciones sin atinar a moverse, pero cuando se inició la siguiente avanzó hacia la vitrola y colocó su Caruso. Su vecina aumentó el volumen y Memo la imitó. Aún no se habían dado cuenta, pero había empezado la guerra de las ondas.

Ésta duró interminables días. Doña Pancha había descubierto un arma más poderosa que la música bailable: el radioteatro. Su habitación se llenó de exclamaciones, llantos, quejidos, mallas de una historia que se prolongaba de tarde en tarde y en la cual, mal que bien, Memo había terminado por reconocer algunos personajes siempre arruinados o atacados por enfermedades incurables, pero incapaces de morir. Como le pareció indecente enfrentar a Verdi con tales adefesios, hizo una inspección por una disquería y llegó cargado de viejas marchas militares. Desde entonces cada vez que doña Pancha prendía su aparato para sintonizar un episodio de su novela, Memo hacía sonar los clarines de la marcha de Uchumayo¹⁴² o los redobles de tambor de la carga de Junín¹⁴³. Fue una lu-

---

¹⁴¹ Americ., de *fregar*, fastidiar.
¹⁴² Municipio del Perú, en el Departamento de Arequipa, donde tuvo lugar una batalla especialmente cruenta en 1839.
¹⁴³ Alusión al célebre combate librado por Bolívar contra los españoles en las márgenes de la laguna de Junín. Es fama que en este combate no se disparó un solo tiro.

cha grandiosa. Doña Pancha hacía esfuerzos inútiles por evitar que bombos y cornetas contaminaran el monólogo dramático de la hija abandonada o los lamentos del viejo padre ofendido en su honra. La equiparidad de fuerzas hizo que esta guerra fuera insostenible. Ambos terminaron por concluir un armisticio tácito. Memo fue paulatinamente acortando sus emisiones y bajando su volumen, lo mismo que doña Pancha. Al fin optaron por escuchar sus aparatos discretamente o por encenderlos cuando el vecino había salido. En definitiva, había sido un empate.

Este conflicto fue seguido por un largo período de calma, en el cual cada contrincante, después de tanto esfuerzo desplegado, pareció entregarse con delicia a los placeres de la paz recobrada. Como cada cual conocía los hábitos del otro, procuraban no encontrarse jamás en las escaleras ni en la galería. Esto los obligaba sin embargo a vivir continuamente pendientes el uno del otro. Y fue así como Memo notó que su vecina había iniciado un vasto plan de embellecimiento de su habitáculo. El interior debía haberlo remozado, pues la vio pasar con latas de pintura. Pero luego —y esto era imposible no verlo— amplió sus proyectos decorativos hacia la galería. Su vieja mecedora la forró con una cretona floreada y en la baranda que corría frente a su departamento colocó una docena de macetas vacías. Éstas fueron progresivamente llenándose de plantas. Detrás de su visillo, Memo vio surgir con asombro claveles, rosas, siemprevivas, dalias y geranios. Doña Pancha no cumplía esta labor en silencio, sino repitiendo entre dientes que algunas personas no sabían lo que era «vivir decentemente», que tenían su casa como unos «verdaderos chanchos» y que cuando vivía su marido había estado acostumbrada siempre a tener un jardín.

Memo escuchaba estas palabras sin inmutarse, pero terminó por darse cuenta que eran el inicio de hostilidades muchísimo más sutiles. Doña Pancha quería imponerse a él, ya que no por la fuerza, al menos por el gusto y la ostentación. Memo no tenía ninguna pasión por las flores, de modo que renunció a emular a su vecina en este sentido, pero recordó haber visto en sus libros de viajes fotografías de arbustos exóticos. En una florería[144] del parque descubrió un helecho sembrado en su caja de madera y haciendo un dispendio lo adquirió. Como era imposible ponerlo sobre la baranda, no tuvo más remedio que colocarlo en la galería, al lado de su puerta. Durante horas esperó que doña Pancha llegara de la calle. Al fin la vio subir pufando las escaleras y detenerse asombrada ante el arbusto que inesperadamente adornaba el balcón. Largo rato estuvo examinando la planta con una expresión de asco y al fin soltando la carcajada se retiró a su cuarto.

Memo, que esperaba verla palidecer de envidia, se sintió decepcionado. Haciendo una nueva pesquisa por las florerías compró esta vez un pequeño ciprés que instaló también en la galería, al otro lado de la puerta, lo que tampoco pareció impresionar a doña Pancha. Finalmente completó su colección con un cactus serrano que instaló en su macetón contra la balaustrada. Fue sólo esta planta la que provocó en doña Pancha un fruncimiento de nariz, una mueca de estupor y un ademán de abatimiento, que Memo interpretó como la más inconfesable envidia. Y para redondear su ofensiva, cada vez que regaba su huerta portátil no dejaba de decir en voz alta: «Geranios, florecitas de pacotilla. Dalias que apestan a caca. Hay que ser huachafo[145], tener el gusto estragado. La distinción está en los arbustos de otros climas, en la gran vegetación que nos da la idea de estar en la campiña. Las plantas en maceta, para los peluqueros.»

La rivalidad de las plantas se hubiera limitado a una simple escaramuza sin mayor consecuencia, si es que para llegar a su departamento doña Pancha no tuviera que pasar frente al de Memo. Y sus plantas iban creciendo. El ciprés había engrosado y tendía a dirigir sus ramas hacía el centro del pasaje, mientras el cactus serrano prolongó sus brazos en la misma dirección. De este modo, lo que antes era un corredor amplio y despejado se había convertido en una pequeña selva que era necesario atravesar con precauciones.

---

[144] Americ., floristería.
[145] Peruan., cursi, *kitsch*. El que a la pobreza añade el mal gusto.

Una mañana que doña Pancha salió apurada a misa se enganchó el vestido con una espina. Memo fue despertado por sus gritos: «¡Esto no puede seguir así! ¡El viejo me quiere asfixiar con sus árboles! Quiere cerrarme el paso de mi casa. Ha llenado esto de cosas inmundas.» Y al notar que el vuelo de su traje tenía una rasgadura voló de un carterazo una rama del cactus.

Memo esperó pacientemente que bajara las escaleras. Cuando la vio desaparecer salió a la galería, inspeccionó detenidamente las macetas y eligiendo los claveles dio un golpe con la mano y el tiesto cayó al jardín de los bajos.

Al día siguiente Memo notó que a su cactus le faltaba otro de sus brazos y esa misma noche, esperando que doña Pancha se durmiera, echó a los bajos su maceta con dalias. Las represalias no se hicieron esperar: Memo comprobó que a su ciprés le habían cortado la guía, condenándolo en adelante a ser un ciprés enano. Presa de furor envió esa noche al jardín las dos macetas de siemprevivas. A la mañana siguiente —doña Pancha debía haber madrugado— su helecho estaba partido por la mitad. Memo vaciló entonces si valía la pena proseguir esa guerra secreta de golpes de mano nocturnos y silenciosos: ella los conducía a la destrucción recíproca. Pero jugándose el todo por el todo esperó como de costumbre que llegara la medianoche y salió a la galería dispuesto a destruir esta vez la más preciada joya de su vecina: su maceta con rosas. Cuando se acercaba a la balaustrada la puerta del lado se abrió y surgió doña Pancha en bata: «¡Ya lo vi, sinvergüenza, viejo marica, quiere hacer trizas mi jardín!» «Me estoy paseando, zamba grosera. Todo el mundo tiene derecho a caminar por el balcón.» «Mentira, si ya estaba a punto de empujar mi maceta. Lo he visto por la ventana, pedazo de mequetrefe. Ingeniero dice la tarjeta que hay en su puerta. ¡Qué va a ser usted ingeniero! Habrá sido barrendero, flaco asqueroso.» «Y usted es una zamba sin educación. Debían echarla de la quinta por bocasucia.» «Soy yo la que lo voy hacer echar. Lo voy a llevar a los tribunales por daños a la propiedad.» Los insultos continuaron, subiendo cada vez más de tono. Algunas luces se encendieron en la quinta. Memo, temeroso siempre del escándalo, optó por retirarse, después de lanzar una última injuria que había tenido hasta entonces en reserva: «¡Negra!»[146]. Cuando entraba a su cuarto la vieja se deshacía en improperios, amenazándole con un hijo que vivía en Venezuela y que estaba a punto de llegar: «¡Lo va a hacer pedazos, empleadito de mierda!»

Memo concilió tarde el sueño, temiendo que doña Pancha arrasara esa noche el resto de su boscaje. Pero a la mañana siguiente comprobó que no había pasado nada. Él tampoco tuvo ánimo para reanudar la contienda. Los intercambios de insultos parecía haberlos aliviado. Entraron a un nuevo período de paz.

Memo pasó unos días sosegados, observando por la ventana a su vecina ocupada en sus trajines cotidianos, regar el resto de sus flores, barrer y baldear la galería, ir de compras o a misa. Una mañana la vio salir con sombrero, llevando en la mano una pequeña maleta. En vano esperó que llegara al atardecer o en la noche. La habitación vecina estaba terriblemente silenciosa. Memo coligió que doña Pancha debía haber partido hacia alguna de esas estaciones de baños termales, uno de esos lugares donde los viejos se reúnen en pandilla con la esperanza de retardar la hora de la cita con la muerte. Entonces respiró a sus anchas, pudo poner de nuevo sus óperas a todo volumen, pasearse en pijama por la galería, fumar hasta tarde apoyado en la balaustrada y hasta darse el lujo de sentarse una tarde en la mecedora de su vecina.

La tranquilidad de Memo no duró sin embargo mucho tiempo. Doña Pancha apareció un día con su maleta rozagante y cobriza, lo que parecía corroborar que había estado de vacaciones. Ese día Memo no salió de su casa y se dedicó a espiarla, deseando casi que lo provocara con alguna impertinencia, a fin de tener un pretexto para elevar la voz y demostrar que estaba allí, intacto y vigilante. Pero su vecina no le concedió ninguna importancia. Se dedicó a reanimar su mustio jar-

---

[146] A través de todo el cuento los términos raciales salen de la boca de don Memo con una clara vocación de insulto, de modo que no queda claro si la viuda es, efectivamente, negra. Téngase en cuenta que *Ña Pancha* es en el Perú la marca de un detergente en cuya caja se asoma la cara de una negra sonriente.

dín, a coser nuevas cortinas para su ventana y a escuchar sus radionovelas, pero a media voz, como si su período de descanso la hubiera persuadido de las ventajas de la convivencia pacífica.

Como lo temía Memo —y en el fondo lo esperaba— esto era sólo apariencia. La vieja debía haber urdido durante su retiro alguna nueva estrategia. En esos días Memo había contratado a una muchacha para que viniera una vez a la semana a lavarle la ropa. Era casi una niña, un poco retardada y dura de oído. Cada vez que venía, Memo se instalaba en su sillón, cogía un libro de viajes y mientras la fámula laboraba la vigilaba con un aire paternal y jubilado.

Doña Pancha no se percató al comienzo de esta novedad. Pero a la tercera semana, al ver entrar donde su vecino a una mujer sola y permanecer allí largo rato, concibió un montaje obsceno, se sintió vicariamente ultrajada en su virtud y puso el grito en el cielo: «¡Véanlo pues al inocentón! Tiene su barragana. A la vejez, viruelas. ¡Trae mujeres a su cuarto!» «¡Silencio, boca de desagüe!» «No me callaré. Si quiere hacer cochinadas, hágalas en la calle. Pero aquí no. Éste es un lugar decente.» ¡Zamba grosera, chitón!» «¡Es el baldón de la quinta!», añadió doña Pancha y no contenta con vociferar en su cuarto salió al balcón, justo cuando la muchacha se retiraba. «¡No vuelvas donde ese viejo, es un corrompido! Ya verás, te va a hundir en el fango.» La muchacha, sin entender bien, se alejó haciéndole reverencias, mientras Memo, que había salido a la puerta de su casa, se enfrentó por primera vez directamente con su vecina: «¡Es mi lavandera, vieja malpensada! Tiene usted el alma tan sucia como su boca. ¡Cuídese del demonio!» Ambos levantaron la voz a tal extremo que apenas se escuchaban. Como de costumbre terminaron por darse la espalda y refugiarse en sus cuartos tirando la puerta.

Desde entonces doña Pancha no cejó. Cada vez que venía la lavandera se deshacía en insultos contra Memo. Nosotros, los habitantes de la quinta, comenzamos a darnos cuenta que esa banal enemistad entre vecinos hollaba el terreno del delirio. Probablemente doña Pancha había terminado por comprender que esa visitante era una inocente empleada, pero embarcada en su nueva ofensiva no quería dar marcha atrás.

Memo se limitaba a parar los golpes, pero su arsenal de injurias parecía haberse agotado. La situación, objetivamente, lo condenaba y tenía que mantenerse a la defensiva. Hasta que se le presentó la ocasión de pasar al ataque.

Fue cuando se le atoró a doña Pancha el lavadero de la cocina. Por más esfuerzos que hizo no pudo reparar el desperfecto y se vio obligada a llamar a un gasfitero. Una tarde apareció un japonés con su maletín de trabajo. Memo supuso que era un artesano del barrio y sospechaba a qué venía, pero no quiso desperdiciar la oportunidad de vengarse. Cuando el obrero se fue, salió a la galería e imitando a sus tenores preferidos improvisó un aria completamente destemplada: «¡La vieja tiene un amante! ¡Trae un hombre a su casa! Un japonés además. ¡Y obrero! ¡Y en la iglesia se da golpes de pecho, la hipócrita! ¡Que se enteren todos aquí, doña Francisca viuda de Morales con un gasfitero!» Doña Pancha ya estaba frente a él, más cerca que nunca. Cara contra cara sin tocarse, gruñían, babeaban, enronquecían de insultos, se fulminaban con la mirada, buscando cada cual la palabra mortal, definitiva. «¡Cobarde, pestífero, empleaducho!», logró articular doña Pancha, cuando Memo disparaba su último cartucho: «¡Vieja puta!» Doña Pancha estuvo a punto de desplomarse. «¡Eso no! ¡Ya verá cuando llegue mi hijo! Viene a vivir conmigo. Es rico además, no un pobretón como usted. ¡Lo aplastará como a una cucaracha!»

Y el hijo que vivía en Venezuela no era una invención. En efecto, llegó. Un taxi se detuvo un día frente a la quinta y de él descendió un señor corpulento, de pies muy grandes y andar acompasado. El chofer lo ayudó a transportar hasta el departamento dos baúles claveteados, decorados con etiquetas de todos los hoteles del mundo.

Memo, impresionado por su talante, permaneció unos días recluido, tratando de no dar signos de vida. A través del visillo lo vio salir con doña Pancha, acompañándola de compras o de paseo. Usaba camisas de colores chillones y corbatas floreadas. Su corpulencia sin embargo era un poco engañosa, pues Memo advirtió que a pesar de su gordura era pálido y

233

daba a veces la impresión de una extremada fragilidad. Era además de poco hablar, pues Memo trató en vano, pegando el oído a la pared, de sorprender lo que hablaban. Sus veladas eran más bien tristes, lánguidas y finalizaban al anochecer con un breve paseo por la galería por donde discurrían silenciosamente.

Memo comprendió que el hijo se aburría y añoraba algo. Cuando su mamá se ausentaba, salía al corredor y pasaba largo rato en la baranda junto a las macetas floridas, fumando y mirando el cielo opaco. A veces se aventuraba a pasearse por la galería. Luego descendió al jardín, para errar pensativo bajo las coposas palmeras. Más tarde, en las noches, se resolvió a caminar solo por el balneario. Debía llegar tarde, pues Memo lo escuchó varias veces desde la cama subir fatigadamente las escaleras.

En esos días Memo se cruzó por azar en la escalera con su vecina. Hizo lo posible por evitarla, pero ella lo interpeló: «Ya no se oye chistar, corderito, ahora que hay un hombre en casa. ¿No lo decía? A ver, manifiéstese, pues.»

Memo no sabía aún qué partido tomar. Esa presencia varonil lo cohibía por un lado pero por otro despertaba su curiosidad. Una noche decidió seguir a su vecino en una de sus salidas nocturnas. El gordo inició una caminata oblicua, fue en dirección del parque, pasó persignándose frente a la parroquia, observó con parsimonia una vieja residencia, tomó la alameda Ricardo Palma y, cosa que extrañó a Memo, cruzó los rieles del tranvía rumbo a Surquillo. Este barrio siempre le había inspirado a Memo desconfianza. En muchas de sus calles se afincaban indigentes, borrachines, matones y rufianes. El gordo anduvo de un lado a otro, aparentemente desprevenido, hasta que entró a una chingana de trasnochadores. Acodado en el mostrador pidió una cerveza y al beber el primer trago su fisonomía se transformó, abandonó todo lo que en ella había de inseguridad y de desarraigo, como la de un hombre que regresa a su hogar luego de una penosa aventura. Después de una segunda cerveza el gordo miró con insistencia a un mancebo que bebía a su lado y trató de buscarle conversación. Ésta se entabló y el gordo le invitó una cerveza. Memo no quiso seguir observando, pues se sintió invadido por una

234

invencible repugnancia. El gordo ofrecía cigarrillos a su vecino y pedía que le mostrara su mano para adivinarle las líneas de la fortuna.

Las conclusiones que Memo sacó de este incidente se las reservó y no tuvo por el momento ocasión de usarlas pues el hijo, así como vino, se fue. Una mañana se detuvo un taxi frente a la quinta, subió el chofer y ayudó al gordo a llevar sus baúles hasta el auto. Doña Pancha estaba en la vereda con un pañuelo en la mano. La despedida fue larga y, tal como la presenció Memo, extremadamente patética. Memo dedujo que el hijo regresaba a Venezuela, esta vez para siempre.

Doña Pancha pasó unos días inactiva, despatarrada en su mecedora, viendo por encima de la baranda la quinta, sus enredaderas y esas garúas matinales que un invierno mediocre enviaba por bravata antes de despedirse. En esa época una de las palmeras de la entrada se desplomó causando susto, pero no daño a los transeúntes. La casa de la familia Chocano amaneció un día con los muros agrietados y sus ocupantes tuvieron que mudarse precipitadamente. Nadie se daba el trabajo de renovar el césped del jardín central, que había terminado por convertirse en un lodazal. La quinta continuaba degradándose. Sus propietarios, un Banco, no hacían nada por repararla, esperaban que su decrepitud expulsaría a sus habitantes y que podrían así construir un edificio moderno en su solar. Memo vio por primera vez aparecer ratones en los corredores.

Doña Pancha no tardó mucho en reponerse de la partida de su hijo. Su temperamento imaginativo y hacendoso la empujó a colmar ese vacío con nuevas ocupaciones. Una mañana Memo descubrió que en la jaula vacía que doña Pancha trajera el día que se mudó y que desde entonces colgaba sobre el dintel de su puerta había un loro. Un loro enorme, verdirrojo, que lo observó inmutable con sus ojos colorados. Memo dedujo de inmediato que esa adquisición no era un mero pasatiempo sino una acción dirigida contra su persona. Pero esta vez se engañó, pues se trataba de un loro más bien reservado que sólo de cuando en cuando emitía un graznido metálico. Doña Pancha pasaba horas cambiándole el agua de su tacita y dándole de comer en el pico un cho-clo[147] fresco.

Ese animal contenía sin embargo elementos de perturba-ción que no tardaron en manifestarse. En esos días una esta-ción de radio había convocado a un concurso ofreciendo un premio de mil soles a quien presentara un loro que dijera «Naranjas Huando». A partir de entonces doña Pancha se de-dicó a enseñarle a su perico esas palabras. Desde la mañana se paraba en una silla bajo la jaula y repetía sin desmayar «Na-ranjas Huando, Naranjas Huando», sin obtener del animal el menor eco.

Memo soportó los primeros días esa cantaleta, confiado en que su vecina terminaría por desistir. Pero doña Pancha era de una tenacidad inquebrantable y la estupidez de su loro pare-cía redoblar su ardor. Sus lecciones se fueron haciendo más sostenidas y estruendosas. Un día no pudo más y salió a la ga-lería: «Vieja bellaca, ¿va a cerrar el pico?» «Pico tendrá usted, cholo malcriado.» «Éste no es un corral para traer animales.» «Y a usted, ¿cómo lo han dejado entrar en la quinta?» «Ani-mal será usted, una verdadera bestia para decirlo en una pala-bra. Más bruta que su loro.» «No me siga hablando así que voy a llamar a la policía.» «Que venga pues la policía y verá cómo hago que le metan al loro donde no le dé el sol.» «A mí hablarme de bocas. ¿No se ha visto la jeta en un espejo? Cara de poto»[148]. «Asqueroso, tísico, pestífero.»

Estos altercados no impidieron que doña Pancha siguiera aleccionando a su loro. Cada día Memo preparaba una bate-ría de agravios inéditos, pero que no hacían mella en su veci-na. El loro, por otra parte, recompensando los esfuerzos de doña Pancha, salió de su mutismo y demostró tener una voz particularmente chillona, incapaz de articular la frase «Naran-jas Huando», pero de bordar en torno a esas sílabas un estri-dente abecedario.

Memo comenzó a pensar que esta vez se había embarcado en una batalla sin salida o que tal vez era necesario replantear

---

[147] Voz quechua, mazorca tierna de maíz.
[148] En Argentina y Perú, nalgas.

desde el comienzo toda su estrategia. Y al fin se le ocurrió la idea salvadora: así como durante la guerra de las flores opuso a las macetas de su vecina su pequeño jardín salvaje ahora era necesario enfrentar a su animal con otro animal. Y ya que en la quinta había ratones lo indicado era un gato.

Lo buscó afanosamente por el barrio y encontró al fin alguien que le cedió un capón negro, huraño y un poco viejo. Los primeros días el gato anduvo refugiado bajo el sillón y apenas se atrevía a salir para comer en la cocina o hacer su caca en una caja con arena. Luego, cediendo a la curiosidad, se aventuró por la pieza oliendo cada objeto y dejándose incluso acariciar el lomo por su dueño. Cuando Memo juzgó que ya había ganado su confianza le colocó una cadenilla y salió a pasearse con él por la galería.

Doña Francisca no dijo nada, pero comenzó a evaluar qué inconvenientes podría traerle la presencia de ese felino. Ella lo veía chusco, demoníaco, con la cola demasiado larga, capaz de propagar enfermedades repugnantes. Pronto comenzó a quejarse, diciendo que apestaba, que se meaba en el muro de su casa. «Mentira —chillaba Memo—, sólo orina en su caja. No se caga fuera de la jaula como su loro y llena todo de moscas.»

Las cosas no quedaron allí. Cuando el gato se familiarizó más con la casa, Memo le permitió salir al corredor y tomar el sol al lado de su ciprés. Sólo entonces el capón reparó que en la jaula vecina había algo que se movía. Se dedicó entonces durante horas a observar las evoluciones del pajarraco, intrigado por el galimatías que era todo lo que había aprendido de su dueña. Doña Pancha notó que el gato se acercaba cada día más a la jaula. «¡Se quiere comer a mi loro! ¡Usted lo ha adiestrado para que lo mate.» «A buena hora. Libraría a la quinta de una plaga.» «Si lo veo acercase un centímetro más, ese animal va a saber lo que es un escobazo.» «Y usted una patada en el trasero.» «¡Ya se abrió el albañal! ¡Ahora van a salir sapos y culebras!» «Sapo será usted y una culebra es lo que yo debería traer para que la estrangule.»

A pesar de las protestas de doña Pancha, Memo dejó que su gato siguiera paseándose por la galería. En buena cuenta había delegado a su felino la tarea de ocuparse de su vecina y podía pasar así largas horas leyendo tranquilamente en un si-llón. Un día sintió caer en el balcón un chorro de agua y al poco rato su gato penetró despavorido por la ventana com-pletamente mojado. En el acto salió, cuando doña Pancha en-traba a su casa con un balde.

«¡Ya la vi zamba canalla! Abusando de un animal indefen-so.» Doña Pancha asomó: «Se había subido a mi ventana, iba a saltar a la jaula.» «No le creo. Además mi gato no quiere en-venenarse mordiendo a ese pájaro inmundo.» «Viejo avaro, usted lo mata de hambre seguramente cuando quiere comer-se a mi loro.» «Come mejor que usted, para que lo sepa, car-ne molida y sardinas.» «Por eso es que apesta a pescado po-drido.»

Memo interrumpió la discusión pensando que su gato ne-cesitaba socorro, mientras su vecina seguía refunfuñando, ad-virtiéndole que en adelante no toleraría amenazas contra su loro. El gato tiritaba acurrucado en un rincón de la pieza. Memo lo secó cuidadosamente con una toalla, lo envolvió en una chompa[149] y le colocó una bolsa de agua caliente. El gato permaneció unos días encerrado, sin atreverse a salir. Pero más puede la curiosidad que el castigo y asomando primero la nariz, luego el pescuezo terminó por implantarse otra vez en la galería, vigilando al perico. Doña Pancha cumplió su pa-labra y el felino recibió un segundo chorro de agua fría. Esta vez Memo, que no esperaba tal ofensa se abstuvo de toda reacción, pero esa misma noche veló y cuando su vecina dormía salió, descolgó la jaula y la aventó con tal fuerza al jardín de los bajos que la jaula se despanzurró. El loro se fue volando.

Nunca Memo previó las consecuencias de este gesto y por primera vez pensó que tal vez había ido demasiado lejos. Doña Pancha estaba a la mañana siguiente aporreando la puerta de su cuarto y tan trastornada por lo ocurrido que ape-nas podía hablar. Gorda, oscura, envuelta en sus anchísimos vestidos, gesticulaba delante de él, movía los brazos, cerraba el puño, señalaba su puerta, la baranda, el jardín, sin lograr

---

[149] Americ., jersey.

convertir su cólera en palabras. Memo vio en su rostro abotagado los signos de un colapso inminente. «Usted se lo ha ganado», se atrevió a decir y doña Pancha sólo pudo exclamar, pero con una carga de odio que lo aterrorizó: «¡Miserable!»

Sobrevinieron unos días de paz forzosa. Doña Pancha, olvidándose de Memo, salía muy temprano en busca de su loro, preguntando en el barrio de puerta en puerta. Puso un aviso a la entrada de la quinta ofreciendo una recompensa por su hallazgo. El viejo pájaro sin embargo no se había ido muy lejos. Su larga cautividad lo había despojado de toda veleidad libertaria y había terminado por recalar en la rama de un ficus vecino, donde un transeúnte lo ubicó. Su captura fue un ejemplo de movilización social. Doña Pancha concienció a la mayoría de los vecinos y hasta nosotros, observadores más bien morosos, participamos en la aventura. Con escaleras, cuerdas y pértigas tratamos de echarle mano. Cuando estábamos a punto de alcanzarlo se volaba a un árbol contiguo. La persecución se prolongó durante días de árbol en árbol y de cuadra en cuadra hasta que llegamos a las inmediaciones del parque. Al fin el loro encalló hambriento y fatigado en una florería y doña Pancha pudo recobrarlo y con él la tranquilidad y el honor perdidos. Esta vez lo instaló en una jaula de pie, metálica, roja e inexpugnable.

A partir de entonces sucedió algo extraño: entre el loro y el gato se estableció una rara complicidad. Bastaba que el loro lanzara en la mañana su primer graznido para que el gato saliera inmediatamente al corredor, empezara a hacer cabriolas, encorvar el lomo, enhiestar el rabo, dar saltos y volantines, hasta que fatigado terminaba por sentarse muy sosegado y ronroneando al lado de la jaula. El loro se pavoneaba en su columpio, improvisaba gorgoritos y cuando el gato se atrevía por juego a meter su mano peluda por las rejas, fingía el más grande temor para luego acercarse y darle un inocuo picotón en la garra. En este juego siempre repetido parecían encontrar un deleite infinito.

El acercamiento entre lo que antes había sido sus armas de combate no menguó la pugna entre los vecinos. Pero ésta asumió formas muchísimo más rutinarias y triviales. Sin pretextos graves para enfrentarse, recurrían al insulto maquinal.

Cada vez que se cruzaban en las escaleras o la galería Memo decía entre dientes: «Zamba cochina» y obtenía como respuesta: «Cholo pulguiento.» A través del muro además se había entablado un diálogo que se cumplía rigurosamente. Con los años doña Pancha sufría de trastornos gástricos y soltaba muchos gases. Memo, atento a todos los ruidos, llevaba en voz alta una escrupulosa contabilidad: «Primer pedo», «Segundo pedo» y como a fuerza de fumar él tosía y escupía a menudo, doña Pancha respondía: «Ya empieza a echar gargajos el viejo tísico», «Un pollo más». Así, ambos nada olvidaban ni perdonaban y ocupaban sus días seniles en una contienda más bien disciplinada, cada vez menos feroz, que iba tomando el aspecto de una verdadera conversación.

Un día el cielo raso de doña Francisca se agrietó y poco después en el muro de la fachada apareció una fisura. La quinta seguía cayéndose a pedazos. Doña Pancha fue al Banco y trató inútilmente de localizar al propietario. Le dijeron que era una sociedad anónima y que ésta la formaban un centenar de personas o, lo que era lo mismo, ninguna. Al fin logró hacerse escuchar por un empleado quien le dijo que las reparaciones corrían por cuenta de los inquilinos y que si no podía hacerlas se mudara. Poco después recibió una notificación judicial diciéndole que si las averías se agravaban se vería obligada a dejar la casa.

Esto la sumió en el más grande terror. Por el alquiler antiguo que ella pagaba en ese lugar sólo encontraría un cuarto de esteras en una barriada. Cada mañana pasaba revista al cielo raso y los muros temerosa de ver surgir una nueva grieta. Pero la quinta se desmoronaba caprichosamente, sin seguir ningún orden preestablecido. Otra de las palmeras de la entrada se derrumbó, en los departamentos de los altos estallaron las cañerías inundando varios departamentos y las tejas de una casa exterior se vinieron abajo.

Memo no trató esta vez de sacar ninguna ventaja de las dificultades de su vecina. Varias veces estuvo tentado de intercalar, en uno de sus cotidianos diálogos murales, algo así como «Que se le caiga el techo encima» o «Reviente zamba bajo la pared», pero el temor de que el deterioro de la casa contigua se hiciera extensivo a la suya lo paralizaba. Esto no le impedía llevar el registro de los ruidos de su vecina y aparte de los gases había detectado en su respiración, en las noches, un ronquido que le dio pábulo a nuevas invectivas: «Ahora son los bronquios; las pulmonías se llevan a la tumba a las viejas gordas» o «Dentro de unos meses a Jauja[150], a respirar el aire de los desahuciados. Así me dejará tranquilo, harpía».

Una noche doña Pancha tosió sin interrupción, lo que redobló las puyas de Memo y el pleito que tendía a empantanarse en la moderación recobró su antiguo brío. «¡Asqueroso, insolente, no tiene respeto por una mujer de edad! A ver, ¿por qué cuando estuvo mi hijo aquí no levantó la voz? Se la pasó escondido bajo la cama, cobarde.» Por la mente de Memo pasó un viejo recuerdo y antes de que pudiera reprimirse gritó: «Sépalo bien, ¡su hijo era un rosquete!» En vano esperó la respuesta. En el resto de la noche sólo escuchó toses, ronquidos y suspiros.

Al día siguiente doña Pancha no salió de su cuarto. Memo esperó en vano verla regresar de misa o ir de compras para colocarle, de pasada, una de sus habituales estocadas. El loro estuvo más locuaz que de costumbre, probablemente esperando su choclo fresco y el gato trató de entretenerlo en vano con sus monerías de viejo capón. Memo permaneció todo el tiempo al acecho, escuchando tan sólo en la pieza contigua el carraspeo y el trajín de una persona agotada. En los días siguientes el trajín se fue haciendo más lento hasta que cesó por completo. Memo se alarmó: ese silencio le parecía irreal, despojaba a su vida de todo un escenario que había sido minuciosa, arduamente montado durante años.

Saliendo al balcón observó al loro que yacía acurrucado en un rincón de su jaula encarnada y, lo que nunca hacía, se atrevió a acercarse a la ventana de su vecina. Apenas vio su reflejo en los cristales dio un respingo. «Viejo idiota, ¿qué hace allí espiándome?» «No estoy espiando a nadie. Ya le he dicho que el balcón es de todos los inquilinos.» «Ya que tiene usted dos

---

[150] El clima suave del valle del Jauja hizo de la zona un lugar apreciado por los limeños de la época virreinal.

patas, vaya a la botica y tráigame una aspirina.» «A la última persona que le haré un favor será a usted. Reviente zamba sucia.» «No es un favor pedazo de malcriado, es una orden. Si no me hace caso va a caer sobre usted la maldición de Dios.» «Esas maldiciones me importan un comino. Búsquese una sirvienta.»

Memo regresó a su cuarto y anduvo entre sus álbumes de estampillas y sus libros de viajes tratando de entretenerse en algo. Pero nada lograba retener su atención, a no ser el silencio que lo cercaba. Al fin pegó la boca al muro y gritó: «¡Le traeré la aspirina, bestia, pero lo hago sólo por humanidad! Y aun así cuídese, no vaya a ser que le ponga veneno.»

Cuando regresó de la farmacia tocó la puerta de doña Francisca. «Un momento, cholo indecente, espere que me ponga la bata.» «¿Y cree que la voy a mirar? Lo último que se me ocurriría: ¡una chancha calata!» La puerta se entreabrió y asomó por ella la mano de doña Pancha. Memo depositó el sobre con las aspirinas. «Un sol cincuenta. No va a querer además que le regale las medicinas.» «Ya lo sé, flaco avaro. Espere.» La mano volvió a asomar y arrojó al balcón un puñado de monedas. «¿Así me paga el servicio? ¡Sépalo ya, no cuente en adelante conmigo, muérase como una rata!»

Pero esa noche cuando doña Pancha lo interpeló pidiéndole una taza de té caliente Memo, después de deshacerse en improperios, se la preparó. Esta vez la comunicación se efectuó a través de la ventana. Memo tuvo apenas tiempo de entrever el rostro de su vecina, ajado, sombrío, fláccido y violeta.

Al día siguiente fue un caldo lo que doña Pancha exigió. Memo preparaba su propia comida, a veces la encargaba a una pensión de donde se la traían en un portaviandas, muy rara vez iba a un restaurante. Ese día no tenía caldo.

«¿Y por qué no un pavo al horno, vieja gorrera?» «Un caldo, he dicho.» Memo cogió un poco de carne molida de su gato y preparó una sustancia. Doña Pancha lo esperaba en la ventana, apoyada en el alféizar. Memo la volvió a examinar y notó por primera vez que sus ojeras eran siniestras y que tenía dos enormes lunares de carne en la mejilla. Doña Pancha olió el caldo: «De hueso, seguramente, miserable.» «De caca de gato, para que lo sepa.»

Al día siguiente Memo se levantó temprano, fue a una pensión cercana y encargó para mediodía una doble ración de caldo de gallina. Cuando se lo trajeron lo puso en el fogón para que se mantuviera caliente. Sentado en su sofá esperó que doña Pancha se manifestara. Pero dieron las dos de la tarde y no escuchó ningún pedido. «¿No hay hambre, vieja pedorra?» Más tarde volvió a interpelarla: «¡Eh, aquí no estamos para aguantar caprichos! La sopa a sus horas o nada.» Como doña Pancha no contestó, apagó la cocina y se echó a dormir la siesta. Despertó al atardecer en medio de un gran silencio, puntuado sólo a veces por el cacareo de un loro cada vez más famélico. Memo se entretuvo escuchando sus discos de Caruso, a un volumen intencionalmente elevado, pero a diferencia de otras épocas no llegaron del otro lado ni protestas ni represalias. Cuando ya estaba oscuro volvió a encender la cocina para calentar el caldo y salió a la galería. Otra vez se vio circundado por una calma irreal. El departamento de su vecina estaba apagado. Memo se paseó delante de él taconeando fuerte sobre el enladrillado para hacer notar su presencia e interpelando al pajarraco: «Lorito de trapo sucio, a punto de estirar la pata, ¿no?» Al fin, intrigado, se decidió a dar unos golpes en la puerta y como no obtuvo respuesta la empujó. Estaba sin picaporte y cedió. En la oscuridad avanzó unos pasos, tropezó con algo y cayó de bruces. «Vieja bruja, ¿así que poniéndome zancadillas, ¿no?» A gatas anduvo chocando con taburetes y mesas hasta que encontró el conmutador de una lámpara y alumbró. Doña Pancha estaba tirada de vientre en medio del piso, con un frasco en la mano. El vuelo de su camisón estaba levantado, dejando al descubierto un muslo inmensamente gordo, cruzado de venas abultadas. El primer impulso de Memo fue salir disparado, pero en la puerta se contuvo. Agachándose rozó con la mano ese cuerpo frío y rígido. En vano trató de levantarlo para llevarlo a la cama. Esos cien kilos de carne eran inamovibles.

«Ya lo decía —masculló—, tenías que reventar así. ¿Y ahora qué hago contigo? ¡Aún muerta tienes que seguir fregando! Dura como loza te has quedado, negra malcriada.» Su gato había aprovechado para entrar a husmear ese lugar no hollado y olía la mano de doña Pancha. «¡Fuera de aquí, bestia ca-

243

rachosa!»[151], gritó Memo y como nunca le encajó un puntapié en las costillas. Con una rápida mirada escrutó la pieza y
notó el desorden que deja una persona que bruscamente se
ausenta: cajones abiertos, ropa tirada en las sillas, platos sucios en la cocina. Saliendo del cuarto fue a su casa, se puso su
pijama, probó un poco de caldo y se metió a la cama. Pero le
fue imposible conciliar el sueño. Cerca de medianoche se vis-
tió y se dirigió a la comisaría del parque para dar cuenta de lo
sucedido.

En el resto de la noche y hasta la madrugada pasaron por
el cuarto vecino policías, el médico forense, un sacerdote, algunos vecinos y dos monjitas que vistieron a la muerta. No
hubo velatorio. Vino a llevarla al cementerio la carroza de los
indigentes. Cuando en pleno día sacaban el ataúd de madera
sin barnizar, Memo dudó si debía o no hacer acto de presencia. Estuvo a punto de ponerse el saco, pero finalmente por
desidia o por terquedad renunció.

Y desde entonces lo vimos más solterón y solitario que
nunca. Se aburría en su cuarto silencioso, adonde habían terminado por llegar las grietas de la pieza vecina. Pasaba largas
horas en la galería fumando sus cigarrillos ordinarios, mirando la fachada de esa casa vacía, en cuya puerta los propietarios habían clavado dos maderos cruzados. Heredó el loro en
su jaula colorada y terminó, como era de esperar, regando las
macetas de doña Pancha, cada mañana, religiosamente, mientras entre dientes la seguía insultando, no porque lo había fastidiado durante tantos años, sino porque lo había dejado, en la
vida, es decir, puesto que ahora formaba parte de sus sueños.

(París, 1974)

---

[151] Peruan., sarnosa.

Silvio en El Rosedal

El Rosedal era la hacienda más codiciada del valle de Tarma[152], no por su extensión, pues apenas llegaba a las quinientas hectáreas, sino por su cercanía al pueblo, su feracidad y su hermosura. Los ricos ganaderos tarmeños, que poseían enormes pastizales y sembríos[153] de papas en la alta cordillera, habían soñado siempre con poseer ese pequeño fundo donde, aparte de un lugar de reposo y esparcimiento, podrían hacer un establo modelo, capaz de surtir de leche a todo el vecindario.

Pero la fatalidad se encarnizaba en sustraerles estas tierras, pues cuando su propietario, el italiano Carlo Paternoster, decidió venderlas para instalarse en Lima, prefirió elegir a un compatriota, don Salvatore Lombardi, quien por añadidura nunca había puesto los pies en la sierra. Lombardi fue además el único postor que pudo pagar en líquido y al contado el precio exigido por Paternoster. Los ganaderos serranos eran mucho más ricos y movían millones al año, pero todo lo tenían invertido en sembríos y animales y metidos como estaban en el mecanismo del crédito bancario, no veían generalmente el fruto de su fortuna más que en la forma abstracta de letras de cambio y derecho de sobregiro.

---

[152] Provincia situada en la Cordillera Central de Los Andes. En «Ancestros» Ribeyro ha rememorado a su abuelo Julio Eduardo y su paso por Tarma: fue allí donde descubrió a una muchacha italiana, «figura boticelliana perdida entre tierras calientes», con la que casó a pesar de la oposición de la familia (pues la *donna* era pobre, además de hermosa).

[153] En Ecuador, sembrado.

Don Salvatore, en cambio, había trabajado durante cuarenta años en una ferretería limeña, que con el tiempo llegó a ser suya y juntado billete sobre billete un capital apreciable. Su ilusión era regresar algún día a Tirole, en los Alpes italianos, comprarse una granja, demostrar a sus paisanos que había hecho plata en América y morir en su tierra natal respetado por los lugareños y sobre todo envidiado por su primo Luigi Cellini, que de niño le había roto la nariz de una trompada y quitado una novia, pero nunca salió del paisaje alpino ni tuvo más de diez vacas.

Por desgracia los tiempos no estaban como para regresar a Europa, donde acababa de estallar la Segunda Guerra Mundial. Aparte de ello don Salvatore contrajo una afección pulmonar. Su médico le aconsejó entonces que vendiera la ferretería y buscara un lugar apacible y de buen clima donde pasar el resto de sus días. Por amigos comunes se enteró que Paternoster vendía El Rosedal y renunciando al retorno a Tirole se instaló en el fundo tarmeño, dejando a su hijo en Lima encargado de liquidar sus negocios.

La verdad es que por El Rosedal pasó como una nube veraniega pues, a los tres meses de estar allí, cuando había emprendido la refacción de la casa-hacienda, comprado un centenar de vacas y traído de Lima muebles y hasta una máquina para fabricar tallarines, murió atragantado por una pepa[154] de durazno[155]. Fue así como Silvio, su único heredero, quedó como propietario exclusivo de El Rosedal.

A Silvio le cayó esta propiedad como un elefante desde un quinto piso. No sólo carecía de toda disposición para administrar una hacienda lechera o administrar cualquier cosa, sino que la idea de enterrarse en una provincia le puso la carne de gallina. Todo lo que él había deseado de niño era tocar el violín como un virtuoso y pasearse por el jirón de la Unión[156] con sombrero y chaleco a cuadros, como había vis-

---

[154] Americ., semilla, hueso.
[155] Americ., melocotón.
[156] Arteria principal del centro de Lima. Desde la primera década del siglo el Jirón de la Unión había desplazado a la Alameda de los Descalzos como escenario de paseos elegantes.

to a algunos elegantes limeños. Pero don Salvatore lo había sacrificado por su maldita idea de regresar a Tirole y vengarse de su primo Luigi Cellini. Tiránico y avaro, lo metió a la tienda antes de que terminara el colegio, justo cuando murió su madre, y lo mantuvo tras el mostrador como cualquier empleado pero a propinas, despachando todo el día en mandil de tocuyo[157], tornillos, tenazas, plumeros y latas de pintura. No pudo así hacer amigos, tener una novia, cultivar sus gustos más secretos, ni integrarse a una ciudad para la cual no existía, pues para la rica colonia italiana, metida en la banca y en la industria, era el hijo de un oscuro ferretero y para la sociedad indígena una especie de inmigrante sin abolengo ni poder.

Sus únicos momentos de felicidad los había conocido realmente de niño, cuando vivía su madre, una mujer delicadísima que cantaba óperas acompañándose al piano y que le pagó con sus ahorros un profesor de violín durante cuatro años. Luego algunas escapadas juveniles y nocturnas por la ciudad, buscando algo que no sabía lo que era y que por ello mismo nunca encontró y que despertaron en él cierto gusto por la soledad, la indagación y el sueño. Pero luego vino la rutina de la tienda, toda su juventud enterrada traficando con objetos opacos y la abolición progresiva de sus esperanzas más íntimas, hasta hacer de él un hombre sin iniciativa ni pasión.

Por ello tener, a los cuarenta años, que responsabilizarse de una propiedad agrícola y por añadidura administrar su vida le pareció excesivo. O una u otra cosa. Lo primero que se le ocurrió fue vender la hacienda y vivir con su producto hasta que se le acabara. Pero un resto de prudencia le aconsejó conservar esas tierras, ponerlas en manos de un buen administrador y gozar de su renta haciendo lo que le viniera en gana, si alguna vez le daba ganas de hacer algo. Para ello, naturalmente, tenía que viajar a Tarma y estudiar sobre el terreno la forma de llevar a cabo su proyecto.

La hacienda la había visto muy de paso, cuando tuvo que venir precipitadamente de Lima para recoger el cadáver de don Salvatore y conducirlo al cementerio de la capital.

---

[157] Americ., tela burda de algodón.

Pero ahora que volvió con mayor calma quedó impresionado por la belleza de su propiedad. Era una serie de conjuntos que surgían unos de otros y se iban desplegando en el espacio con el rigor y la elegancia de una composición musical.

Para empezar, la casa. La vieja mansión colonial de dos pisos, construida en forma de U en torno a un gran patio de tierra, tenía arcos de piedra en la planta baja y una galería con balcón y soportales de madera en los altos, rematada por un tejado de dos aguas. En medio del ala central se elevaba una especie de torrecilla que culminaba en un mirador cuadrangular cubierto de tejas, construcción extraña, que rompía un poco la unidad del recinto, pero le daba al mismo tiempo un aire espiritual. Cuando uno entraba al patio por el enorme portón que daba a la carretera se sentía de inmediato abrazado por las alas laterales y aspirado hacia una vida que no podía ser más que enigmática, recoleta y deleitosa.

Los bajos estaban destinados a la servidumbre e instalaciones y los altos a la residencia patronal. Y ésta la componían una sucesión de alcobas espaciosas donde Silvio identificó tres salones, un comedor, una docena de dormitorios, una vieja capilla, cocina, baño y un saldo de piezas vacías que podrían servir de biblioteca, despensa o lo que fuese. Todas las habitaciones tenían empapelados antiguos, bastante desvaídos, pero tan complicados y distintos —escenas de caza, paisajes campestres, arreglos frutales o personajes de época— que invitaban más que a la contemplación a la lectura. Y felizmente que esos cuartos conservaban su vieja mueblería, que don Salvatore no había tenido tiempo de reemplazar por sus artefactos de serie, aún encajonados en un hangar de los bajos.

Tras la casa estaba el rosedal, que daba el nombre a la hacienda. Era un lugar encantado, donde todas las rosas de la creación, desde un tiempo seguramente inmemorial, florecían en el curso del año. Había rosas rojas y blancas y amarillas y verdes y violeta, rosas salvajes y rosas civilizadas, rosas que parecían un astro, un molusco, una tiara, la boca de una coqueta. No se sabía quién las plantó, ni con qué criterio, ni

248

por qué motivo, pero componían un laberinto[158] polícromo en el cual la vista se extasiaba y se perdía.

Contiguo al jardín se encontraba la huerta, pocas higueras y perales, en cambio cinco hectáreas de duraznos. Los árboles eran bajos, pero sus ramas se vencían bajo el peso de los frutos rosados y carnosos, cubiertos de una adorable pelusilla, que eran una delicia para el tacto antes de ser un regalo para la boca. Ahora comprendía Silvio cómo su padre, movido por una impulsión estética y golosa, se había tragado uno de esos frutos con pepa y todo, pagando ese gesto con su vida.

Y cruzando el cerco de la huerta se penetraba en el campo abierto. Al comienzo los alfalfares, que crecían hasta la talla de un mozo a ambas orillas del río Acobamba, y luego las praderas de pastoreo, llanísimas, cubiertas siempre de hierba húmeda, y como límite de la propiedad el bosque de eucaliptos, que empezaba en la planicie y ascendía un trecho por los cerros, dejando el resto librado a retamas, cactus y tunares[159].

Silvio se felicitó de no haber obedecido a su primer impulso de vender la hacienda y como le gustaba tal como era dio orden de inmediato de suspender los bastos trabajos de refacción que había emprendido don Salvatore. Sólo admitió que terminaran de enlucir la fachada de rosa claro y que repararan cañerías, goteras, entablados y cerraduras. Renunció además a buscar un administrador y dejó toda la gestión en manos del viejo capataz Eleodoro Pumari quien, gracias a su experiencia y a su treintena de descendientes, estaba mejor que nadie capacitado para sacarle provecho a esa heredad.

Estas pequeñas ocupaciones lo obligaban a postergar su retorno a Lima, pero sobre todo la idea de que en la costa esta-

---

[158] Se ha recordado el enigmático «Dibujo en la alfombra» de Henry James, como pariente próximo del relato. En el ámbito hispanoamericano, el jardín laberíntico, el *rosedal* como un nuevo *aleph* para la contemplacción y la atmósfera filosófica del cuento hacen pensar en Borges. La creencia en esos «intersticios de la realidad» nos hemos acostumbrado a llamarla, sin dudar, cortazariana, pero, en este caso, la dimensión no es sobrenatural sino metafísica.

[159] Voz taíno, nopal.

ban en pleno invierno. Nada detestaba más Silvio que los inviernos limeños cuando empezaba la interminable garúa, jamás se veía una estrella y uno tenía la impresión de vivir en el fondo de un pozo. En la sierra en cambio era verano, lucía el sol todo el día y hacía un frío seco y estimulante. Eso lo determinó a entablar relaciones más íntimas con sus tierras y a ensayar las primeras con su nueva ciudad.

Los tarmeños lo acogieron al comienzo con mucha reticencia. No sólo no era del lugar, sino que sus padres eran italianos, es decir, doblemente extranjero. Pero al poco tiempo se dieron cuenta de que era un hombre sencillo, sano, serio y por añadidura soltero. Esta última cualidad fue el mejor argumento para que le abrieran las puertas de su clan. Un soltero era vulnerable y por definición soluble en la sociedad regional.

El clan lo formaban una decena de familias que poseían todas las tierras de la provincia, con excepción de El Rosedal, que seguía siendo una isla en el mar de su poder. A su cabeza estaba el hacendado más rico y poderoso, don Armando Santa Lucía, alcalde de Tarma y presidente del Club Social. Fue el primero en invitarlo a una de sus reuniones y todo el resto del clan siguió.

Silvio aceptó esta primera invitación por cortesía y algo de curiosidad e ingresó así paulatinamente a una ronda de comilonas, paseos y cabalgatas que se fueron encadenando unas con otras según las leyes de la emulación y la retribución. Todo el verano lo pasó de hacienda en hacienda y de convite en convite. Algunas de estas reuniones duraban días, se convertían en verdaderas fiestas ambulantes y conglomerantes, a las que iba adhiriendo de paso nuevas comparsas. Silvio recordaba haber cenado un domingo en casa de Armando Santa Lucía con cinco terratenientes y haber terminado la reunión un jueves, cerca de la provincia de Ayacucho, desayunando con una cuarentena de hacendados.

Como no era afecto a la bebida y parco en el comer rehusó varias de estas invitaciones con el propósito de romper la cadena, pero había empezado la época de las lluvias, las reuniones asumieron un aspecto más familiar y soportable, limitándose a cenas y bailes en las residencias de Tarma. Si el verano era la época de las correrías varoniles, el invierno era el imperio de la mujer. Silvio se dio cuenta que estaba circunscrito por solteronas, primas, hijas, sobrinas o ahijadas de hacendados, feísimas todas, que le hacían descaradamente la corte. Esas familias serranas eran inagotables y en cada una de ellas había siempre un lote de mujeres en reserva, que ponían oportunamente en circulación con propósitos más bien equívocos. Silvio tenía demasiado presente la imagen de su madre y su ideal de belleza femenina era muy refinado para ceder a la tentación y así poco a poco fue abandonando estas frecuentaciones para recluirse estoicamente en su hacienda.

Y en ésta cada día se sentía mejor, a punto que siguió postergando su retorno a Lima donde, en realidad, no tenía nada que hacer. Le encantaba pasear bajo las arcadas de piedra, comer un durazno al pie del árbol, observar cómo los Pumari ordeñaban las vacas, hojear viejos periódicos como si hicieran referencia a un mundo inexistente, pero sobre todo caminar por el rosedal. Rara vez arrancaba una flor, pero las aspiraba e iba identificando en cada perfume una especie diferente. Cada vez que abandonaba el jardín tenía el deseo inmediato de regresar a él, como si hubiera olvidado algo. Varias veces lo hizo, pero siempre se retiraba con la impresión de un paseo imperfecto.

Así pasaron algunos años. Silvio estaba ya plenamente instalado en la vida campestre. Había engordado un poco y tenía la tendencia a quitarse rara vez el saco de pijama. Sus andares por la hacienda se fueron limitando al claustro y el rosedal y finalmente le ocurrió no salir durante días de la galería de los altos e incluso de su dormitorio, donde se hacía servir la comida y convocaba a su capataz. A Tarma hacía expediciones mínimas, por asuntos extremadamente urgentes, al extremo que los hacendados dejaron de invitarlo, y corrieron rumores acerca de su equilibrio mental o de su virilidad.

Dos o tres veces viajó a Lima, generalmente para asistir a un concierto o comprar algún útil para la hacienda y siempre retornó cumplida su tarea. Cada vez que volvía reanudaba sus paseos, reconociendo en cada lugar los clisés guardados por su memoria, pero no obtenía de ello el antiguo goce. Una mañana que se afeitaba creyó notar el origen de su malestar: estaba envejeciendo en una casa baldía, solitario, sin haber hecho realmente nada, aparte de durar. La vida no podía ser esa cosa que se nos imponía y que uno asumía como un arriendo, sin protestar. Pero, ¿qué podía ser? En vano miró a su alrededor, buscando un indicio. Todo seguía en su lugar. Y sin embargo debía haber una contraseña, algo que permitiera quebrar la barrera de la rutina y la indolencia y acceder al fin al conocimiento, a la verdadera realidad. ¡Efímera inquietud! Terminó de afeitarse tranquilamente y encontró su tez fresca, a pesar de los años, si bien en el fondo de sus ojos creyó notar una lucecita inquieta, implorante.

Una tarde que se aburría demasiado cogió sus prismáticos de teatro y resolvió hacer lo único que nunca había hecho: escalar los cerros de la hacienda. Éstos quedaban al final de las praderas y estaban cubiertos en la falda baja por el bosque de eucaliptos. Bordeando el río cruzó los alfalfares y pastizales, luego el bosque y emprendió la ascensión bajo el sol abrasador. La pendiente del cerro era más empinada de lo que había previsto y estaba plagada de cactus, magueyes[160] y tunares, plantas hoscas y guerreras, que oponían a su paso una muralla de espinas. La constitución del suelo era más bien rocosa y repelente. A la media hora estaba extenuado, tenía las manos hinchadas y los zapatos rotos y aún no llegaba a la cresta. Haciendo un esfuerzo prosiguió hasta que llegó a la cima. Se trataba naturalmente de una primera cumbre pues el cerro, luego de un corto declive, proseguía ascendiendo hacia el cielo azul. Silvio se moría de sed, maldijo por no haber traído una cantimplora con agua y renunciando a continuar la escalada se sentó en una roca para contemplar el panorama. Estaba lo suficientemente alto como para ver a sus pies la totalidad de la hacienda y detrás, pero muy lejanos, los tejados de Tarma. Al lado opuesto se distinguían los picos de la cordillera oriental que separaban la sierra de la floresta.

---

[160] Americ., agaves.

Silvio aspiró profundamente el aire impoluto de la altura, comprobó que la hacienda tenía la forma de un triángulo cuyo ángulo más agudo lo formaba la casa y que se iba desplegando como un abanico hacia el interior. Con sus prismáticos observó las praderas, donde espaciadamente pastaban las vacas, la huerta, la casa y finalmente el rosedal. Los prismáticos no eran muy poderosos, pero le permitieron distinguir como una borrosa tapicería coloreada, en la cual ciertas figuras tendían a repetirse. Vio círculos, luego rectángulos, en seguida otros círculos y todo dispuesto con tal precisión que, quitándose los binoculares, trató de tener del jardín una visión de conjunto. Pero estaba demasiado lejos y a simple vista no veía más que una mancha polícroma. Ajustándose nuevamente los prismáticos prosiguió su observación: las figuras estaban allí, pero las veía parcialmente y por series sucesivas y desde un ángulo que no le permitía reconstituir la totalidad del dibujo. Era realmente extraño, nunca imaginó que en ese abigarrado rosedal existiera en verdad un orden. Cuando se repuso de su fatiga, guardó los prismáticos y emprendió el retorno.

En los días siguientes hizo un corto viaje a Lima para asistir a una representación de *Aída* por un conjunto de ópera italiano. Luego intentó divertirse un poco, pero en la costa se estaba en invierno, lloviznaba, la gente andaba con bufanda y tosía, la ciudad parecía haber cerrado sus puertas a los intrusos, se aburrió una vez más, añoró su vida eremítica en la hacienda y bruscamente retornó a El Rosedal.

Al entrar al patio de la hacienda se sintió turbado por la presencia de la torrecilla del ala central, tomó claramente conciencia del carácter aberrante de ese minarete, al cual además nunca había subido a causa de sus escalones apolillados. Estaba fuera de lugar, no cumplía ninguna función, al primer temblor se iba a venir abajo, tal vez alguna vez sirvió para otear el horizonte en busca del invisible enemigo. Pero tal vez tenía otro objeto, quien ordenó su construcción debía perseguir un fin preciso. Y claro, cómo no lo había pensado antes, sólo podía servir de lugar privilegiado para observar una sola cosa: el rosedal.

253

De inmediato ordenó a uno de los hijos de Pumari que reparara la escalera y se las ingeniara como fuese para poder llegar al observatorio. Como era ya tarde, Calixto tuvo que trabajar parte de la noche reemplazando peldaños, anudando cuerdas, clavando garfios, de modo que a la mañana siguiente la vía estaba expedita y Silvio pudo emprender la ascensión.

No tuvo ojos más que para el rosedal, todo el resto no existía para él y pudo así comprobar lo que viera desde el cerro: los macizos de rosas que, vistos del suelo, parecían crecer arbitrariamente, componían una sucesión de figuras. Silvio distinguió claramente un círculo, un rectángulo, dos círculos más, otro rectángulo, dos círculos finales. ¿Qué podía significar eso? ¿Quién había dispuesto que las rosas se plantaran así? Retuvo el dibujo en su mente y al descender lo reprodujo sobre un papel. Durante largas horas estudió esta figura simple y asimétrica, sin encontrarle ningún sentido. Hasta que al fin se dio cuenta, no se trataba de un dibujo ornamental sino de una clave, de un signo que remitía a otro signo: el alfabeto Morse. Los círculos eran los puntos y los rectángulos las rayas. En vano buscó en casa un diccionario o libro que pudiera ilustrarlo. El viejo Paternoster sólo había dejado tratados de veterinaria y fruticultura.

A la mañana siguiente tomó la carreta que llevaba la leche al pueblo y buscó inútilmente en la única librería de Tarma el texto iluminador. No le quedó más remedio que ir al correo para consultar con el telegrafista. Éste se encontraba ocupadísimo, era hora de congestión y prometió enviarle al día siguiente la clave morse con el lechero.

Nunca esperó Silvio con tanta ansiedad un mensaje. La carreta del lechero regresaba en general al mediodía pero Silvio estuvo desde mucho antes en el portón de la hacienda, mirando la carretera. Apenas sintió en la curva el traqueteo de las ruedas se precipitó para coger el papel de manos de Esteban Pumari. Estaba en un sobre y llegando a su dormitorio lo desgarró. Cogiendo el papel y lápiz convirtió los puntos y rayas en letras y se encontró con la palabra RES.

Pequeña palabra que lo dejó confuso. ¿Qué cosa era una res? Un animal, sin duda, un vacuno, como los que abundan en la hacienda. Claro, el propietario original de ese fundo, un ganadero fanático, había querido sin duda perpetuar en el jardín el nombre de la especie animal que albergaba sus tierras y de la cual dependía su fortuna: res, fuera vaca, toro o ternera.

Silvio tiró la clave sobre la mesa, decepcionado. Y tuvo verdaderamente ganas de reír. Y se rió, pero sin alegría, descubriendo que en el empapelado de su dormitorio habían aparte de naturalezas muertas arreglos florales. RES. Algo más debía expresar esa palabra. Naturalmente, en latín, según recordó, res quería decir cosa. Pero, ¿qué era una cosa? Una cosa era todo. Silvio trató de indagar más, de escabullirse hasta el fondo de esta palabra, pero no vio nada y vio todo, desde una medusa hasta las torres de la catedral de Lima. Todo era una cosa, pero de nada le servía saberlo. Por donde la mirara, esta palabra lo remitía a la suma infinita de todo lo que contenía el universo. Aún se interrogó un momento, pero fatigado de la esterilidad de su pesquisa decidió olvidarse del asunto. Se había embarcado sin duda por un mal camino.

Pero en mitad de la noche se despertó y se dio cuenta que había estado soñando con su ascensión a la torre, con el rosedal, en dibujo. Su mente no había dejado de trabajar. En su visión interior perduraba, escrita en el jardín y en el papel, la palabra RES. ¿Y si le daba la vuelta? Invirtiendo el orden de las letras logró la palabra SER. Silvio encendió una lámpara, corrió a la mesa y escribió con grandes letras SER. Este hallazgo lo llenó de júbilo, pero al poco rato comprobó que SER era una palabra tan vaga y extensa como COSA y muchísimo más que RES. ¿Ser qué, además? SER era todo. ¿Cómo tomar esta palabra, por otra parte como sustantivo o como verbo infinitivo? Durante un rato se rompió la cabeza. Si era un sustantivo tenía el mismo significado infinito y por lo tanto inútil que COSA. Si era un verbo infinitivo carecía de complemento, pues no indicaba lo que era necesario ser. Esta vez sí se hundió profundamente en un sueño desencantado.

En los días siguientes bajó a menudo a Tarma en las tardes, sin un motivo preciso, daba una vuelta por la plaza, entraba a una tienda o se metía al cine. Los nativos, sorprendidos por esta reaparición, después de tantos meses de encierro, lo acogieron con simpatía. Lo notaron más sociable y aparentemente con ganas de divertirse. Aceptó incluso asistir a un gran baile que don Armando Santa Lucía daba en su residencia, pues había ganado el premio al mejor productor de papas de la región. Como siempre Silvio encontró en esta reunión a lo mejor de la sociedad tarmeña y a la más escogida gente de paso, así como a las solteronas de los años pasados que, más secas y arrugaditas, habían alcanzado ese grado crepuscular de madurez que presagiaba su pronto hundimiento en la desesperación. Silvio se entretuvo conversando con los hacendados, escuchando sus consejos para renovar su ganado y mejorar su servicio de distribución de leche, pero cuando empezó el baile una idea artera le pasó por la mente, una idea que surgió como un petardo del trasfondo de su ser y lo cegó: no era una palabra lo que se escondía en el jardín, era una sigla.

Sin que nadie comprendiera por qué, abandonó súbitamente la reunión y tomó la última camioneta que iba a la montaña y que podía dejarlo de paso en la puerta de su hacienda. Apenas llegó se acomodó frente a su mesa y escribió una vez más la palabra RES. Como no se le ocurría nada la invirtió y escribió SER. De inmediato se le apareció la frase Soy Excesivamente Rico. Pero se trataba evidentemente de una formulación falsa. No era un hombre rico, ni mucho menos excesivamente. La hacienda le permitía vivir porque era solo y frugal. Volvió a examinar las letras y compuso Serás Enterrado Rápido, lo que no dejó de estremecerle, a pesar de que le pareció una profecía infundada. Pero otras frases fueron desalojando a la anterior: Sábado Entrante Reparar, ¿reparar qué? Sólo Ensayando Regresarás, ¿adónde? Sócrates Envejeciendo Rejuveneció, lo que era una fórmula estúpida y contradictoria. Sirio Engendró Rocío, frase dudosamente poética y además equívoca, pues no sabía si se trataba de la estrella o de un habitante de Siria. Las frases que se podían componer a partir de estas letras eran infinitas. Silvio llenó varias páginas de su cuaderno, llegando a fórmulas tan enigmáticas y disparatadas como Sálvate Enfrentando Río, Sucedióle Encontrar Rupia o Sóbate Encarnizadamente Rodilla, lo que a la postre significaba reemplazar una clave por otra.

Sin duda se había embarcado en un viaje sin destino. Aún por tenacidad ensayó otras frases. Todas lo remitían a la incongruencia.

Durante meses se abandonó a ese simulacro de la felicidad que es la rutina. Se levantaba tarde, tomaba varios cafés acompañados de su respectivo cigarro, daba una vuelta por las arcadas, impartía órdenes a los Pumari, bajaba de cuando en cuando a Tarma por asuntos fútiles y cuando realmente se aburría iba a Lima donde se aburría más. Como seguía sin conocer a nadie en la capital, vagaba por las calles céntricas entre miles de transeúntes atareados, compraba tonterías en las tiendas, se pagaba una buena comida, se atrevía a veces a ir a un cabaret y rara vez a fornicar con una pelandusca, de donde salía siempre insatisfecho y desplumado. Y regresaba a Tarma con el vacío en el alma, para deambular por sus tierras, aspirar una rosa, gustar un durazno, hojear viejos periódicos y aguardar ansioso que llegaran las sombras y acarrearan para siempre los escombros del día malgastado.

Una mañana que paseaba por el rosedal se encontró con Felícito Pumari, que se encargaba del jardín, y le preguntó qué modo seguía para mantenerlo floreciente, cómo regaba, dónde plantaba, qué rosales sembraba, cuándo y por qué. El muchacho le dijo simplemente que él se limitaba a reponer y resembrar las plantas que iban muriendo. Y siempre había sido así. Su padre le había enseñado y a su padre su padre.

Silvio creyó encontrar en esta respuesta un estímulo: había un orden que se respetaba, el mensaje era transmitido, nadie se atrevía a una transgresión, la tradición se perpetuaba. Por ello volvió a inclinarse sobre sus claves, comenzando por el comienzo, y se esforzó por encontrarles si no una explicación por lo menos una aplicación.

RES era una palabra clarísima y no necesitaba de ningún comentario. E impulsado por la naturaleza de su fundo y los consejos de los hacendados se dedicó a incrementar su ganado, adquirió sementales caros y vacas finas y luego de sapientes cruces mejoró notablemente el rendimiento de sus reses. La producción de leche aumentó en un ciento por ciento, tuvo necesidad de nuevas carretas para el reparto y el renombre de su establo ganó toda la región. Al cabo de un tiempo, sin embargo, la hacienda llegó a su rendimiento óptimo y se estancó. Al igual que el ánimo de Silvio, que no encontraba mayor placer en haber logrado una explotación modelo. Su esfuerzo le había dado un poco más de beneficios y de prestigio, pero eso era todo. Él seguía siendo un solterón caduco, que había enterrado temprano una vocación musical y seguía preguntándose para qué demonios había venido al mundo. Abandonó entonces sus cruces bovinos y dejó de supervigilar la marcha del establo. Por pura ociosidad se había dejado crecer una barba rojiza y descuidada. Por la misma razón volvió a interesarse por su clave, que seguía indescifrable sobre su mesa. RES = COSA.

COSA. Muy bien. Se trataba tal vez de adquirir muchas cosas. Hizo entonces una lista de lo que le faltaba y se dio cuenta que le faltaba todo. Un avión, por ejemplo, un caballo de carrera, un mayordomo hindú, una corbata con puntitos rojos, una lupa y así indefinidamente. Otra vez se encontraba enfrentado al infinito. Decidió entonces que lo que debía hacer era la lista de las cosas que tenía y empezó por su dormitorio: una cama, una mesa de noche, dos sábanas, dos frazadas, tres lámparas, un ropero, pero apenas había llenado algunas hojas de su cuaderno se encontró con problemas insolubles: las figuras del empapelado, por ejemplo, ¿eran una o varias cosas? ¿Tenía que anotar y describir una por una? Y si salía a la huerta, ¿tenía que contar los árboles y más aún los duraznos y peor todavía las hojas? Era una estupidez, pero también por ese lado lo cercaba el infinito. Pensó incluso que si no poseyera sino su cuerpo hubiera pasado años contando cada poro, cada vello y catalogando estas cosas, puesto que le pertenecían. Es así que tirando su inventario al aire examinó nuevamente su fórmula e invirtiéndola se acodó frente a la palabra SER.

Y esta vez le resultó luminosa. SER era no solamente un verbo en infinitivo sino una orden. Lo que él debía hacer era justamente SER. Se interrogó entonces sobre lo que debía ser y en todo caso descubrió que lo que nunca debía haber sido era lo que en ese momento estaba siendo: un pobre idiota ro-

deado de vacas y eucaliptos, que se pasaba días íntegros encerrado en una casa baldía combinando letras en un cuaderno.
Algunos proyectos de SER le pasaron por la cabeza. SER uno
de esos dandis que se paseaban por el jirón de la Unión di-
ciéndoles piropos a las guapas. SER un excelente lanzador de
jabalina y ganar aunque sea por unos centímetros a esa especie de caballo que había en el colegio y que arrojaba cualquier
objeto, fuera redondo, chato o puntiagudo, a mayor distancia
que nadie. O ser, ¿por qué no?, lo que siempre había querido
ser, un violinista como Jascha Heifetz[161], por ejemplo, cuya
foto vio muchas veces de niño en la revista *Life,* tocando su
instrumento con los ojos cerrados, ante una orquesta vestida
de impecable smoking y un auditorio arrebatado.

La idea no le pareció mala y desenterrando su instrumento
lo sacó de su funda y reinició los ejercicios de su niñez. A esta
tarea se aplicó con un rigor que lo sorprendió. En un par de
meses, a razón de cinco o seis horas diarias, alcanzó una habi-
lísima digitación y meses después ejecutaba ya solos y sonatas
con una rara virtuosidad. Pero como había llegado a un tope
tuvo necesidad de un profesor. La posibilidad de tener que
viajar para ello a Lima lo desanimó. Felizmente, como a veces
ocurre en la provincia, había un violinista oscuro, que tocaba
en misas, entierros y matrimonios y que era músico y ejecu-
tante genial, a quien el hecho de medir un metro treinta de es-
tatura y haber vivido siempre en un pueblo serrano lo habían
sustraído a la admiración universal. Rómulo[162] Cárdenas se
entusiasmó con la idea de darle clases y sobre todo vio en ello
la posibilidad de realizar el sueño de toda su vida, incumpli-
do hasta entonces, pues era el único violinista de Tarma: tocar alguna vez el concierto para dos violines de Juan Sebastián Bach.

Pero allí estaba Silvio Lombardi. Durante semanas Rómulo vino todos los días a El Rosedal y ambos, encerrados en la
antigua capilla, trabajaron encarnizadamente y lograron poner a punto el concierto soñado. Los Pumari no podían entender cómo este par de señores se olvidaban hasta de comer

---

161 Virtuoso violinista lituano (1901-1987).
162 Puestos a jugar, añádase Rómulo Enseña a Silvio.

para frotar un arco contra unas cuerdas produciendo un sonido que, para ellos, no los hacía vibrar como un huayno[163].

Silvio pensó que ya era tiempo de pasar de la clandestinidad a la celebridad[164] y tomó una determinación: dar un concierto con Cárdenas. E invitar a El Rosedal a los notables de Tarma, para retribuirles así todas sus atenciones. Hizo imprimir las tarjetas con quince días de anticipación y las distribuyó entre hacendados, funcionarios y gente de paso. Paulo Pumari repintó la vieja capilla, colocó bancas y sillas y convirtió la vetusta habitación en un auditorio ideal.

Los hacendados tarmeños recibieron la invitación perplejos. ¡Lombardi invitaba a El Rosedal y para escucharlo tocar el violín a dúo con ese enano de Cárdenas! No se decía en la invitación si habría luego comida o baile. Muchos tiraron la tarjeta a la papelera, pensando luego decir que no la habían recibido, pero algunos se constituyeron el sábado en la hacienda de Silvio. Era una ocasión para echar una mirada a esa tierra evasiva y ver cómo vivía el italiano.

Silvio había preparado una cena para cien personas, pero sólo vinieron doce. La gran mesa que había hecho armar bajo las arcadas tuvo que ser desmontada y terminaron todos en el comedor de diario, en los altos de la casa. Después del café fueron a la capilla y se dio el concierto. Mientras ejecutaban la partitura Silvio comprobó de reojo que sólo había once personas y nunca pudo descubrir quién era el duodécimo que se escapó o que se quedó en el comedor tomándose un trago más o repitiendo el postre. Pero el concierto fue inolvidable. Sin el socorro de una orquesta, Silvio y Rómulo se sobrepasaron, curvado cada cual sobre su instrumento crearon en esos momentos una estructura sonora que el viento se llevó para siempre, perdiéndose en las galaxias infinitas. Los invitados aplaudieron al final sin ningún entusiasmo. Era evidente que les había pasado por las nari-

---

[163] Música y baile de carácter movido, muy popular en Bolivia, Perú y Ecuador.
[164] Ha de leerse *celebridad* y no *severidad* como aparece, por error, en la edición de Milla Batres y se repite luego en los *Cuentos completos*.

ces un hecho artístico de valor universal sin que se diesen cuenta. Más tarde, con los tragos, felicitaron a los músicos con frases hiperbólicas, pero no habían escuchado nada, Juan Sebastián Bach pasó por allí sin que le vieran el más pequeño de sus rizos.

Silvio siguió viendo a Cárdenas y ejecutando con él en la capilla, bajo las arcadas y aun en pleno rosedal, solitarios conciertos, verdaderos incunables del arte musical, sin otros testigos que las palomas y las estrellas. Pero poco a poco fue distanciándose de su colega, terminó por no invitarlo más y refundió su violín en el fondo del armario. Lo hizo sin júbilo, pero también sin amargura, sabiendo que durante esos días de inspirada creación había sido algo, tal vez efímeramente, una voz que se perdió en los espacios siderales y que, como la luz, acabó por hundirse en el reino de las sombras. Por entonces se le cayó un incisivo y al poco tiempo otro y por flojera, por desidia, no se los hizo reponer. Una mañana se dio cuenta que la mitad derecha de su cabeza estaba cubierta de canas. La mayor parte de los vidrios de la galería estaban quebrados. En las arcadas descubrió durante un paseo peroles con leche podrida. ¿Por qué, Dios mío, donde pusiera la mirada, veía instaurarse la descomposición, el apolillamiento y la ruina?

Un paquete que recibió de Lima lo sacó un momento de sus cavilaciones. En su época de furioso criptógrafo había encargado una serie de libros y sólo ahora le llegaban: diccionarios, gramáticas, manuales de enseñanza de lenguas. Lo revisó someramente hasta que descubrió algo que lo dejó atónito: RES quería decir en catalán nada. Durante varios días vivió secuestrado por esta palabra. Vivía en su interior escrutándola por todos lados, sin encontrar en ella más que lo evidente: la negación del ser, la vacuidad, la ausencia. Triste cosecha para tanto esfuerzo, pues él ya sabía que nada era él, nada el rosedal, nada sus tierras, nada el mundo. A pesar de esta certeza siguió abocado a sus tareas habituales, en las que ponía un empeño heroico, comer, vestirse, dormir, lavarse, ir al pueblo, durar en suma y era como tener que leer todos los días la misma página de un libro pésimamente escrito y desprovisto de toda amenidad.

Hasta que un día leyó, literalmente, una página diferente. Era una carta que le llegó de Italia: su prima Rosa le comunicaba la muerte de su padre, don Luigi Cellini, el lejano tío que don Salvatore había detestado tanto. Rosa había quedado en la miseria, con una hija menor, pues su marido, un tal Lucas Settembrini, había fugado del hogar años antes. Le pedía a Silvio que la recibiera en la hacienda, ocuparía el menor espacio posible y se encargaría del trabajo que fuese.

Si el viejo Salvatore no estuviese ya muerto hubiera reventado de rabia al leer esta carta. Así pues se había roto el alma durante cuarenta años para que al final su propiedad albergara y mantuviera a la familia del abusivo Luigi. Pero no fueron estas consideraciones lo que movieron a Silvio a dilatar su respuesta, sino la aprensión que le producía tener parientes metidos en la casa. Adiós sus hábitos de solterón, tendría que afeitarse, quitarse el saco de pijama, comer con buenos modales, etcétera. Como no sabía qué buen pretexto invocar para denegar el pedido de su prima, decidió mentir y decirle que iba a vender la hacienda para emprender un largo viaje alrededor del mundo que culminaría, según le pareció un buen remate para su embuste, en un monasterio de Oriente, dedicado a la meditación.

Cuando resolvió escribir su respuesta cogió la carta de la prima para buscar la dirección y la releyó. Y sólo al final de la misiva notó algo que lo dejó vibrando, en una difusa ensoñación: su prima firmaba Rosa Eleonora Settembrini. ¿Qué había en esta firma de particular? No tuvo necesidad de romperse la cabeza. Las iniciales de ese nombre formaban la palabra RES.

Silvio quedó indeciso, apabullado, sin saber si debía dar crédito a este descubrimiento y llevar su indagación adelante. ¿Estaría al fin en posesión del verdadero sentido de la clave? ¡Tantas búsquedas había emprendido, seguidas de tantas decepciones! Al fin decidió someterse una vez más a los designios del azar y contestó la carta afirmativamente, enviando además, como pedía su prima, el dinero para los pasajes.

Las Settembrini llegaron a Tarma al cabo de tres meses, pues por economía habían viajado en un barco caletero que se detuvo en todos los puertos del mundo. Silvio había hecho arreglar para ellas dos dormitorios en un ala apartada de los altos. Ambas aparecieron en El Rosedal sin previo aviso, en la camioneta del mecánico Lavander, que excepcionalmente hacía de taxi. Silvio aguardaba el atardecer en una perezosa de la galería y se acariciaba la barba rojiza atormentado por uno de los tantos problemas que le ofrecía su vida insípida: ¿debía o no venderle uno de sus sementales a don Armando Santa Lucía? Apenas ellas atravesaron el portón y se detuvieron en el patio de tierra, seguidas por Lavander que cargaba las maletas, Silvio se puso de pie movido por un invencible impulso y tuvo que apoyarse en la baranda de madera para no caer.

No era su prima ni por supuesto Lavander lo que lo sacudieron sino la visión de su sobrina que, apartada un poco del resto, observaba admirativa la vieja mansión, con la cabeza inclinada hacia un lado: esa tierra secreta, ese reino decrépito y desgobernado, recibía al fin la visita de su princesa. Esa figura no podía proceder más que de un orden celestial, donde toda copia y toda impostura eran imposibles.

Roxana debía tener quince años. Silvio comprobó maravillado que su italiano, que no hablaba desde que murió su madre, funcionaba a la perfección, como si desde entonces hubiera estado en reserva, destinado a convertirse, por las circunstancias, en una lengua sagrada. Su prima Rosa, contra su promesa, ocupó desde el comienzo toda la casa y toda la hacienda. Avinagrada y envejecida por la pobreza y el abandono de su marido, se dio cuenta de que El Rosedal era más grande que el pueblo de Tirole, que alguien podía tener más de cien vacas y se aplicó al gobierno del fundo con una pasión vindicativa. Una de las primeras cosas que ordenó, puesto que Silvio formaba parte de la hacienda, fue que reparara su dentadura, así como hizo reponer todos los vidrios rotos de la galería. Silvio no volvió a ver más camisas sucias tiradas por el suelo, porongos[165] con leche podrida en los pasillos, ni cerros de duraznos comidos por los moscardones al pie de los frutales. El Rosedal comenzó a fabricar quesos y mermeladas

---

[165] Peruan., recipiente de hojalata que sirve para la venta de leche.

y, saliendo de su estacionamiento, entró en una nueva era de prosperidad.

Roxana había cumplido los quince años en el barco que la trajo y parecía que los seguía cumpliendo y que nunca dejaría de cumplirlos. Silvio detestaba la noche y el sueño, porque sabía que era tiempo sustraído a la contemplación de su sobrina. Desde que abría los ojos estaba ya de pie, rogándole a Etelvina Pumari que trajera la leche más blanca, los huevos más frescos, el pan más tibio y la miel más dulce para el desayuno de Roxana. Cuando en las mañanas hacía con ella el habitual paseo por la huerta ingresaba al dominio de lo inefable. Todo lo que ella tocaba resplandecía, su más pequeña palabra devenía memorable, sus viejos vestidos eran las joyas de la corona, por donde pasaba quedaban las huellas de un hecho insólito y el perfume de una visita de la divinidad:

El embeleso de Silvio se redobló cuando descubrió que Roxana tenía por segundo nombre Elena y que, apellidándose Settembrini, reaparecía en sus iniciales la palabra RES, pero cargada ahora de cuánto significado. Todo se volvía clarísimo, sus desvelos estaban recompensados, había al fin descifrado el enigma del jardín. De puro gozo ejecutó una noche para Roxana todo el concierto para violín de Beethoven, sin comerse una sola nota, se esmeró en montar bien a caballo, se tiñó de negro la parte derecha de su pelambre y se aprendió de memoria los poemas más largos de Rubén Darío, mientras Rosa se incrustaba cada vez más en la intendencia de la hacienda, secundada por la tribu desconcertada de los Pumari, y dejaba que su primo se deleitara en la educación de su hija.

Silvio había concebido planes grandiosos: fundar y financiar una universidad en Tarma, con una pléyade de profesores ricamente pagados, para que Roxana pudiera hacer sus estudios como alumna única; enviar sus medidas a costureros de París para que regularmente le expidieran los modelos más preciosos; contratar un cocinero de renombre ecuménico con la misión de inventar cada día un plato nuevo para su sobrina; invitar al Papa en cada efemérides religiosa para que celebrara la misa en la capilla de la hacienda. Pero naturalmente que tuvo que reajustar estos planes a la modestia de sus recursos y se limitó a ponerle una profesora de español y otra de canto, hacerle sus trajes con una solterona del lugar y obligar a Basilia Pumari a que se pusiese delantal y toca al servir, lo que arruinó su belleza nativa y la convirtió en un mamarracho colosal.

Este período de beatitud empezó en un momento a enmohecerse. Silvio notó que Roxana disimulaba a veces un bostezo tras su mano cuando él hablaba o que el foco de su mirada estaba situado en un punto que no coincidía con su presencia. Silvio le había narrado ya diez veces su infancia y su juventud, adornándolas con la imaginación de un cuentista persa, y le había ejecutado en interminables veladas toda la música para violín que se había escrito desde el Renacimiento. Roxana, por su parte, conocía ya de memoria toda la hacienda, no había alcoba en la cual no hubiera introducido su grácil y curiosa naturaleza, era incapaz de extraviarse en el laberinto del jardín, para cada árbol de la huerta tenía una mirada de reconocimiento, todos los meandros del río conservaban la huella de sus pisadas y los eucaliptos del bosque la habían adoptado como su deidad.

Pero había algo que Roxana ignoraba: la palabra escondida en el rosedal. Silvio no le había hablado nunca de esto, pues era su más preciado secreto y quien quisiese descubrirlo tenía, como él, que pasar por todas las pruebas de una iniciación. Pero como Roxana tendía cada vez más a distraerse y su espíritu se escapaba a menudo de los límites de la heredad, decidió recobrar su atención poniéndola sobre la pista de este enigma. Le dijo así un día que en la hacienda había algo que ella nunca encontraría. Picada su curiosidad, Roxana reanudó sus andares por la hacienda, en busca de lo oculto. Silvio no le había dado mayores indicios y ella no sabía en consecuencia si se trataba de un tesoro, de un animal sagrado o de un árbol de la Sabiduría. En sus recorridos parecía que iba encendiendo las luces de habitaciones invisibles y Silvio tras ella, sombrío, apagándolas.

Como al cabo de un tiempo no descubría nada se irritó, exigió más detalles y como Silvio rehusó dárselos se molestó diciéndole que era malo y que ya no lo quería. Silvio quedó muy afligido, sin saber qué partido tomar. Fue entonces cuando Rosa salió de la sombra y le dio el golpe de gracia.

Rosa había puesto ya orden en la hacienda y dado por concluida la primera etapa de su misión. Esa codiciada propiedad, más floreciente que nunca, les pertenecería de pleno derecho cuando Silvio desapareciera. Pero había otras propiedades más grandes en Tarma. En sus frecuentes viajes a la ciudad había tenido ocasión de informarse e incluso de visitar fundos con miles de cabezas de ganado. Para acceder a ellos tenía un instrumento irreemplazable: Roxana.

Inversamente, los ganaderos tarmeños habían intuido que la presencia de esa niña era tal vez la ocasión soñada para entrar al fin en posesión de El Rosedal. Roxana nunca había puesto los pies en Tarma, cautiva como la había tenido el encanto de la hacienda y los cuidados de Silvio, pero se sabía de ella y de su belleza por los decires de sus profesoras.

De este modo, intereses contrarios pero convergentes se pusieron simultáneamente en marcha, con fines mezquinamente nupciales, que implicaban a la postre la sustracción de Roxana al imperio de su tío.

Todo coincidió con la feria de Santa Ana y con el aniversario de Roxana, que cumplía dieciséis años. Rosa dijo que ya era tiempo de que esa niña frecuentara un poco de mundo, al mismo tiempo que una delegación de hacendados vino a El Rosedal para rogarle a Silvio que fuera mayordomo de la feria. Esto último era más que un honor una dignidad, perseguida por todos los señores, pero que implicaba en contrapartida la organización de grandes y costosos festejos en los que participaba toda la comunidad.

Silvio se dijo por qué no, quizás la solución era que Roxana se distrajera, eso le devolvería el resplandor que día a día iba perdiendo y tal vez el júbilo de vivir en El Rosedal.

Decidió entonces reunir el aniversario de su sobrina y la feria en una gran fiesta, en cuyo preparativo se abocó durante un mes como si fuese el hecho más importante de su vida. Hizo aplanar y arreglar el patio de la hacienda, repintar nuevamente la fachada, colocar maceteros con flores en las arcadas, adornar con faroles la galería y limpiar los senderos del jardín y la huerta de pétalos y frutos caídos. Aparte de ello contrató artificieros chinos para el castillo de fuego, un elenco de bailarines de Acobamba, otro de músicos de Huancayo y un equipo de maestros de la pachamanca[166] para que cocieran bajo tierra reses, puercos, carneros, gallinas, cuyes[167] y palomas, aparte de todas las legumbres y hortalizas del valle. En cuanto al bar, dio carta blanca al Hotel Bolívar de Tarma para que surtiera la reunión de todas la bebidas regionales y extranjeras.

La fiesta pasó a los anales de la provincia. Desde antes del mediodía empezaron a llegar los invitados por los cuatro caminos del mundo. Algunos vinieron en automóvil, pero la mayor parte en caballos ricamente enjaezados, con arneses y estribos de plata repujada. Los hombres llevaban el traje tradicional: botas de becerro, pantalón de montar de pana, chaqueta de cuero o paño, pañuelo anudado al cuello, sombrero de fieltro y poncho terciado al hombro, esos ponchos de vicuña tan finamente tejidos que pasaban íntegros por un aro de matrimonio. Las mujeres se habían dividido entre amazonas y ciudadanas, según fueran esposas de hacendados o de funcionarios. Serían en total unas quinientas personas, pues Silvio había invitado a propietarios de lugares tan lejanos como Jauja, Junín o Chanchamayo. Y de estas quinientas personas casi la mitad eran hijos de los hacendados. No se sabía de dónde habían salido tantos. Vestidos al igual que sus padres, pero en colores más vivos, casi todos en briosas cabalgaduras, formaron de inmediato como un bullicioso corral de arrogantes gallitos, cada cual más apuesto y lucido que el otro.

Todo se desarrolló de acuerdo a lo previsto, salvo el instante en que Roxana se hizo presente y abrió una grieta de silencio y de estupor en la farándula. Rosa había imaginado una puesta en escena teatral: alfombrar la escalera que bajaba de la galería y hacerla descender al son de un vals vienés. Silvio pensó algo mejor: hacerla aparecer desde los aires gracias a un

---

[166] Voz quechua, método para asar la carne entre piedras calientes en el interior de la tierra (*pacha*).
[167] Americ., cobaya.

procedimiento mecánico o extraerla de una torta descomunal. Pero finalmente renunció a estos recursos barrocos, confiado en la majestad de su sola presencia y simplemente hubo un momento en que Roxana estuvo allí y todo dejó de existir.

Un círculo enmudecido la rodeó y nadie se atrevía a avanzar ni a hablar. A Silvio mismo le costó trabajo dar el primer paso y tuvo que hacer un esfuerzo para acercarse a la dama más próxima y presentarle a su sobrina. Los saludos continuaron y el barullo se reinició. Pero otro círculo más restringido se formó, el de los jóvenes, que luego de la presentación ensayaban la galantería. Enamorados fulminantemente y al unísono, hubieran sido capaces de batirse a trompadas o fuetazos si es que la presencia de sus padres y un resto de decoro no los obligara a cierta continencia.

Después de los aperitivos y del almuerzo empezó el baile. Silvio lo inauguró en pareja con Roxana, pero sus obligaciones de anfitrión lo pusieron en brazos de señoras que lo fueron alejando cada vez más del foco de la reunión. Desde la periferia vio cómo Roxana iba siendo solicitada por una interminable hilera de bailarines, que se esforzaban por cumplir esa tarde la más brillante de sus performances. ¡Y eran tantos, además, que nunca terminaría de conocerlos! El baile prosiguió interrumpido por brindis, bromas y discursos hasta que Silvio compartido entre atenciones a señoras y apartes con señores, se dio cuenta que Roxana hacía rato que no cambiaba de pareja. Y su caballero era nada menos que Jorge Santa Lucía, joven agrónomo reputado por la solidez de su contextura, la grandeza de su hacienda, la amenidad de su carácter y la hermosura de sus pretendientes. En el torbellino los perdió de vista, iba oscureciendo, tuvo que dar órdenes para que iluminaran los faroles de la galería y nuevamente regresó al patio, la mirada indagadora en el ánimo inquieto. Roxana seguía bailando con su galán y nunca vio en su rostro expresión de tan arrobadora alegría.

Aún hizo otros brindis, bailó incluso con su prima Rosa que se enroscó en sus hombros como una melosa bufanda, ordenó que fueran previniendo a los artificieros y cuando oscurecía se sintió horriblemente cansado y triste. Era el alcohol tal vez, que casi nunca probaba, o el ajetreo de la fiesta o el exceso de comida, pero lo cierto es que le provocó retirarse a los altos y lo hizo sin que nadie se percatara de ello o intentara retenerlo. Apoyado en el barandal, en la penumbra, contempló la fiesta, su fiesta que iba cobrando un ritmo frenético a medida que pasaban las horas. La orquesta tocaba a rabiar, las parejas sacaban polvo del suelo con sus zapateos, los bebedores copaban la mesa del bar, bailarines acobambinos disfrazados de diablos ensayaban saltos mortales cerca de las arcadas. Y Roxana, ¿dónde estaba? En vano trató de ubicarla. No era ésta, ni ésta, ni ésta. ¿Dónde la fontana de fuego, la concha de la caverna oscura, la doble manzana de la vida?[168].

Desalentado entró en su dormitorio, cogió su violín, ensayó algunos acordes y salió con su instrumento a la galería. La recorrió de un extremo a otro hasta que se detuvo frente a la puerta que llevaba al minarete. Hacía años que no subía. La puerta tenía un viejo cerrojo del cual sólo él conocía el secreto. Luego de abrirlo trepó trabajosamente por los peldaños apolillados y las cuerdas vencidas. Al llegar al reducido observatorio cubierto de tejas observó el rosedal y buscó el dibujo. No se veía nada, quizás porque no había bastante luz. Por algún lado lucía una mata de rosas blancas, por otro una de amarillas. ¿Dónde estaba el mensaje? ¿Qué decía el mensaje? En ese momento empezaron los fuegos de artificio y el cielo resplandeció. Luminarias rojas, azules, naranja, ascendían alumbrando como nunca el rosedal. Silvio trató otra vez de distinguir los viejos signos, pero no veía sino confusión y desorden, un caprichoso arabesco de tintes, líneas y corolas. En ese jardín no había enigma ni misiva, ni en su vida tampoco[169]. Aún intentó una nueva fórmula que improvisó en el instante: las letras que alguna vez creyó encontrar correspon-

---

[168] Expresiones todas alusivas al sexo femenino.
[169] Una de las últimas *Prosas apátridas* destila idéntico aroma amarillo y tristísimo: «Nunca he podido comprender el mundo y me iré de él llevándome una imagen confusa. Otros pudieron o creyeron armar el rompecabezas de la realidad y lograron distinguir la figura escondida, pero yo viví entreverado con las piezas diversas, sin saber dónde colocarlas. Así, vivir habrá sido para mí enfrentarme a un juego cuyas reglas se me escaparon y en consecuencia no haber encontrado la solución del acertijo» (ed. cit., págs. 179-180).

dían correlativamente a los números y sumando éstos daban su edad, cincuenta años, la edad en que tal vez debía morir. Pero esta hipótesis no le pareció ni cierta ni falsa y la acogió con la mayor indiferencia. Y al hacerlo se sintió sereno, soberano. Los fuegos artificiales habían cesado. El baile se reanudó entre vítores, aplausos y canciones. Era una noche espléndida. Levantando su violín lo encajó contra su mandíbula y empezó a tocar para nadie, en medio del estruendo. Para nadie. Y tuvo la certeza de que nunca lo había hecho mejor[170].

(París, 1976)

---

[170] Si se recuerda que Ribeyro tenía casi la misma edad de Silvio cuando escribe el cuento, podría ensayarse la sugestiva interpretación autobiográfica: «carezco realmente de un público y así estoy condenado como Silvio a tocar mi violín solo en lo alto de mi casa, mientras abajo se desarrolla la fiesta». Pero el cuento acoge una dimensión alegórica mucho más amplia. Cuál sea el sentido de la existencia queda, desde luego, por dilucidar, mas la búsqueda imposible de Silvio se justifica en sí misma. En alguna entrevista Ribeyro recordó cómo con el cuento había querido expresar una idea surgida de su interés por la alquimia, a saber, que lo importante es el esfuerzo desplegado y no la meta a la que se arriba.

La juventud
en la otra ribera[171]

No eran ruiseñores ni alondras[172], sino una pobre paloma otoñal que se espulgaba en el alféizar de la ventana. El doctor Plácido Huamán[173] la vio desde la cama mover la ágil cabeza y enterrar el pico en su pechuga. Solange dormía a su lado, de perfil sobre el almohadón. La malla negra colgaba de una silla y en la pared la naturaleza muerta del pintor famélico recibía un dardo de luz que la recalentaba.

El doctor estiró un brazo hasta la mesa de noche para coger un cigarrillo. Mientras fumaba trató de recordar en orden los incidentes, los pequeños hechos que se habían ido enca-

---

[171] La primera edición es de 1973 (Lima, Mosca Azul Editores), recogido luego en el tomo tercero de *La palabra del mudo*. El cuento iba precedido de un epígrafe de Proudhon («La mujer es la desolación del justo») que se eliminó en las ediciones posteriores.
A medio camino entre el cuento largo y la novela corta, puede considerársele como una *nouvelle* jamesiana por su enfoque del americano ingenuo burlado en el Viejo Mundo.
[172] La alondra, anunciadora del día, frente al ruiseñor que hechiza las noches de vigilia. «En la famosa escena V del acto III de *Romeo y Julieta,* el ruiseñor se opone a la alondra como el chantre del amor en la noche que acaba se opone al mensajero del alba y de la separación; si los dos amantes escuchan la calandria permanecen unidos, pero se exponen a la muerte; si creen en la alondra salvan la vida pero se han de separar.» Jean Chevalier y Alain Gheerbrant, *Diccionario de los símbolos,* Barcelona, Herder, 1991, pág. 900.
[173] La palabra quechua *Waman* significa «halcón». A señalar no sólo la lograda antífrasis en nuestro Plácido Huamán, sino el sentido irónico, demoledor, aplicado a quien más bien resultará presa que cazador.

denando en esos tres días hasta culminar en esa aventura que él inscribía ya, decididamente, en las páginas de oro de su vida. Solange, la joven, la rubia, la comestible Solange durmiendo al lado de un hombre que pasaba de los cincuenta años y que había hecho escala en París sin otra intención que visitar algunos museos, comprar cartas postales y regalarse en Pigalle[174] con alguna fornicación venal. Pero todo ello había resultado diferente porque se le ocurrió, apenas llegó al hotel, salir sin abrir su equipaje, sentarse en la terraza de un café, precisamente de ese café, y pedir una copa de vino[175].

Esa terraza era una vitrina, un palco, una canasta de flores, un acuario, todo lo que puede haber de ameno, oloroso, tamizado y etéreo en un ancho y caliente boulevard ruidoso. La muchacha estaba sentada en la mesa vecina tomando un expreso y el doctor Huamán, con esa audacia que da el llegar a una ciudad extranjera, en la cual uno es para sí mismo un extranjero, la saludó y la invitó a acercarse a su mesa. Y contra todas sus esperanzas Solange estaba sentada a su lado, con sus blue jeans manchados de pintura, pidiendo otro expreso y hablando de sus estudios de decoración, de esa época mercantilista en la cual, desgraciadamente, no había cabida para la verdadera creación.

—Por eso tendré que ganarme la vida arreglando vitrinas, cuando en realidad lo que me gusta es pintar.

El doctor, apelando a sus estudios de francés, a las palabras que sabía de inglés y de italiano, se fue construyendo un idioma babélico que Solange encontró no sólo inteligible sino pintoresco y así pudo explicarle que era la primera vez que venía a Europa, que había sido invitado a un congreso de edu-

---

[174] Plaza parisina, en las laderas de Montmartre, en cuyos alrededores existen numerosos cabarets. El lector sabrá reconocer, más adelante, los jalones del itinerario turístico del doctor en París, ciudad en la que Ribeyro llevaba ya casi veinte años.

[175] El tema del azar es constante en la narrativa ribeyreana. Después de aclarar la base real de la anécdota, Ribeyro reconocía cómo «Lo que había de atractivo para mí en esta historia era cómo un encuentro casual puede decidir tu destino, cómo el azar te hace a veces presa de un mecanismo al término del cual está tu propia muerte». Parecida reflexión en *Prosas apátridas,* ed. cit., página 137.

cación en Ginebra y que desde su adolescencia soñaba con vivir en París.

—Pero venir a los cincuenta años es diferente. A esa edad, verdaderamente, la juventud está ya en la otra ribera.

Solange no lo contradijo. Acotó más bien que había un placer para cada edad y habló, por ejemplo, de las delicias de la gastronomía, de las salsas que acompañaban a cada carne, de los quesos que se conjugaban con tales vinos y tanta elocuencia puso en esta disertación que el doctor Huamán, después de beber su tercer vino, no pudo resistir la tentación de invitarla a cenar.

—A condición, claro, que usted elija el lugar.

Solange lo condujo a un restaurante minúsculo y en apariencia populachero, pero cuya elegancia residía en su desgaire, en su imitación cautelosa de una fonda para taxistas. Los mozos, contrariamente a lo que había oído decir, fueron omnipresentes y de una cortesía un poco indecente, sobre todo cuando lo escucharon decirle a Solange si podía pagar en dólares. Y después de una ronda por los cafés de Montparnasse bebiendo algunos alcoholes, donde Solange saludó sin presentarlo a innumerables parroquianos, se encontró solo, de vuelta a su hotel, ante sus maletas cerradas, un poco borracho, aturdido por ese encuentro que él deseó más largo, pero que Solange clausuró bruscamente, dejándolo plantado en la puerta de un último bar donde la esperaban algunos amigos.

No era pues ninguna ave romántica, sino un pájaro ávido, glotón, soso y, mirándolo bien, hasta antipático, el que continuaba espulgándose al sol, en el alféizar de la ventana. El doctor Huamán comprobó que Solange seguía dormida y trató de despertarla con una caricia, pero la vio revolverse en la cama ronroneando y enterrar la cabeza en la almohada. Encendió entonces otro cigarrillo y observó complacido esa buharda, a la cual Solange lo había conducido con tanta afabilidad.

Fue al día siguiente de la cena en el comedor minúsculo. Se aprestaba a realizar su primera incursión solitaria a los museos, echando el encuentro de la víspera al saco de las experiencias truncas —lo que pudo ser, lo que nunca fue—, pero había olvidado que no hay relación perdida ni gesto que no se recoja. Solange lo estaba llamando por teléfono.

—Quería agradecerle la invitación de ayer. Como no tengo plata para retornársela, le propongo algo: servirle de cicerone. Así verá lo que vale realmente la pena y yo aprovecharé para dar un paseo.

Media hora más tarde estaban ambos al pie de la torre de Saint-Germain-des-Prés. Solange surgió aparentemente del aire pues el doctor, que giraba sobre sus talones protegiéndose del sol con un sombrero de paño, la vio de pronto a su lado con sus pantalones manchados. Obedeciendo a un instinto de cortesanía latina se descubrió, se inclinó y cogiéndole la mano le besó la contrapalma. Mano opulenta, a su juicio, tibia, manducable.

Mientras caminaban hacia el Sena por la rue Bonaparte, ante vitrinas de anticuarios cuyas delicadezas Solange le explicaba, el doctor se quejó de que tuviera que quedarse sólo tres días en París.

—El hotel es carísimo. Tengo que guardar mis dólares para comprar algo en Suiza. Y un auto en Alemania. Allá son más baratos que en Lima.

Solange había quedado contemplando un escritorio estilo Regencia, con la frente apoyada en el cristal de la tienda.

—Hay cosas que uno tiene que contentarse con desear toda la vida. Nunca podré tener un escritorio igual. Cuesta más que un viaje alrededor del mundo. ¿Cuánto está pagando en el hotel?

—Cien francos diarios, sólo por dormir.

Al llegar al Sena recorrieron el malecón observando los *bouquinistes*[176]. Las portadas de los libros se amarillaban al sol. Al lado de autores famosos se veían libros de autores oscuros que dormían allí, en sus nichos de madera, el sueño de una inalcanzable gloria. El doctor Huamán distinguió carátulas de una pornografía vistosa y compró un volumen sobre *La vida secreta en los conventos*.

---

[176] Libreros de viejo en las orillas del Sena.

—Tengo una idea —dijo Solange—. Una amiga mía que se ha ido a Londres por unas semanas me ha dejado su estudio en el Barrio Latino. Si quiere puede dejar el hotel y alojarse allí. Yo lo uso sólo cuando se me pasa la hora y no tengo tiempo de ir hasta mi casa, en Trocadero.

—Es mucha molestia —dijo el doctor.

Pero ya Solange le mostraba la fachada de Notre-Dame. El doctor quedó pasmado, sin habla, no sabiendo si admirar más la robustez del material o la fineza de las formas. Ese contraste lo sorprendió y tuvo la impresión de encontrarse ante un enigma, una sabiduría perdida.

—Pero en materia de vitrales la Sainte-Chapelle es mejor —dijo Solange—. Está aquí no más, a un paso.

El doctor se dejó conducir a la capilla gótica, luego a la isla de Saint Louis. Por la orilla derecha retornaron hasta el Louvre, recorrieron las principales salas y cuando salieron atardecía sobre los árboles dorados del Sena.

—¡Admirable ciudad! —suspiró el doctor viendo pasar una fila de barcazas por las aguas cobrizas—. Desgraciadamente en tres días no podré ver mucho. Estaba pensando en lo que dijo enantes, lo del estudio de su amiga.

—Es apenas un cuarto, pero no le costará nada. Podrá quedarse allí el tiempo que quiera.

—A las ocasiones no hay que dejarlas pasar. Aceptado. ¿Cómo hay que hacer para ir allí?

—Vaya al hotel por sus maletas. No tiene más que cruzar el puente. Yo lo esperaré a las siete en la puerta del estudio.

Era un antiguo hotel en la rue De la Harpe, convertido ahora en estudios amoblados. Guiado por Solange el doctor Huamán subió con entusiasmo los primeros pisos, cargando sus dos maletas de cuero. En el cuarto piso comenzó a resollar y llegó extenuado, arrastrando su equipaje al piso octavo, donde Solange abría una puerta enana.

Pero le bastó cruzarla para respirar al fin ese ambiente de bohemia con el que de joven tantas veces había soñado. Era la típica buhardilla parisina donde se vive un gran amor, se escribe alguna obra maestra o se muere en la desolación y el olvido. En las paredes había afiches y un mural que representaba una naturaleza muerta, obra tal vez de algún artista desnutrido que había aplacado su hambre pintando carnes rosadas, frutas del trópico y legumbres pomposas. Aparte de la cama, había una mesa sin mantel, dos sillas, un armario y un lavatorio, ante cuyo espejo Solange rehacía su peinado.

—Esto es París —dijo el doctor quitándose el sombrero para acercarse a la ventana.

Vio los tejados, las chimeneas, la rue Saint Severin y al fondo el tráfico del boulevard Saint Michel. Y hubiera quedado horas en contemplación si Solange no lo tocara del hombro[177] para decirle que quizás deberían ir a cenar.

—¿Al mismo restaurante que ayer?

—No. Es un lugar muy caro. Por aquí hay cantidad de sitios donde uno se come un bistec con papas fritas por nada.

Solange no le propuso esta vez, después de la cena, dar una vuelta por los cafés del barrio. El doctor Huamán se sintió un poco decepcionado. Apenas consiguió que le prometiera acompañarlo al día siguiente a comprar unos encargos que le había hecho su mujer. Como estaba cansado no se animó a salir solo. Tendido en la cama trató de leer sin comprender nada su libro erótico, evocó la Venus de Milo y otras esculturas que viera en el museo y se durmió pensando que ni la literatura ni el arte reemplazaban a la vida, que más valía, por fugaz y perecedera que fuera, una mujer viviente, más que todas las bellas estatuas de la tierra.

Esta vez se habían dado cita en la plaza de la Ópera. Solange, para aventurarse por esos barrios céntricos había reemplazado sus blue jeans por una minifalda, que dejaba al descubierto sus piernas embutidas en una malla negra calada en rombos.

El doctor Huamán se dejó conducir a las galerías Lafayette. Le bastó cruzar la mampara de vidrio para sentirse acarreado por el brazo mayor de un torrente de compradores que, haciéndole perder contacto con Solange, lo llevaron consigo entre anaqueles de perfumería, castillos de sombreros y pelucas postizas y, dirigiéndolo hacia una escalera mecánica, lo elevaron hacia los pisos superiores entre millares de impermeables,

---

[177] *tocara del hombro:* galicismo.

batas y paraguas, maniquíes que avanzaban delicadamente hacia él sus largos brazos desnudos y alfombras, mesas, cocinas, osos de peluche dorado y al fin, cuando desembocaba en otro piso de esa versión climatizada de los mercados orientales, donde empleados circunspectos y muy bien peinados custodiaban muestrarios infinitos de corbatas y calcetines, se vio recuperado por Solange, que lo invitaba a seguirlo hacia el piso inferior preguntándole qué talla tenía su mujer y cuánto calzaba.

—Es baja. Diría casi que le llevas una cabeza. Es baja y flaca.

Esta vez Solange lo cogió del brazo y durante una hora fue un interminable discurrir por pasajes y ascensores, discutir con empleadas ariscas, asistir a exhibiciones, pruebas y muestras y cuando ya asfixiado, cargado de paquetes, se sentía desfallecer, cayeron en un recinto ideal, un espacio lleno de geishas que los abanicaban, los perfumaban con sándalo, mostrándoles porcelanas, túnicas de seda natural, objetos tallados en madera de una absoluta inutilidad, cigarreras de laca, juegos incomprensibles y sutiles, en lo que una banderola anunciaba como Exposición japonesa.

El doctor Huamán, debatiéndose entre su maravillamiento y su cansancio, optó por quejarse, pero Solange tocaba ya objetos de jade, ceniceros humosos, tazas frágiles como un pétalo y se hacía mostrar echarpes[178] impalpables con dibujos a pluma y pantuflas bordadas, discutiendo de nuevo con esas falsas geishas que hablaban perfectamente un francés insolente y que no eran otra cosa que vietnamitas disfrazadas. Finalmente se encontraron descendiendo por la escalera mecánica, efectuando un corte vertical en ese palacio del consumo, que les mostraba sucesivamente, a vuelo de pájaro, ropa, muebles, juguetes, pero cuando el doctor Huamán creía que esa bajada los conducía por fortuna a la calle, Solange lo hizo atravesar el piso para penetrar en un subsuelo donde se exhibía medio millar de abrigos de ante de todos los colores. Al ver su deslumbramiento, el doctor se conmovió.

---

[178] Del francés, *écharpe*: chal.

—Yo había pensado ofrecerle algo, pues ha sido tan amable conmigo. ¿Le gusta uno de esos abrigos?

Solange no se hizo de rogar, eligió uno color turquesa, de paso una cartera que hacía juego y minutos después estaban en la calle, buscando inútilmente un taxi.

—Creo que podemos ir a pie.

El doctor se resignó a caminar por la avenida de la Ópera. Se sorprendió de no ver el mismo tipo de gente que en el Barrio Latino. Se cruzaban con turistas, viejos de lento andar, hombres como él, con sombrero y chaleco, provenientes de las provincias subecuatoriales del mundo.

—Por aquí no se ven muchos jóvenes —resopló.

—Estamos en la orilla derecha. La juventud, realmente, está en la otra ribera.

La lluvia se desató cuando llegaban al estudio. Acodados en el alféizar veían anegarse la rue De la Harpe, abrirse los paraguas y correr a los transeúntes. Esa agua otoñal era capaz de ahogar todo, pero ese día prístino, se dijo el doctor, flotaría en la tormenta, en su recuerdo, como el arca privilegiada que se libró del naufragio.

Solange abrió su paquete de compras mientras le preguntaba distraídamente por su vida, por su trabajo. El doctor Huamán, que pertenecía al género amestizado[179] y hermético, respondía con parquedad. Le habló un poco de sus veinte años en el Ministerio de Educación, postergado, dedicado a labores técnicas y oscuras, hasta que al fin se había realizado ese congreso y no habían tenido más remedio que enviarlo.

—Tenía algunos ahorros y además en el Ministerio me dieron viáticos[180] para el viaje.

---

[179] «Nótese que Ribeyro define a Huamán *racialmente;* luego lo caracteriza *socialmente.* En el Perú, sociedad mestiza por excelencia, las dos dimensiones son bastante coincidentes; por lo que resulta admisible decir que el autor ha "postergado" al doctor precisamente a causa de su pertenencia étnica» (Wolfgang Luchting, *Estudiando a Julio Ramón Ribeyro*, ed. cit., pág. 189).

[180] «Subvención que se paga a los funcionarios para trasladarse a su punto de destino.» Añado otro significado que se aviene muy bien con la atmósfera de dobles sentidos de toda la historia: «Moneda que se ponía en la boca de los muertos para pagar a Caronte el pasaje de la Estigia.»

Mientras se probaba el abrigo turquesa, Solange le dijo que era peligroso andar con sus dólares en el bolsillo, que uno podía verse expuesto a tantos accidentes. Y como la lluvia no amainaba propuso que comieran allí en la casa, su amiga debía haber dejado algo en la despensa. En una pequeña alacena adosada a la pared encontraron un paquete de tallarines, salsa de tomate y un queso camembert. Con eso podía prepararse una comida simpática, tipo artista, improvisada, ¿no estaban acaso en París?

—Una comida bohemia —añadió el doctor Huamán y a pesar de las protestas de Solange se puso su impermeable y salió a la calle arrostrando el chaparrón en busca de pan y vino.

El queso lo encontró delicioso y más aún el beaujolais, cuya segunda botella descorchó. Solange estornudaba. Su blusa se había humedecido con el chubasco y había pescado frío.

—Mejor es que me la quite y la deje secar. Me pondré encima el abrigo.

El doctor se dirigió discretamente hacia la ventana y quedó mirando la calle. La lluvia había cesado. En uno de los cristales vio reflejada a Solange que, habiéndose quitado su blusa y su minifalda, quedó un instante en combinación, para ponerse luego el abrigo. No sintió turbación ni excitación sino refluir hacia sí una de esas tristezas antiguas, como las que lo embargaban de adolescente cuando salía de los bailes sin haber hecho cita con ninguna muchacha.

Solange se había parado sobre una silla para observarse el abrigo en el espejo del lavatorio.

—Creo que mejor me quedaba en las galerías. ¿Qué le parece?

El doctor Huamán se volvió, contempló a Solange erguida sobre la silla en una coqueta pose de modelo, pero no dijo nada. Su sombrero estaba sobre la cama. De inmediato lo cogió y poniéndoselo se dirigió hacia la puerta. Sólo le provocaba caminar sin rumbo por las calles húmedas silbando un viejo bolero.

Solange había bajado de la silla para cerrarle el paso.

—¿La gente de su país es siempre así? ¿Tiene esa cara tan triste? Fíjese, aún no le he agradecido por el regalo que me ha hecho.

El doctor vio que Solange estiraba los brazos para cogerlo de los hombros, luego ese rostro radiante, fresco que avanzaba hacia el suyo, cetrino, ajado por años de rutina, de impotencia, de sueños suntuosos e inútiles y se dejó besar, la besó, con el ardor de quien se cobra, aunque tardíamente, su desquite.

No era pues ave cantora ni pájaro agorero lo que el doctor Huamán veía en la ventana, sino un pichón pulguiento que levantaba vuelo hacia el tejado vecino donde se soleaba el resto de su tribu.

Solange había abierto un ojo y sonreía. El doctor no le dio tiempo ni de desperezarse y la atrajo rudamente hacia sí, pues no debía dejar pasar la ocasión de un puntual pero efímero rapto de virilidad matutina.

Se levantaron pasado el mediodía y Solange propuso que fueran esa tarde a ver los cuadros de Paradis.

¿Paradis?

—Es el que pintó ese mural. Lo hizo cuando era joven y vivía en este cuarto. Ahora ya se abrió camino. Sus obras se exhiben en Nueva York, Alemania.

El doctor Huamán consideró buena la idea. Nunca había conocido a un pintor, a lo mejor se animaba a comprarle un pequeño apunte y después de comerse un sándwich en el café de los bajos se encaminaron hacia Montparnasse.

Paradis estaba en un bar de la rue Delambre tomando un agua mineral. El local era pequeño y a diferencia de otros que el doctor había tenido ya oportunidad de conocer, tenía la puerta cerrada y las ventanas protegidas por gruesas cortinas. Detrás del mostrador desierto un mozo leía un periódico.

—Es el doctor Huamán, del cual te hablé. Se interesa por el arte y quisiera ver algunas cosas tuyas.

Paradis se puso de pie. Usaba anteojos redondos y negrísimos y tenía una pierna ligeramente encogida. El doctor notó que era pálido, esa palidez que sólo adquieren los tenaces adeptos de la noche.

Paradis le invitó de inmediato un coñac e inició una disertación sobre la pintura. El doctor se sintió un poco incómodo pues no podía ver ni la forma ni la expresión de sus ojos. Paradis hablaba de esa época mercantilista en la cual para triunfar en el arte era necesario comportarse como un boxeador o como un payaso.

Esta comparación le pareció al doctor cosa ya oída, tal vez se la había escuchado a Solange, pero no pudo deducir en ese momento si Paradis se la había enseñado a Solange o a la inversa.

—Espérenme aquí —dijo Paradis—. Voy a traer algunas cosas.

Al cuarto de hora regresó con media docena de telas sin marco, clavadas en sus bastidores. Lo acompañaba un hombre corpulento de espesos bigotes negros.

—Es Jimmi, un pintor marroquí.

El mozo sirvió otra tanda de coñacs y Paradis empezó a mostrar sus telas. No se necesitaba ser un experto para darse cuenta que eran abominables. Gruesas pinceladas reproducían groseramente paisajes típicos de París, Notre-Dame y sus torres truncas, el Pont Neuf, la Tour Eiffel. El doctor pidió que le volviera a mostrar la placita con una iglesia bizantina al fondo.

—La plaza du Tertre, en Montmartre. Es una de las últimas cosas que he hecho.

El doctor Huamán la examinó de cerca, mientras Solange, con su larguísimo dedo terminado en una uña mal cortada, le hacía apreciar algunos detalles de composición. Cuando preguntó el precio, Paradis le dijo que quinientos dólares.

El doctor Huamán le devolvió el cuadro.

—Muy interesante. Pero ese precio está fuera de mi alcance.

Paradis cambió de tema y habló de su juventud en Montmartre, cuando era un desconocido que vendía acuarelas en las calles. Quizás fue la mejor época de su vida, aquélla en la que vivió la poesía de la pobreza.

—Voy a hacer una excepción. Por ser amigo de Solange le dejo la tela en trescientos dólares.

El doctor Huamán se volvió a excusar, diciendo esta vez que él era muy conservador en sus gustos y que prefería en todo caso una buena reproducción de un autor clásico.

—Sí, ya sé lo que le puede gustar —dijo Paradis—. Jimmi, ¿le enseñas algo al doctor?

El hombre de los bigotes movió aprobativamente la cabeza y salió del bar. Volvió al poco rato con una carpeta de cartón verde. Era una colección de desnudos de una intención ostensiblemente pornográfica.

—Eso es lo que le interesa, ¿no? Nosotros conocemos bien los gustos de los sudamericanos. Los amateurs se pelean estos apuntes de Jimmi por cien dólares.

El doctor Huamán observó que mientras Paradis seguía elogiando las obras de su amigo, Solange se mantenía un poco apartada, mirando hacia el mostrador, tal vez al mozo que había dejado de leer su periódico para escuchar la conversación, o los anaqueles llenos de botellas.

—Lo siento mucho —dijo el doctor—. Pero repito, no me interesa este tipo de cosas.

Paradis y Jimmi cambiaron algunas palabras en una lengua desconocida para él, tal vez argot o un dialecto meridional y al fin Paradis rió ofreciéndole otra vuelta de coñac. El doctor buscó la mirada de Solange que no esquivó la suya, pero que no le comunicó nada, una mirada neutra. Entonces se puso de pie, agradeció la invitación y sugirió a Solange retirarse.

Cuando salían a la calle, Paradis los retuvo.

—Solange, ¿vienes un rato?

El doctor Huamán quedó en la acera, con su impermeable y su sombrero en la mano. Le pareció que en el interior del bar se discutía. Al instante salió Solange crispada y le pidió un cigarrillo.

—Acompáñame al Sena.

En el trayecto se tranquilizó, había hecho bien en no comprarle nada, eran precios altos y además él no tenía ninguna obligación para con sus amigos.

—¿Por qué no aprovechamos la tarde para ir a Versalles? —añadió de pronto—. En esta época no va casi gente. Sólo unos cuantos turistas otoñales, que son los más soportables.

El doctor Huamán accedió. Estaban ya cerca de la buhardilla de la rue De la Harpe.

—Entonces sube y espérame. Voy a traer mi carro.

—¿Tienes carro?

—Digamos, algo que camina. Pero no lo uso en la ciudad. Es sólo para ir al campo.

Era un viejo Citroën, latoso y abollado que traqueteando, pujando y escurriéndose entre camiones y autobuses los dejó en una hora ante el castillo de Versalles.

—Aún tenemos una hora para ver el castillo —dijo Solange.

El doctor Huamán recorrió respetuoso, con el sombrero en la mano, la galería de los Espejos, el salón Dorado, la cámara de la Reina y otros lugares que Solange, renunciando al guía oficial, le mostró sin mucha persuasión, distraída, titubeante. Cuando se acercaban al teatro de Luis XIV un guardián anunció que llegaba la hora del cierre. Por los ventanales se veía atardecer sobre el parque.

—Daremos una vuelta por allí —propuso Solange.

Un grupito de turistas regresaba del Trianón escuchando las explicaciones del cicerone. El doctor Huamán contempló mudo, con emoción, los árboles rojizos y siguió silencioso a Solange que lo conducía hacia la glorieta de la Reina.

—Estoy pensando una cosa.

Solange interrumpió sus explicaciones.

—Estoy pensando en lo que le gustaría a mi mujer ver este parque. A ella le agrada tanto la naturaleza.

Esta vez fue Solange la que quedó callada. Pasaban frente a la fuente de Neptuno. El doctor la notó agestada.

—Disculpa. No puedo evitar a veces pensar en ella. Son cosas que a uno le pasan por la cabeza. Claro, tú eres diferente. Tú eres joven.

Solange le pasó el brazo por la cintura —una cintura tiesa, como la de un ídolo de terracota— y continuaron el paseo callados. Cuando divisaron la fachada del Trianón el doctor Huamán, obedeciendo a un impulso ecológico, la atrajo hacia sí para besarla en la boca.

—Regresemos.

Solange dijo que aún no habían visto los estanques.

—¿No cierran la reja?

—A las siete.

Anduvieron aún del brazo por senderos y boscajes, en la penumbra crepuscular. Solange hablaba de su infancia en

Normandía, mientras el doctor hacía cálculos sobre el tiempo que invertirían en regresar a París y la forma prudente pero al mismo tiempo desenvuelta como debía subir los fatigantes ocho pisos de la buharda.

—Ya no se ve nada —insistió—. Regresemos.

—Claro —dijo Solange y desandando el camino se dirigieron hacia la explanada.

Cuando estuvieron en el carro, Solange, en lugar de arrancar, quedó recostada en el volante, meditando.

—Debíamos cenar acá. Hay un restaurante en Versalles que es famoso por su buey burguiñón. Ni en París lo hacen igual.

—Como quieras —dijo el doctor—. ¿Pero no se hará tarde?

—¿Tarde para qué?

—Es verdad —dijo el doctor oprimiéndole la mano.

En el Citroën recorrieron las calles de Versalles buscando el restaurante. Solange había olvidado probablemente dónde quedaba, pues pasó y repasó por los mismos lugares. Al fin se detuvo frente a un vulgar snack-bar.

—Creo que es éste.

En ese lugar no había buey burguiñón, pero ya que estaban allí se quedaron a comer un par de salchichas. El paseo les había abierto el apetito.

—Creo que mandaré un telegrama a Ginebra. Diré que no llego para la inauguración del congreso, que llegaré más tarde. ¿Qué te parece?

Cuando estaban en los quesos, Solange se levantó.

—Me había olvidado. Tengo que hablar con mi tía que parte mañana para Normandía. Un encargo para mi mamá.

El doctor la vio dirigirse a una puerta donde se leía *toilette-téléphone*. Aprovechó entonces para llenar otro vaso de vino y engullir de dos mordiscos un pedazo de gruyère. Luego eructó de placer.

—No está en casa —dijo Solange reapareciendo—. Esperaremos un rato. ¿Un café?

—¿Y si llamas de París?

—No puedo. Si no la cojo a esta hora después será muy tarde.

Entre el café y el coñac Solange fue dos veces más al teléfono y sólo a la tercera regresó diciendo que al fin había podido hablar con su tía.

—¿Entonces listos?

—Cuando quieras.

El Citroën traqueteando, pujando, emprendió el camino de regreso. Pero Solange manejaba[181] esta vez despacio, dejándose pasar hasta por los camiones. Al llegar a las afueras de París vaciló por qué puerta debía entrar. Eligió la de Orléans pero buscando esta puerta se extravió y cuando la encontró se volvió a extraviar por los barrios periféricos. El carro iba y venía por calles oscuras que se iban despoblando.

—¿Por qué no preguntas?

—Te digo que yo conozco.

Luego de interminables vueltas, cuando se acercaba la media noche, dio con el boulevard Saint Michel y finalmente se detuvo en la rue De la Harpe.

—¿Y si vamos a Montparnasse? La verdad es que no tengo sueño. Espérame aquí que subo a buscar mi abrigo de ante.

El doctor quedó en el automóvil, impaciente, fumando, mirando la puerta del amoblado. Solange no bajaba.

Cuando terminó el segundo cigarrillo descendió del automóvil y subió sosegadamente las escaleras. La puerta del cuarto estaba abierta. Desde el pasillo vio a Solange sentada en la cama con las piernas cruzadas, la cabeza entre las manos, llorando.

—¿Qué pasa?

—¡Nos han robado!

El doctor observó el cuarto y notó que no estaban sus dos maletas de cuero, ni los ternos que había dejado colgados detrás de la puerta.

—¡Se han llevado también mi abrigo de ante!

El doctor se dirigió de inmediato al armario, hurgó entre calcetines y papeles.

—Y también mi carnet con travellers.

—Deben haber entrado con una ganzúa. Cuando subí encontré la puerta entreabierta.

---

[181] Americ., conducir.

—Lo siento por tu abrigo y por mi ropa. Pero los travellers no podrán cobrarlos. Son de una cuenta especial y necesitan mi firma auténtica.

Solange dijo que era necesario presentar una denuncia en la comisaría del barrio y luego, acordándose nuevamente de su abrigo, recomenzó a gimotear.

—Si se hubieran robado mis dólares otra cosa. Pero mis dólares los llevo siempre conmigo.

Solange se calmó.

—Ya se me quitaron las ganas de ir a Montparnasse.

—Qué tanto, nos quedaremos aquí.

Solange se extendió sobre la cama y cerró los ojos. El doctor observó cómo sin transición se quedaba dormida y apagando la luz comenzó a desvestirse.

Se despertó entrada la mañana y notó que Solange no estaba. En la mesa de noche le había dejado un mensaje. Decía que tenía que llevar el carro a su casa, ver a unas amigas y que por eso le dejaba la tarde en libertad. Le daba cita para las ocho de la noche en La Coupole, Montparnasse.

Esa tarde vacante el doctor la llenó pausadamente con un nuevo paseo por el Sena, una visita a las Tullerías y una escalada a las torres de Notre-Dame, cuyos cuatrocientos escalones subió con heroísmo para observar, presa de vértigo, el panorama de París soleado. Al anochecer tomó el metro y se dirigió a Montparnasse.

Solange estaba sentada en la terraza con dos amigas. Lucienne debía tener cuarenta años y bebía un pernod. La otra era una pequeñeja con trenzas que tenía en los labios permanentemente un pitillo pestilente.

—Hay una sorpresa para esta noche —le dijo Solange—. Paradis nos ha invitado a una fiesta. Es en casa de un amigo, por el bosque de Vincennes.

El doctor Huamán objetó que en esa fiesta iba a ser un desconocido.

—Mejor —dijo Lucienne—, así es más divertido. Al tercer trago eres amigo de todo el mundo.

Paradis apareció muy bien peinado, con traje negro, anteojos negros y un pañuelo de seda blanco amarrado al cuello. Besó a Solange en ambas mejillas, a la pequeñeja en la boca y a Lucienne en la mano. De inmediato empezó a conversar con las mujeres sin darle al doctor, a quien saludó secamente, ninguna importancia. Hablaba de Petrus Borel, un hombre genial, que había organizado esa noche en su casa un *tout petit partouze*[182].

—Dijo que fuéramos temprano. Terminen su trago. Yo tengo el auto en la esquina de la rue Delambre.

Las mujeres se pusieron de pie y como el doctor hizo lo mismo, Paradis se volvió hacia él.

—¿Usted también viene?

—Yo lo he invitado —intervino Solange.

—Entonces lo llevas en tu carro.

Cogiendo con un brazo a Lucienne y con el otro a la enana, Paradis se encaminó hacia la rue Delambre. Solange condujo al doctor en la dirección contraria.

—¿Pero no habías dejado el carro en tu casa?

—Claro, pero después lo traje.

El Citroën siguió al carro de Paradis por boulevards arbolados, sombríos y tomando la orilla del Sena se dirigió hacia Nation. En una calle que daba al bosque de Vincennes se detuvo. Paradis escoltaba ya a sus pasajeras hacia la puerta de un edificio moderno y se introdujo en el ascensor con ellas. Solange y el doctor esperaron el segundo viaje y al poco rato estaban en un departamento a media luz donde un hombre calvo, moreno, cincuentón, un poco gordo, con los dedos cargados de anillos, los recibió amablemente, ofreciéndoles de inmediato cigarrillos, algo de beber, un sillón, el balcón frente al bosque, lo que quisieran. El doctor Huamán distinguió en la penumbra a varias personas sentadas en cojines, reclinadas en sofás, echadas en el suelo. Luego hizo un recuento y vio que no eran muchas. Aparte de los que habían llegado y que se habían distribuido decorativamente en el espacio, estaba el dueño de casa, Jimmi el pintor, un mozalbete en blue jeans, una señora en traje largo y una niña decididamente niña, etérea.

---

[182] Argot: pequeña bacanal u orgía.

Petrus Borel volvía a la carga, esta vez con un azafate en el que se veían copas aflautadas llenas de vino blanco.

—Sírvanse, va a cantar Jean-Luc.

El doctor y Solange tomaron asiento en un sofá-cama adosado a la pared.

—¿A qué se dedica este señor Borel?

—¿Qué importa eso? Ya lo dijo Paradis. Es un hombre genial.

El muchacho en blue jeans cogió una guitarra que colgaba del muro y luego de afinarla empezó a cantar canciones renacentistas. La habitación se llenaba de humo.

—Te voy a traer otro vino —dijo Solange levantándose.

Lucienne se acercó en ese momento al sofá-cama y se acomodó al lado del doctor Huamán.

—Bueno, ¿y quién eres tú? ¿Qué haces?

—Soy doctor en educación. Lo que se llama ahora educación de adultos.

—¿Adultos? Debe ser una profesión apasionante.

El doctor se aprestaba a desengañarla, pero ya Solange llegaba con dos copas. Lucienne se retiró balanceando las caderas hacia donde estaba el pintor marroquí.

—Jean-Luc, canta algo más alegre —dijo Petrus Borel—. Esas canciones aburren.

Jean-Luc, cambiando de registro, atacó el repertorio de canciones licenciosas. El doctor Huamán no entendía bien la letra. Todos reían, salvo la niña etérea que miraba fascinada las manos del guitarrista.

—Voy a respirar un poco de aire —dijo el doctor.

—¿No te sientes bien?

—Al contrario, como nunca. Me siento como si tuviera veinte años.

Con su vaso en la mano se dirigió al balcón y contempló apoyado en la baranda el sombrío follaje del bosque de Vincennes. Respiró satisfecho el aire nocturno y bebió de un sorbo lo que quedaba en su copa. Paradis y Borel estaban de pie, cerca de la mampara.

—¿Quién ha traído a esta niña?

—Jean-Luc la trajo sin avisar —dijo Borel.

—Es una idea necia, desatinada.

El doctor Huamán entró al salón, interrumpiendo la conversación. Borel le pasó el brazo por el hombro.

—Sí, mi querido doctor. Mi filosofía es simple. Divertirse, como si estuviéramos en un barco condenado al naufragio, saber admirar en la caída las flores que crecen al borde del abismo. Y arrancar una de paso si es posible. ¿Un trago más?

Solange se acercaba.

—¿Puedo poner unos discos?

—Buena idea —dijo Borel—, Jean Luc está ya pesado con sus *cochonneries*[183].

—Ven —dijo Solange cogiendo al doctor de la mano—. Vamos a poner discos.

En un rincón de la pieza, en el suelo, había un pick-up rodeado de pilas de discos. Para llegar a él tuvieron que pasar de un tranco sobre la pequeñeja, que estaba tendida de vientre en el suelo, fumando.

—Acá hay de todo. Jazz, Aznavour, música latinoamericana. ¿Qué ponemos?

—Cualquier cosa, pero que no sea muy movida.

Solange escogió un disco de blues cantado por Bing Crosby y sus primeros acordes determinaron a Jean-Luc a colgar definitivamente su guitarra. La señora de traje largo apareció por un pasillo.

—La cena está lista. El que tenga hambre que levante la mano y que me siga.

Pero ya Petrus Borel, seducido al parecer por Bing Crosby, cogía a la señora por la cintura para embarcarla en el orden pegajoso, amelcochado, lenitivo de los blues de los años cuarenta.

—Adorable Medusa. ¿Quién dice que el amor se marchita?

Jimmi sacó a bailar a Lucienne, Jean-Luc a la niña etérea y el doctor, abotonándose el saco, invitó a Solange. Sólo quedaron desparejados la pequeñeja, que seguía tendida en el suelo y Paradis que fumaba mirando hacia el balcón, apoyado en su pierna levemente más corta.

El disco de Bing Crosby se desenrolló interminablemente por sus dos lados y fue seguramente repetido por algún faná-

---

[183] Francés: cochinada.

tico, pues el doctor Huamán comprobó que sentía hambre y que varias veces había echado mano a una copa que un escanciador invisible volvía a llenar.

—Creo que debíamos comer algo.

La Medusa lo escuchó, pues abandonando a Petrus Borel comenzó a batir palmas.

—¡Una buena idea! ¡Bravo, doctor! El que se anime que venga conmigo.

Y levantando con los dedos el remate de su largo vestido se encaminó hacia el pasillo, seguida por Jimmi, Lucienne, Solange y el doctor.

En una mesa de la cocina había una fuente con lonjas de ternera fría y un recipiente con ensalada de lechuga. Cada cual se sirvió a su guisa y regresaron al salón con sus platos en las manos. Bing Crosby había sido desalojado para dejar lugar a un rock que Jean-Luc y la etérea bailaban ocupando tanto espacio que habían tenido que arrimar cojines y sillones contra la pared. Borel también bailaba, pero solo, de la cintura para abajo, mientras su torso rígido mantenía una conversación seria con Paradis.

La Medusa sirvió un vino, rosado y cuando fueron a la cocina a dejar los platos vacíos encontraron de regreso a Petrus destapando una botella panzuda.

—Un whisky especial, se lo compré al marino marsellés, ¿lo conoces?

Paradis respondió en esa lengua que el doctor ya una vez le había escuchado hablar en el bar de la rue Delambre y Borel respondió en la misma, riendo.

Jimmi y Lucienne, aspirados por el rock, entraron en colisión con Jean-Luc y la ninfa, al mismo tiempo que Solange tiraba del brazo del doctor.

—Yo te voy a enseñar. Es sólo cuestión de ritmo.

El doctor se dio cuenta que era la cosa más fácil del mundo y sin complejos, aflojando los torniquetes de su cintura, dejó a sus extremidades inferiores seguir su propio impulso.

—¡Cretino! ¡Ya me fregó el brazo!

El doctor bajó los ojos y vio que la pequeñeja, a quien había perdido de vista, estaba entre sus piernas, frotándose el brazo.

—Usted es Atila. Desde que lo vi me di cuenta. Donde pisa no crece más la hierba.

El doctor interrumpió su baile para deshacerse en excusas, pero Solange lo volvió a jalar.

—No le hagas caso. Está volando.

La pequeñeja se puso al fin de pie y comenzó a bailar sola, girando en torno a Paradis, invitándolo, incitándolo. Borel y la Medusa estaban besándose furiosamente en el sofá-cama, mientras Jimmi, abandonando a Lucienne, se dirigió hacia la botella panzuda para servir el whisky en vasos cortos y anchos que fue pasando a los presentes.

Al igual que Bing Crosby el rock se prolongó y a fuerza de repetirse fue adquiriendo un carácter encantatorio, casi sagrado, que arrastró en su dictado a Petrus Borel, que bailaba con Lucienne y a la Medusa, que se interpuso entre Jean-Luc y la etérea para inventar figuras a las que su larga falda daban el aspecto de un derviche[184] frenético. El doctor Huamán estaba sudando.

—Quítate el saco si quieres, déjalo en uno de los dormitorios —dijo Solange.

—Eso nunca. Un caballero no se queda en mangas de camisa.

Paradis, que seguía hostigado por la enana, tuvo un gesto de impaciencia.

—Pon tu bosanova[185] de una vez y déjate de monerías. ¿Me oyen todos? Nadine quiere su bosanova.

—¡Ya era tiempo! —exclamó Jimmi dirigiéndose hacia el tocadiscos.

Todos menos el doctor Huamán, que habiendo dejado en libertad a su cuerpo continuaba moviéndose espasmódico y casi dolorosamente, se interrumpieron para observar cómo Jimmi y Nadine hurgaban entre los discos. Cuando empezó a sonar la bosanova, buscaron dónde sentarse. Solange arrastró al doctor hacia el sofá-cama.

—Ven, siéntate aquí. Hay espectáculo.

---

[184] Alusión al rito religioso de estos místicos musulmanes y a sus danzas circulares, con grandes faldas acampanadas.
[185] *Bossa-Nova:* Modalidad de samba brasileña.

Nadine había comenzado a menearse lentamente, con las palmas de sus manos acariciando sus muslos. Entre dos vueltas se despojó de sus zapatos que arrojó a un rincón de la pieza. Luego fue desabotonando su blusa hasta quitársela, la balanceó en una mano y la tiró sobre un sillón. De su falda se deshizo de un solo gesto, pues era abierta de un lado y abotonada en la cintura. En sostén y calzón evolucionó un momento, mientras se llevaba las manos a la espalda buscando el corchete, se despojó de su prenda y la arrojó al azar, cayendo en el hombro del doctor Huamán. El calzón se lo quitó según una progresión estudiada que mostraba, ocultaba y volvía a mostrar cada vez más sus glúteos y su vellocino y cuando lo tuvo en la mano, en lugar de arrojarlo, lo condujo hasta Paradis para meterlo en el bolsillo de su saco. Como la bosanova terminaba dio aún algunas sacudidas de caderas y aterrizó sobre un cojín con la cabeza hundida entre las piernas.

Jimmi, Petrus y Jean-Luc aplaudían, pero ya Nadine estaba de pie y buscaba su cartera para sacar un pitillo.

—Dame también uno —dijo Jimmi.

—Pídeselo a la Medusa.

—Así me van a arruinar. Qué dices, Petrus, ¿se lo doy?

El dueño de casa hizo un gesto ambiguo con la cabeza y la Medusa se perdió por un corredor para reaparecer con una caja de pitillos. Todos, menos Paradis y el doctor Huamán, aceptaron.

—¿Tú no fumas? —preguntó Solange—. No hace daño. Hasta los médicos están de acuerdo sobre eso.

—Me tomarás por tonto, pero esas cosas yo no fumo. Bastante tengo con el tabaco.

Nadine, que no tenía trazas de vestirse, se acercó otra vez al tocadiscos y puso una danza rusa.

—Doctor Huamán.

El doctor notó que por primera vez Paradis le dirigía directamente la palabra.

—Jimmi fue bailarín, acróbata y contorsionista antes de dedicarse a la pintura. ¿No es verdad Jimmi?

Jimmi fumaba y reía, volvía a fumar y a reír mientras la Medusa lo besaba en los bigotes y lo enlazaba de la cintura.

—Vamos Jimmi, anímate.

Jimmi sorbió su pitillo hasta consumirlo, lo apagó, se puso de pie y al poco rato estaba parado sobre las manos y luego de un salto mortal caía sobre sus talones. Repitió el volantín y quedó agachado, con los brazos cruzados sobre el pecho, bailando a lo cosaco la Danza de las Espadas, mientras Jean-Luc y la niña parodiaban la misma danza, pero en un rincón de la pieza y diríase en otro espacio, como una cita angular en el cuadro de un pintor renacentista.

El ballet de Jimmi estaba también unido al desnudamiento, pues su camisa voló dejando al descubierto pectorales velludos y un poco tetones y entre un pararse de cabeza para saltar y caer de pie su pantalón estaba arrugado y desinflado sobre la alfombra. Finalmente su calzoncillo blanco aleteó como una paloma guerrera dejando al vivo un sexo corto, grueso, venoso, encorvado y cabezudo. Lucienne, Nadine y la Medusa aplaudían mientras Jimmi, impelido por el ritmo, se acercó a la pared para descolgar una cimitarra que hasta entonces había permanecido invisible.

La danza adquirió un giro imprevistamente frenético. Jimmi trepidaba con el arma en la mano describiendo círculos cada vez más rápidos, interrumpidos por bruscas frenadas para cambiar de sentido, estirando cada vez más el brazo armado, cortando el aire con la hoja afilada. El doctor Huamán creyó notar que, a pesar del carácter inspirado y concentrado de su danza, Jimmi tenía para él una mirada especialmente vigilante. En un segundo lo vio dar un salto acrobático y la cimitarra pasó y repasó silbando sobre su cabeza. Al fin, acompañado por un estridente acorde de metales, Jimmi se desplomó lanzando su arma debajo del sofá-cama.

—¡Notable! —dijo Petrus Borel.

Todos estaban callados y miraban al doctor Huamán, esperando al parecer su opinión.

—Notable —repitió el doctor, secándose la frente con su pañuelo.

Jimmi se levantó y en lugar de quedar desnudo como Nadine se puso su calzoncillo y sus pantalones. Alguien había hecho girar otra vez el tocadiscos, los vasos cortos se habían llenado del trago añejo y respetando las órdenes de algún diligente maestro de ceremonias se encontraron todos esta vez bailando al son de la Sonora Matancera. El doctor tenía delante a la Medusa, Solange bailaba con Paradis, Petrus Borel con Lucienne, Jimmi con la niña etérea y Jean-Luc con Nadine.

—Esto es vida —dijo el doctor al girar cerca de Solange—. Nunca me había divertido tanto.

—Pues ya sabe —dijo la Medusa—. Petrus y yo adoramos divertirnos. ¿Qué otra cosa se puede hacer si uno no está seguro ni del día en que vive? Ya conoce la dirección de la casa, doctor.

Las parejas se intercambiaron al son de un cha-cha-chá y pronto el doctor se encontró bailando con la ninfa y luego, por una aberración del circuito, con Jimmi que reía agitando sus pectorales fofos. Hasta Paradis, impenetrable tras sus anteojos negros, pasó como una sombra delante suyo, moviéndose con sobriedad sobre su pierna anormal y al fin estaban formando una ronda, en el centro de la cual Nadine trataba de entrar en trance, batiendo las manos en alto, sacudiendo sus trenzas, haciendo temblar sus senos, meneando sus caderas, avanzando su vellocino. El doctor notó por primera vez que la pequeñeja tenía una cicatriz debajo del ombligo, que en la palidez de Paradis había algo de implacable y que leve, pero muy levemente, amanecía en el balcón.

Se sentaron en cojines, sofás y sillones, cansados traspirando, viendo bailar aún a Jean-Luc y la etérea, bebiendo una segunda botella panzuda que Borel ofrecía. El doctor tenía a Solange recostada sobre sus muslos. Insensiblemente la pieza se fue despoblando. Todos, con excepción de Paradis y la Medusa, que conversaban en el pasillo, habían desaparecido.

Solange se arrellanó entre las piernas del doctor, ronroneó, guiñó los ojos, se convirtió en una palomita golosa, otoñal.

—¿Y qué?, ¿nada?

—¿Dónde están los otros?

—¿Dónde va a ser? En los cuartos.

—Pero ¿hay sitio?

—Hay cuatro dormitorios.

—Espera. Voy al baño.

El doctor se puso de pie y tomó el pasillo. Tuvo que apoyarse en una y otra pared porque se tambaleaba. Sobre el pasillo daban las cuatro puertas de los dormitorios y al fondo la del baño. Después de orinar se remojó bien la cara y emprendió el retorno. La primera puerta estaba entreabierta y había luz adentro. Presa de una curiosidad súbita, indecente, avanzó la cabeza. En lugar del cuadro obsceno que esperaba, vio a Jimmi bostezando sentado en una silla y a Lucienne que, de espaldas, miraba por la ventana. La segunda habitación estaba cerrada, pero iluminada por dentro. El doctor aplicó el ojo a la cerradura y espió. Petrus Borel ponía en orden unos papeles y Nadine, completamente vestida, se limaba las uñas. Sólo el cuarto que presumiblemente ocupaban Jean-Luc y la niña estaba oscuro.

—Creo que mejor vamos a casa —dijo entrando a la sala.

Solange se sobresaltó.

—¿No quieres quedarte?

—No.

Paradis, a pesar de seguir conversando con la Medusa, los observaba.

—El doctor quiere ya irse —dijo Solange.

—Bien, pero antes tomaremos un café —respondió la Medusa dirigiéndose a la cocina.

Paradis vaciló un momento y se acercó al sofá para invitarles cigarrillos.

—Borel es formidable. La Medusa ya lo convenció para que me compre un cuadro. Él colecciona cuadros y antigüedades. Colecciona todo, en realidad. Aquí no hay nada, naturalmente. Lo tiene en la *cave*[186]. Pero él sabe lo que compra.

Como el doctor no respondió —encontraba precipitadas, incongruentes las palabras de Paradis—, su interlocutor se dirigió al pasillo.

—Voy a ver si estas parejas ya terminaron con sus *cochonneries*.

—¿Por qué no quieres ir al cuarto?

—Porque no. Hay algo en todo esto que no me convence.

Solange, que estaba reclinada sobre un cojín, se enderezó bruscamente y quedó mirando la alfombra, mordisqueándose una uña. En el tocadiscos sonaba hacía rato, muy débil y

---

[186] Francés: sótano, bodega.

lenta, una bosanova. Por el balcón se escapaba la noche, se escapaba la fiesta, dejando una resaca de vasos en el suelo, de ceniceros repletos de colillas, de botellas terribles, vacías.

—Tal vez tengas razón.

El doctor quiso interrogarla, pero ya Paradis aparecía con Petrus, discutiendo.

—Es la hija del profesor Dumesnil.

—¿Y qué vamos a hacer?

—Nos puede meter en un lío. Culpa de Jean-Luc.

—¿Qué pasa? —preguntó Solange.

—Nada. Que esta chica es menor de edad. Y esta vez va a llegar a su casa al amanecer, peor aún, en pleno día. Su papá es un profesor de la Sorbona, un viejo mandarín que tiene que ver algo además con la crítica de arte. Lo peor es echarse encima a gente así. Aunque tal vez... ¿qué piensa usted, doctor? Tal vez usted, como extranjero y una persona importante, quiero decir, una persona respetable, pueda dar fe, pueda atestiguar...

—No entiendo.

—Muy claro —dijo Petrus Borel—. Esta chica ha pasado la noche fuera de su casa. ¿Dónde ha estado? Su papá puede pensar lo peor. Si usted escribiera una nota diciendo que certifica que vino a una fiesta dada en su honor, que perdió el último metro, en fin, que todo se desarrolló correctamente...

—Por supuesto —intervino Solange—. El doctor es una garantía. ¿Qué dices?

—Lo que quieras. Me da igual.

Paradis fue a traer papel y lapicero, cuando la Medusa aparecía con el café en un azafate.

—¿Y qué puedo escribir?

—Paradis se encarga —respondió Solange.

—Mira tú. Yo firmo.

Paradis escribía apoyando el papel sobre una revista, mientras Solange iba leyendo en alta voz. Cuando terminó le pasó el papel al doctor.

—Que me den un lapicero.

El doctor releyó la nota, corroborando lo que había leído Solange y firmó.

—Listo.

Nadine apareció vestida, luego Jimmi y Jean-Luc. Todos se sirvieron café en un ambiente mustio, amodorrado. La Medusa iba llevando a la cocina ceniceros y vasos sucios.

—¿Nos vamos? —preguntó el doctor a Solange.

—Yo me quedo.

El doctor, que se había dado ya impulso para levantarse, volvió a caer en el sofá.

—Estoy muy cansada. Si salgo ahora a la calle se me va a ir el sueño.

—Allá estarás más tranquila. Yo esperaba...

—A mediodía te voy a buscar. Te lo prometo.

El doctor se puso de pie, besó la mano de la Medusa, agradeció a Petrus y despidiéndose de todos salió a la calle. Caminó por el lindero del bosque de Vincennes inspirando profundamente el aliento del follaje, expulsando los vapores de su borrachera. Transeúntes mañaneros se dirigían veloces hacia los paraderos de autobús y bocas de metro. Al comprender que se estaba extraviando detuvo un taxi y le dio la dirección de Notre-Dame. A esa hora las torres truncas tenían otro brillo, otro volumen y otro esplendor. Quedó admirándolas, sabiendo que nunca más la vería, que jamás regresaría a París. En la terraza de un bar algunas personas desayunaban. El doctor tomó asiento ante una mesa, pidió un café con leche y al tomar el primer sorbo se dio cuenta de todo: habían querido tener su firma, su firma para imitarla y cobrar los travellers robados.

Como ya era hora de oficinas tomó otro taxi y se dirigió al American Express. Allí explicó que había perdido su talonario con travellers, hizo que lo anularan y obtuvo la promesa de que en la oficina de Ginebra le extenderían uno nuevo. Regresó a la rue De la Harpe, se acostó y, contra todas sus previsiones, se quedó inmediatamente dormido.

Solange fue puntual y a las doce del día estaba tocando la puerta. El doctor le abrió y sin decirle palabra volvió a meterse en la cama. Miraba impasible el cielo raso.

—¿Pudiste dormir bien?

—Como un tronco. Pero antes fui al American Express para anular los travellers que me robaron.

Solange cogió un cigarrillo de la mesa de noche.

—Me parece una buena idea.

—Por supuesto. Uno nunca sabe. Mejor es ser precavido.

Solange se dirigió fumando a la ventana y quedó con la cara pegada al vidrio.

—Me quiero ir de París —dijo.

El doctor miraba una manchita del techo.

—Es lo que pensaba decirte. Si te quedas acá no sé dónde vas a ir a parar.

—No aguanto más esta ciudad, esta vida. Estoy harta, harta, te lo juro. Quisiera irme donde no me encuentre nadie.

—¿Y si te vienes conmigo?

Solange se volvió para mirar al doctor, que seguía contemplando el cielo raso, sonriente. Quedó pendiente de esa sonrisa, esperando verla abrirse, desplegarse, pero sólo vio cómo iba siendo comida por su propia boca, hasta no quedar de ella nada, ni el recuerdo.

—Pero es imposible —prosiguió el doctor—. Si no estuviera casado, en fin. Además tengo que ir al congreso, me esperan allá. Y luego...

—Entiendo perfectamente. Además ya me las arreglaré. Uno termina siempre por arreglar solo su vida. ¿Siempre viajas mañana?[187].

El doctor asintió.

—Entonces debemos pasar este día juntos, tu último día en París. Podemos ir a un teatro, a un cine. Lo que quieras. ¿Te levantas? Voy a comprar una guía de espectáculos.

—Eso es hablar. Acércate.

Solange se aproximó a la cama, pero al adivinar las intenciones del doctor, cambió de rumbo hacia la puerta.

—Ahora no. Esta noche.

Cuando regresó con la *Semana de París*, el doctor terminaba de afeitarse.

—Se me ha ocurrido una idea mejor —dijo Solange—. Debíamos ir esta tarde de pic-nic al campo. El tiempo está formi-

---

[187] Parece un calco de una expresión francesa: *Tu voyages toujours demain?*, para preguntar si no se ha cambiado de planes.

dable. De regreso vamos al cine y después preparamos aquí una cena, la cena de despedida. Como el otro día, ¿te acuerdas? Pero con champán.

—¿Ir adónde?

—A Fontainebleau, a Saint Cloud, a la Chevreuse. ¿Qué prefieres? Todos esos lugares son una maravilla.

—¿Has traído tu carro?

—Está abajo.

—De acuerdo. Pero eso sí, regresemos temprano. ¡Una cena con champán! Y ostras, también.

—Apúrate. Tenemos que ir a comprar las provisiones.

Solange cogió una redecilla, bajaron rápidamente las escaleras y del brazo fueron a hacer las compras en los comercios de la rue De la Harpe. Provistos de pan, queso, jamón, vino y frutas subieron al auto y pusieron rumbo a la puerta de Orléans.

La tarde, en realidad, estaba espléndida. El doctor no se cansaba de observar los prados, inclinados u ondulantes, que se desplegaban a ambos lados de la autopista del sur. Lo único que le disgustaba eran esas aglomeraciones de casas espantosas, enanas, que surgían bruscamente en el campo o esas moles de edificios grises, uniformes, donde, sin embargo, vivía gente con tanta ilusión que se atrevía a cultivar flores en sus ventanas. París era eso en verdad: una sucesión de fachadas sucias, monótonas, que sólo pueden albergar la polilla, la mezquindad y la muerte, pero en las cuales de pronto se abren unas persianas y aparecen sonrientes, felices, dos amantes abrazados[188].

Solange conducía esta vez rápido, pero tensa. El doctor notó en su perfil una curvatura extraña, dolorosa. Había encendido ya dos cigarrillos, que arrojó por la ventanilla apenas comenzados.

—¿Te pasa algo?

La vio ahora sonreír.

—Creí que era el motor. ¿No sentiste un ruido raro? Pero era una falsa alarma, como verás.

---

[188] *Vid.* casi idéntico párrafo en *Prosas apátridas,* ed. cit., pág. 160.

Cuando se desviaron hacia Fontainebleau la arboleda se espesó. El follaje estaba encarnado, broncíneo, rígido en la tarde sin viento.

—¡Terrible es el otoño! —exclamó el doctor—. Nunca he visto árboles así. Para decirlo en una palabra: impresionantes.

Solange, otra vez callada, había disminuido la velocidad y observaba con insistencia el lindero derecho del bosque.

—No me acuerdo bien dónde queda la entrada. Es un sendero de tierra, a unos dos kilómetros de un puesto de socorro. Otra cosa: nos olvidamos de traer un mantel. Qué tanto, creo que atrás hay unos periódicos.

Al fin el carro tomó un desvío y apenas empezó a recorrerlo el doctor tuvo la impresión que penetraba en un mundo irreal. Era un túnel dorado, oloroso, sinusoide, que se bifurcó para conectarlos con otro túnel rojo, rectilíneo, que se bifurcó a su vez para situarlos en una alameda umbría, que se iba ensanchando hasta desembocar en un claro enorme, circular, cercado de rocas grises, parduscas, detrás de las cuales proseguía el bosque[189].

—¡Maravilloso! —exclamó.

Solange atravesó el claro por el centro y detuvo el carro cerca de las rocas.

—Llegamos —dijo apagando el motor.

El doctor descendió de inmediato para inspeccionar el lugar, respirando el aire otoñal. En las rocas que bordeaban el claro había aberturas que conducían a otros claros más pequeños, distribuidos como las capillas flamboyantes[190] en una iglesia gótica. En el césped se veían restos, pero veraniegos, lejanos, que la lluvia y la intemperie iban convirtiendo en humus.

---

[189] Se combinan aquí los temas del laberinto y el viaje, metáfora antigua para aludir al curso de la vida. Aquí la de Huamán, quien parece destinado, como los personajes de Poe, «a rondar continuamente al borde la eternidad, antes de precipitarse por fin en el abismo» («Mensaje hallado en una botella»).

[190] Del francés, *flamboyant:* flamígero.

Solange bajó a su vez con la red de provisiones y un periódico doblado.

—¿Dónde almorzamos?

Solange señaló al azar uno de los claros satélites.

—Allí, por ejemplo.

Desdoblando el periódico lo colocaron sobre el césped y encima pusieron las provisiones.

—Hay que ser idiota —dijo Solange—. No hemos traído tampoco cubiertos, ni siquiera un sacacorchos. Decididamente, esto del pic-nic no va con nosotros.

—Dame la botella. Verás cómo se hace en mi país.

Cogiendo la botella protegió su culo con su pañuelo doblado y la golpeó contra una roca plana hasta que el corcho saltó.

—Método primitivo, pero eficaz —dijo Solange.

—Habrá que tomar del pico —dijo el doctor dando el ejemplo.

Solange lo imitó, mientras el doctor se quitaba el saco para doblarlo cuidadosamente y sentarse sobre él con las piernas cruzadas. Con la mano partieron el pan y se prepararon sándwiches.

—Nunca olvidaré estos días en París —dijo el doctor—. Habrán pasado algunas cosas desagradables, pero el balance ha sido positivo. Yo ya estoy acostumbrado. No hay placer que no cueste, en alguna forma, su precio. Para mí, sobre todo, ha sido un baño de juventud. Te dije alguna vez que la juventud, para mí, estaba en la otra ribera. Esta vez he alcanzado esa orilla, milagrosamente. Días inolvidables, Solange.

Solange, sin responder, comía en silencio, mirando las letras del periódico que les servía de mantel.

—Este bosque, por ejemplo, mis paseos por el Sena, Notre Dame, el cuarto de la rue De la Harpe, ¡tantas cosas! Todo eso lo recordaré. En toda vida hay así, algunos paréntesis, cortísimos a veces, pero que le dan su sentido a toda la frase. ¿Qué piensas tú?

Solange seguía con la mirada en el periódico.

—¿Triste?

—Es natural.

—¿Porque me voy?

Solange sonrió.

—Quizás. ¿Te extraña? No sé, tengo algo así como escalofríos. Creo que terminado esto debemos irnos. Mira el cielo. Al norte hay nubes, se puede cubrir.

—Yo conozco de cielo, Solange. Te equivocas. Hay sol para toda la tarde.

—Haz como quieras. Pero eso sí, acuérdate. Te he dicho para irnos.

Desde donde estaban sentados veían el gran claro, las rocas que lo circundaban y la alameda que conducía a él.

—¡Qué soledad! —dijo el doctor y después de comerse una manzana y beber los restos del vino reptó hacia Solange. Cogiéndola entre sus brazos la dobló sobre sus rodillas. Sus labios estaban allí, a su merced. Los atacó voraz, canallamente, solazándose, regustándose con su sabor, hasta que empezó a jadear, a sentir que era imposible postergar la meta que perseguía y que sus manos le indicaban palpando, torpemente, la pulpa del placer.

—Esta noche —dijo Solange rechazándolo—. Ya te lo he dicho.

—Nadie nos ve.

—Es posible. Pero ahora no, por favor.

Solange logró al fin enderezarse y quedó nuevamente arrodillada. Sacudió varias veces la cabeza y miró como asombrada a su alrededor.

—Y todavía aquí. Por última vez, te lo ruego, vámonos.

—No.

El doctor, de pie esta vez, estaba acomodándose la camisa y encendió un cigarrillo. Dio un corto paseo satisfecho, sonriente, entre las rocas del pequeño claro y cuando se volvió para mirar a Solange vio que ésta observaba la entrada de la gran explanada. Un automóvil desembocaba lentamente de la alameda.

—Todo se malogra —dijo el doctor y apagó su cigarro—. Ahora sí creo que viene gente.

El automóvil se detuvo al lado opuesto del claro y de él descendió un hombre vestido de negro que se encaminó calmada pero resueltamente hacia el Citroën.

—Es extraño —dijo el doctor—. O a lo mejor estoy soñando. ¿Ése no es Paradis?

—Me parece que sí.

Paradis seguía avanzando, hacía humear su cigarrillo, miraba ora hacia el cielo, ora hacia la derecha o izquierda del bosque. Al fin, negrísimos sus anteojos, estaba delante de ellos.

—¡Qué sorpresa! —dijo el doctor.

—En efecto, una sorpresa. ¿Quiere venir un momento, doctor? Necesito hablar con usted. ¡Ah, es un lindo día! Los árboles. Y el cielo, mírelo. Lástima que más tarde lloverá.

—A sus órdenes —dijo el doctor—. Es algo urgente, imagino.

Paradis le cogió del brazo.

—Ya le voy a explicar. Venga. Pero no olvide su saco.

El doctor se agachó para recoger su saco y observó a Solange, que no se había movido y miraba ahora, sin titubear, una brizna de hierba.

Del brazo de Paradis recorrió el claro en dirección del automóvil que había llegado.

—Es por la chica de anoche, usted sabe, parece que su padre no está muy convencido.

El doctor prestó poca atención a estas palabras. Sabía que Paradis las pronunciaba mecánicamente, casi por hacerle el favor de darle a esa situación un aire de verosimilitud.

—Y otra cosa, el problema de la pintura. Usted no cree en el asunto, ¿no es verdad? Pero todos pasan por malas épocas y es necesario vender. Yo, por ejemplo, que expongo en las mejores salas del mundo, me encuentro a veces en situación difícil...

El doctor ya no escuchaba. Vio que del automóvil bajaba en ese momento Jimmi y quedaba esperándolos, con los pulgares metidos en la correa de sus blue jeans.

—Bueno y al fin de cuentas, ¿en qué lo puedo servir? —preguntó—. Una cosa, por si acaso. Esta mañana anulé mi carnet de travellers.

—Sí —dijo Paradis—. Me avisaron por teléfono.

—¿Quién?

—¿Quién? Solange.

El doctor notó que había una tercera persona en el automóvil, sentada en el asiento posterior. Reconoció a Petrus

Borel que leía un periódico. Como insistió en mirar hacia la ventanilla, Borel abandonó un instante su lectura para sonreírle jovialmente y hacerle un amplio saludo con la mano.

—La verdad es que no entiendo —dijo el doctor—. ¿Qué cosa quiere, en suma?

—Las explicaciones sobran, como supondrá. Jimmi, ¿le recibes el saco?

Sin esperar que se lo entregaran, Jimmi avanzó y cogió el saco que el doctor llevaba bajo el brazo.

—Todo lo que contiene, no dejes ni un solo papel.

Jimmi obedeció y después de la cartera sacó hasta los billetes usados del metro.

—Un robo en regla —dijo el doctor—. Esperaba algo mejor de usted. Ya lo había notado en esa cara pálida. Un ladronzuelo cualquiera.

—¿Usted cree? Bueno, póngase el saco y váyase. Solange debe estar esperándolo. Que terminen bien su día.

La ventanilla del auto se bajó.

—Buenas tardes —dijo Petrus Borel volviendo a saludarlo—. Eh, Paradis, tú, no te olvides, la gasolina.

Jimmi se encaminó hacia el automóvil y abrió su maletera.

—Váyase —repitió Paradis—. ¿No ha entendido?

El doctor se puso el saco y se encaminó por el centro del claro hacia Solange. Cuando había dado unos pasos volteó la cabeza en el momento en que Paradis extendía el brazo hacia él. Al ver en su mano un pequeño objeto oscuro, amenazador en esa tarde tan hermosa, arrancó a correr. El claro era plano y sus piernas lo llevaban sin reflexión hacia las rocas. Sonaron dos detonaciones al parecer lejanas, al punto que se preguntó si cazadores no se entretenían en un coto vecino. Pero la tercera lo enganchó de la espalda como un arpón, lo detuvo en su carrera y después de hacerlo trastabillar lo derrumbó de bruces en el pasto. Levantando con esfuerzo la cabeza trató de ubicar a Solange, de encontrar en su boca algún auxilio, pero no había nada que hacer, no la veía más, su cuello estaba torcido, sólo vio a Paradis que se acercaba conversando con Jimmi, que balanceaba en su mano un recipiente de plástico. Aún se agitó tratando de ver algo más en la tarde que se iba y vio las hojas de los árboles que caían y esta vez sí ruiseñores y alondras que volaban[191].

(París, 1969)

---

[191] Junto a la idea del azar, uno de los temas centrales de la historia es el del encuentro imposible, presente ya en otras narraciones suyas. Al respecto Ribeyro recordaba una carta de Cortázar donde el argentino le agradecía «haber escrito un relato que tan eficazmente muestra ese gran trauma del choque de elementos y de seres situados en las orillas del tiempo y de la vida», para señalar luego su afinidad con uno de los cuentos de *Octaedro,* «Lugar llamado Kinberg».

La música, el maestro Berenson
y un servidor[192]

Papá nos inculcó desde temprano el gusto por la música clásica, haciéndonos escuchar en su vieja victrola de manizuela y púa de acero fugas de Bach, sonatas de Mozart y nocturnos de Chopin y entonando con su débil pero melodiosa voz de tenor arias de ópera italiana. Pero papá murió muy joven llevándose a la tumba su cultura de melómano y dejando interrumpida nuestra educación musical. Ésta se hubiera seguramente pasmado y quizás extinguido a no ser por Teodorito y sobre todo por la aparición del *maestro* Hans Marius Berenson.

Teodorito estaba en nuestra clase y era conocido, aparte de su pequeña talla, por la forma prolija y pausada como contaba cada historia, por simple que fuese, al punto que a la segunda o tercera digresión sus auditores se habían esfumado. Pero Teodorito tenía una cualidad secreta: era un amante apasionado de la música selecta. Esto lo descubrí una tarde en que saliendo del colegio, alejados un poco de la collera[193], lo

---

[192] En el cuarto volumen de *La palabra del mudo* (Lima, 1992), se incluían dos colecciones de cuentos: *Sólo para fumadores* y la más reciente *Relatos santacrucinos*. Con estos últimos volvía Ribeyro a rescatar de la memoria una época y un paisaje familiares: el barrio de la infancia, los años adolescentes pasados en Miraflores.
[193] Pandilla, grupo de amigos.

escuché silbar el *Sueño de amor*[194] de Liszt con el brío de un jilguero y la virtuosidad de un concertista.

Me bastó esta demostración para hacerme íntimo de él y a partir de entonces ir dos o tres veces por semana a su casa, un chalet en la avenida Pardo donde unos viejos tíos sin hijos —Teodorito era orfelino— lo habían alojado en una amplia habitación del traspatio. Allí Teodorito había erigido un templo musical: victrola como la mía, pero más voluminosa y moderna; estantería con decenas de álbumes de discos; retratos y bustos de sus compositores favoritos; y espacio libre para la danza pues Teodorito, en sus momentos de arrebato, no podía resistir a la tentación de expresar corporalmente su júbilo musical.

Gracias a Teodorito mi afición por la música renació y se fortaleció y no acabaría nunca si tratara de evocar las noches interminables que pasé en su templete escuchando sinfonías heroicas, patéticas, italianas, fantásticas o novomundistas[195], aparte de sonatas, oberturas, fugas, suites y conciertos. En casa, por mi parte, pasaba horas íntegras con el oído pegado a Radio Selecta y apuntando en un cuaderno las piezas que escuchaba. Pude así considerarme, terminado el colegio, si no como un melómano erudito, al menos como un joven y entusiasta amante del arte musical. Pero, por desgracia, todo mi conocimiento de este arte adolecía de una gravísima falla: era un conocimiento puramente *libresco,* por llamarlo de alguna manera, pues nunca había asistido a un concierto público ni visto una orquesta sinfónica. Nunca, hasta la aparición del *maestro.*

---

[194] «Hay ciertas músicas premonitorias —leemos en su *Diario*—, que penetran en nuestra vida por *effraction,* en momentos en que se avecinan grandes desgracias domésticas. (...) el *Sueño de amor* de Listz, que se escuchaba a cada rato por la radio o en los entreactos de los cines, en la época más sombría de mi adolescencia» (vol. II, ed. cit., pág. 207).

[195] Alusión al título de diversas composiciones: la *Heroica* o Sinfonía núm. 3 de Beethoven, la *Patética* o Sinfonía núm. 6 de Tchaikovski, la *Italiana* o Sinfonía núm. 4 de Mendelssohn, la *Fantástica* de Berliotz y la *Sinfonía del Nuevo Mundo,* de Dvorák. La pasión de Ribeyro por la música clásica se evidencia no sólo en las alusiones recogidas en su *Diario,* sino también en su gusto por la terminología musical para caracterizar el estilo literario.

¿Cómo diablos llegó Hans Marius Berenson a Lima? Por
una serie de circunstancias en las cuales el Führer Adolfo Hit-
ler desempeñó un papel protagónico. Berenson era un joven,
brillante y polimorfo instrumentista de la Sinfónica de Viena
de los años treinta, a cargo entonces del célebre director Bruno
Walter[196]. De violoncelista a sus comienzos, prosiguió su carrera como violinista, luego como primer violín hasta ser pro-
movido al puesto de director suplente. Todo parecía indicar
que algún día reemplazaría al viejo Bruno a la cabeza de esta
prestigiosa orquesta. Pero los tiempos en Europa se ensom-
brecieron, se produjo la anexión de Austria por la Alemania
nazi, estalló la Segunda Guerra Mundial y tanto Bruno Walter como su discípulo, en tanto que judíos, tuvieron que
abandonar precipitadamente Austria, donde corrían el riesgo
de perder no sólo sus cargos sino sus vidas. Berenson anduvo
un tiempo en París, luego en Londres, hasta que emigró a Estados Unidos. Allí trabajó unos años difícilmente, pues había
demasiada concurrencia[197] y las mejores plazas las ocupaban
músicos europeos que se le habían anticipado. Por un amigo
se enteró que la sinfónica de Perú estaba en plena reorganiza-
ción y buscaba un director competente. Decidió entonces jugar la carta sudamericana y es así como un día aterrizó en
Lima con su mujer, su violín y un baúl lleno de partituras.

Fue Teodorito quien me habló de la aparición de este «ge-
nio de la batuta», como él mismo lo llamó, y de la necesidad
imperiosa de ir a escucharlo. En los pocos meses que estaba
en Lima, me dijo, había logrado que la Sinfónica Nacional so-
nara como las propias rosas. Era entonces verano y los conciertos dominicales se daban al aire libre, en la Concha Acústica del Campo de Marte.

Un domingo me decidí a acompañarlo. Estaba emocionado y atemorizado. Me preguntaba cómo sería *ver* una orquesta y no sólo *escucharla*, si la experiencia directa y visual de la
música añadiría o quitaría algo a mi goce hasta entonces sola-

---

[196] A partir de aquí el maestro Berenson comparte algún momento de su
brillante carrera musical con diversos directores e intérpretes, todos reales: Walter, Busch, Kleiber, Scherchen, Menuhin, Arrau...
[197] Galicismo, competencia.

mente auditivo. Si bien al comienzo me costó tener que asociar melodías que me eran familiares al centenar de señores en
smoking que manipulaban laboriosamente sus instrumentos,
terminé por comprender que una y otra cosa eran inseparables y que todo mi conocimiento musical había sido hasta ese
día puramente fantasmagórico. A esto había que añadir la
presencia de Hans Marius Berenson, su frágil y elegante silueta, su alada batuta que parecía tejer y destejer los acordes con
una infalible certeza. Mi convencimiento llegó a su cúspide
cuando la orquesta atacó la quinta de Beethoven, el plato
fuerte de la reunión. Yo había escuchado cientos de veces esta
sinfonía y la conocía casi de memoria, pero cuando el cuádruple estampido de las cuerdas marcó su inicio, salté sobre mi
silla como si hubiera sentido en mí «el zarpazo del desti-
no»[198]. Escuché toda la pieza en éxtasis y cuando terminó en
atronadores aplausos no pude moverme de mi silla y Teodorito tuvo que jalarme de brazo y decirme que teníamos que
salir rápidamente si queríamos llegar al paradero del ómnibus
antes que el resto del público. Yo lo obedecí como un sonám-
bulo, titubeando sobre el césped del Campo de Marte, entre
miles de espectadores que seguían aplaudiendo y viendo a
Teodorito que corría de espaldas al escenario por su prisa de
llegar al paradero pero que, cada cierto número de pasos, para
rendir homenaje a la orquesta, giraba ciento ochenta grados,
para retomar luego su posición original y proseguir su carrera.

A partir de entonces me convertí en un fanático de la Sinfónica Nacional y de Berenson y pasé a engrosar la no muy
numerosa pero selecta corporación de los melómanos limeños. Cuando la temporada de verano terminó, los conciertos
se reanudaron en el Teatro Municipal y no había semana en
que, sólo o con Teodorito, no subiera jadeando los cinco pisos que llevaban a la cazuela, lugar que aparte de barato tenía,
según los entendidos, la mejor acústica de toda la sala. La cazuela estaba siempre repleta de un público en su mayor parte
juvenil y conocedor y en sus graderías reinaba un aire de

---

[198] Algún crítico romántico atribuyó al propio Beethoven la identificación
del inicio de la 5.ª Sinfonía con «el golpe del destino a la puerta». Pesimista e
irreverente, Ribeyro sustituye el golpe de nudillos por un auténtico zarpazo.

fiesta. Se veían alumnos del Conservatorio, algún compositor, pintores, aspirantes a filósofos, poetas, periodistas y algunas muchachas bellas o emancipadas o cultas que encarnaban para mí la flor de la inteligencia artística. Era el público de cazuela el que más aplaudía, el que más pifiaba cuando había lugar y el que arrancaba siempre con sus estruendosos aplausos bravos los bis de la orquesta.

Pero mi afición musical no se detuvo allí. Cuando ingresé a la facultad de derecho tenía que pasar forzosamente frente al Teatro Municipal para llegar a la casona donde se dictaban los cursos. Como iba siempre muy apurado tenía tiempo de ver con el rabillo del ojo los afiches[199] que anunciaban el próximo concierto semanal y de escuchar a veces muy sordamente algunos acordes de la orquesta que ensayaba. Una mañana no pude resistir la tentación y me colé por la puerta de los artistas. Pude así presenciar por primera vez, entre bambalinas, la preparación de un concierto y ver, apenas a unos metros de distancia, a Berenson en mangas de camisa, verlo incisivo, sudoroso, construir pedazo a pedazo, luego de miles de interrupciones y repeticiones, la ejecución perfecta, como un escritor luego de infinitas correcciones logra la página soñada. Mi admiración por el *maestro* se redobló y a partir de entonces, la mayor parte de las mañanas, al pasar frente al Teatro Municipal, mandaba al diablo las clases de la facultad de derecho y me dejaba absorber por la entrada de los artistas. Mi formación musical se enriqueció, pero mis estudios flaquearon. Al terminar el año podía distinguir con los ojos cerrados el sonido del violín del de la viola y reconocer la menor falsa nota de una de las trompetas, pero en los exámenes finales me aplazaron en los cursos de familia y proceso civil.

Ésta no fue la única incidencia de mi pasión musical sobre mi vida. También tuvo consecuencias en mi entorno familiar y en particular sobre el destino de mi hermana mayor. Mercedes tenía dieciocho años y multitud de pretendientes. Después de haber dado calabazas a varios enamorados, retuvo finalmente a dos, sin saber por cuál decidirse, pues ambos co-

---

[199] Galicismo, *affiches*, carteles.

rrespondían más bien a un *tipo* que a un *individuo*. Ambos eran cadetes de la Escuela Militar, jóvenes, guapos, fornidos, pertenecientes a conocidas familias de la burguesía mirafllorina e igualmente pugnaces en su corte y asiduos en sus visitas. Venían a verla además juntos, aprovechando los permisos que tenían en los fines de semana. Mi hermano y yo no teníamos por ellos ninguna preferencia particular y nos hubiera dado lo mismo que Mercedes escogiera a uno u otro. Quizás Hernán era más guapo, pero Genaro era más inteligente. Hasta que nos enteramos que Genaro era muy aficionado a la música clásica y que su familia tenía una notable discoteca. Genaro, al tanto a su vez de nuestra melomanía, captó de inmediato la ventaja que podría sacar de ello en su pugna contra Hernán y a partir de entonces no había sábado en que no nos trajera un álbum de su casa. Eran por lo general óperas cantadas por Enrico Caruso, Bengiamino Gigli, Amelita Gallicursi[200], grabaciones raras dignas de un coleccionista y que hicieron las delicias de mi hermano, que desdeñaba la música sinfónica y prefería el *bel canto*. Y a medida que la discoteca de Genaro se iba despoblando, nuestra simpatía por él fue en aumento. Y de simpatía se convirtió en abierta complicidad y en lucha solapada contra su rival. No sólo en la intimidad familiar desvalorizábamos las cualidades de Hernán y glorificábamos las de Genaro sino que, como Mercedes seguía indecisa, empleamos golpes bajos, mezquinos, como no transmitirle la llamadas telefónicas de Hernán o, peor aún, inventarle romances en otros barrios de Miraflores, mediante alusiones vagas e indemostrables, como «me parece haberlo visto», «he oído decir», etc. Mercedes que era celosa y posesiva cayó en el juego y sin que el pobre Hernán llegara nunca a explicarse la razón lo mandó definitivamente a pasear. Dos años más tarde se casaba con Genaro.

Teodorito y yo, por nuestra parte, no podíamos casarnos con el maestro Berenson, a pesar de que lo adorábamos tanto como mi hermana a su novio Genaro, pero seguíamos rin-

---

[200] Beniamimo Gigli (1890-1957), tenor italiano, al que se consideró como sucesor de Caruso. Amelita Galli-Curci (1882-1963), soprano italiana que se afincó en Estados Unidos en 1916 y cantó hasta 1936.

diéndole homenaje en los conciertos del Teatro Municipal. Otros directores de orquesta estuvieron de paso en Lima, como Erich Kleiber o Fritz Busch, pero nosotros seguíamos prefiriendo al nervioso, frágil y elegante Hans Marius Berenson y a su aérea batuta que, a fuerza de fineza e inteligencia, parecía un instrumento más.

Una noche, al fin, decidimos esperarlo a la salida del teatro y acercarnos a él para confiarle nuestra admiración. Apostados en la puerta principal vimos dispersarse al público y salir a varios miembros de la orquesta. Luego nos percatamos que otros músicos salían por la puerta de los artistas, a la vuelta de la esquina. Al fin Teodorito vino corriendo para anunciarme que el maestro había salido solo y se dirigía hacia el jirón de la Unión. Nos lanzamos tras sus pasos y al llegar al jirón de la Unión distinguimos que andaba hacia la plaza San Martín. Lo seguimos a una veintena de pasos, dudando del momento y la forma de abordarlo. A veces se nos perdía entre los transeúntes y teníamos que apurar el paso. Lo vimos detenerse en la plaza San Martín indeciso. Pensábamos que dudaba entre tomar un taxi o el expreso[201] que llevaba a Miraflores. Pero de pronto se dirigió con paso resuelto hasta el bar Romano. Minutos más tarde entramos y lo vimos en el ruidoso y concurrido local, acodado en el mostrador, tomando una cerveza. No cabía otra cosa que acercarse y fue lo que hicimos. Cuando Teodorito lo abordó con un «Maestro Berenson, nosotros...» tuvo un sobresalto y nos inspeccionó con unos ojitos claros y penetrantes. De tan cerca parecía más joven por su cutis rosado y liso, pero en su expresión había un aire de cansancio, de ansiedad y de vejez. Cuando Teodorito terminó su titubeante discurso, le agradeció muy cortésmente sus palabras de simpatía, pero en el acto secó su cerveza y con un brusco «buenas noches» se retiró, dejándonos frustrados.

A pesar de ello, Teodorito y yo nos mantuvimos fieles a los conciertos de la Sinfónica y semanalmente trepábamos los cinco pisos del Teatro Municipal para aplaudir a rabiar a nues-

---

[201] Autobús, quizá por tomar la Vía Expresa que conecta el centro de Lima con Miraflores.

tro ídolo vienés. Nuevos y brillantes instrumentistas traídos por Berenson —sobre todo un oboe y una flauta— se habían entregado a la orquesta y el elenco alcanzó una sonoridad magistral. El célebre Herman Scherchen, que vino a Lima a dirigir unos conciertos, declaró en una entrevista que nuestra Sinfónica era la mejor de Sudamérica, gracias en especial a la calidad de su director titular.

Este elogio nos colmó de orgullo, al punto que Teodorito y yo consideramos nuevamente la posibilidad de abordar al maestro. Ello se produjo en circunstancias muy particulares. Era el mes de octubre y con ocasión de la feria del Señor de los Milagros se organizaban kermeses y tómbolas muy animadas en diferentes barrios de Lima. Por ese motivo, y como estábamos con ánimos de divertirnos, renunciamos por primera vez al concierto que se celebraba esa noche para ir a una feria que estaba instalada en la avenida Tacna. Vagamos horas entre los kioscos haciendo tiro al blanco, participando en ferias, comiendo anticuchos[202] y bebiendo cachina[203] y chicha de jora[204]. Poco antes de medianoche recordamos que a unos pasos de distancia la Sinfónica daba su concierto semanal y envalentonados por los tragos nos precipitamos hacia el Teatro Municipal para esperar al *maestro*. La puerta estaba cerrada y el hall a oscuras. Hacía media hora que el espectáculo había terminado. Lejos de desanimarnos nos lanzamos por el jirón de la Unión rumbo a la plaza San Martín y el bar Romano con la esperanza remota de encontrarlo. A esa hora tardía, el bar, sobrecargado de noctámbulos eufóricos, parecía tambalearse y derivar hacia lo irreparable. Y entre la multitud lo distinguimos. Estaba acodado en el mostrador, como la primera vez, pero lo acompañaban dos de sus músicos, el oboe y la viola, que habían dejado los estuches con sus instrumentos apoyados contra el muro del mostrador. Desde la puerta los observamos parlamentar, reír, brindar. La presencia de sus colegas había enfriado nuestro ímpetu. Por fortuna, ambos le estrecharon las manos, cogieron sus estuches y se retiraron de-

---

[202] Americ., trozos de carne o de vísceras ensartados en pinchos y asados.
[203] Vino muy fuerte y basto, procedente de la región de Ica.
[204] Bebida alcohólica preparada a partir del maíz fermentado.

jando al maestro solo frente a su vaso de cerveza en medio del bullicio. Era el momento de acercarse. Quizás nos reconoció, no podíamos saberlo, pero esta vez sus ojitos perspicaces y brillantes nos examinaron con simpatía. Teodorito aprovechó para lanzarle el viejo rollo de nuestra afición a la música y la admiración que le profesábamos. El maestro acogió estas expresiones con modestia y nos ofreció una copa. Pedimos un capitán[205] y al poco rato conversábamos animadamente. Nos interrogó sobre lo que hacíamos y al enterarse que no éramos alumnos del Conservatorio Nacional de Música sino anónimos *habitués*[206] a sus conciertos pareció dispensarnos más atención.

Nos invitó una segunda roda, mientras él repetía su cerveza que, según noté, acompañaba con una copita de pisco, tragos que bebía alternativamente, a pequeños sorbos. Largo rato nos habló con amenidad de su formación musical, de su vida en Viena antes de la guerra, mientras yo, cuando empecé mi tercer capitán, me fui hundiendo en una torpe bruma, al punto que tenía que hacer enormes esfuerzos para entender lo que el maestro decía y darme cuenta dónde estaba. En un momento dado el ruido y las luces del bar quedaron atrás y nos encontramos en la calle, el maestro, yo y un Teodorito que percibía apenas como un ectoplasma. Berenson agitaba un brazo, buscando seguramente un taxi. Cuando uno se detuvo, nos dio la mano para despedirse, pero al enterarse que vivíamos en Miraflores ofreció llevarnos. Nos acomodamos en el asiento posterior y apenas el vehículo arrancó sentí que la cabeza me daba vueltas y un sudor frío me inundaba la frente. Estaba en realidad completamente borracho. Mi mal se fue agrandando a medida que avanzábamos por la avenida Arequipa, viendo el raudo desfile de árboles y casas. A mitad del trayecto no pude más y empecé a vomitar. ¡Qué chasco!, pensé entre mí, ¡qué pobre impresión debo darle al maestro Berenson! El chofer estalló en chillidos e insultos, amenazando con echarme del auto y cuando pensé que el maestro ven-

---

[205] Cóctel preparado con vermut y ginebra.
[206] Asiduos, habituales.

dría en mi socorro y se opondría a los propósitos del energúmeno, lo escuché ordenar al piloto que se detuviera en plena avenida, abrió la portezuela y prácticamente me expulsó del taxi, con expresiones que no llegué a comprender pero que me parecieron del más aborrecible desprecio. Quedé tendido en la acera oscura y solitaria, en un mar de vómitos, sintiéndome morir de náuseas, vergüenza y humillación.

Me desperté a mediodía, en casa de un tío que vivía cerca de donde caí y a la cual no supe gracias a qué instinto pude llegar. Me juré no repetir jamás esa mezcla de cachina, chicha y capitán (juramento que cumplí, pero burlé gracias a otras mezclas igualmente mortales). Sólo al anochecer pude decidirme a ir donde Teodorito para comentar con él los poco gloriosos incidentes de la víspera. Teodorito estaba en su templete musical, escuchando a todo volumen la obertura de los *Maestros cantores*[207]. Al verme interrumpió la música. Lo noté pálido, agitado, a punto de estallar. Pensé que me iba a reprochar crudamente mi comportamiento de la noche anterior, que echaba por tierra para siempre nuestra eventual amistad con el maestro, pero me equivoqué, pues encendió un cigarrillo, hizo una larga pausa y empezó uno de sus largos y prolijos relatos, el relato en este caso de la prosecución de su viaje en taxi con el maestro por la avenida Arequipa. Me habló del chofer que continuaba refunfuñando, de unos pajaritos que piaban en los árboles de la avenida (lo que me valió la evocación de un viaje que hizo de niño a una ciudad andina), del silencio del maestro Berenson puntuado por breves suspiros, de la somnolencia que lo invadió y por último de una sensación extraña, algo así como una pesadez en la pierna, algo reptante y tibio en su muslo, una mano al fin, la mano del maestro que lo acariciaba, cada vez más ostensiblemente, avanzando hacia su vientre...

---

[207] La música, junto a los olores, son, para Ribeyro, los grandes accionadores de la memoria: «el famoso *lied "Morgenlich leuchtend im rosinmgen schein"* de los Maestros Cantores que tanto le gustaba a mi padre y que tantas veces escuché de niño en la vieja vitrola a cuerda de Miraflores. (...) Y al reconocerla regresa a mí mi infancia, torrencialmente, con todos sus gozos y tormentos» (en *La tentación del fracaso*, Diario personal, vol. III, págs. 150-151).

—¡Me tuve que bajar! —exclamó furioso—. ¡Le pedí al chofer que parara antes de llegar al parque de Miraflores! El viejo también bajó, no sé qué cosa decía, pero yo arranqué a correr hacia mi casa por la alameda Pardo.

El viejo había dicho y no el maestro. Eso ya era suficiente.

Nuestra decepción fue dura, lo que no impidió que siguiésemos yendo a los conciertos del Teatro Municipal. Pero los escuchábamos sin el mismo fervor, quizás con mayor exigencia, creyendo descubrir a veces ligeras fallas en la dirección sinfónica. Una que otra vez pasamos por el bar Romano después de la función y distinguimos ocasionalmente al maestro al pie del mostrador, con su vaso de cerveza y su copita de pisco, solo o conversando con algún esporádico y joven bebedor. Se rumoreó por entonces que Berenson se había visto implicado en un escándalo nocturno cuya naturaleza no se esclareció y que algunos integrantes de la Sinfónica habían puesto en tela de juicio el rendimiento del maestro. Esto último era discutible, pues a fin de año dirigió conciertos memorables, cuando pasaron por Lima Yehudi Menuhin y Claudio Arrau y ambos intérpretes elogiaron una vez más las calidades de la orquesta y de su director.

Algún tiempo después Teodorito se casó y yo, como complemento a mis estudios, entré a trabajar al gabinete de un abogado. Esto no solamente nos alejó a uno del otro sino que redujo nuestra fidelidad a los conciertos. Íbamos rara vez, hasta que terminamos por no ir. Yo preparaba entonces mi viaje a París y Teodorito esperaba su primer hijo. Poco antes de abandonar el Perú me enteré que el maestro había triunfado en una emotiva interpretación de la *Patética* de Tchaikovski, días antes de que su mujer abandonara el hogar para regresar a Viena.

Pasé muchos años en Europa, durante los cuales mi pasión musical creció, se diversificó, se afinó, hasta que finalmente, si no se extinguió, alcanzó una moderada quietud, a medio camino entre el deber y el aburrimiento. Probablemente ése sea el destino de todas las pasiones. Luego de escuchar a las grandes filarmónicas de París, Londres y Berlín, dejé de asistir a las salas para retornar a mi gusto juvenil por las grabaciones, que escuchaba en casa sosegada y distraídamente. Llegué a constituir una valiosa discoteca —mi cuñado Genaro hubiera empalidecido de envidia— que me acompañó como un decorado sonoro durante el ejercicio de otras pasiones, como amar o escribir. Una que otra vez, durante esas audiciones, pasó por mi mente el recuerdo del maestro, con sus cualidades y sus defectos, recuerdo que yo acogía con gratitud e indulgencia.

A comienzos del setenta regresé a Lima, luego de diez o más años de ausencia. La ciudad, el país, se habían transformado, para bien o para mal, ése es otro asunto. Anduve unas semanas por los espacios de mi juventud, buscando indicios, rastros, de épocas felices o infelices, encontrando sólo las cenizas de unas o la llama aún viva de otras. Al cabo de unos meses decidí irme a respirar un poco el aire de la provincia. Mi cuñado Genaro, que por entonces era ya comandante, había sido destacado al Cuzco[208]. Vivía en una amplia casona en las afueras de la ciudad en la que le encantaba recibir familiares y amigos. De un día para otro resolví hacerle una visita y tomé el avión. Llegue a la ciudad imperial a mediodía, pero apenas la camioneta que venía del aeropuerto me dejó en la Plaza de Armas, me sentí tan mal a causa de la altura que en lugar de dirigirme a casa de mi cuñado tomé el primer hotel y me eché a dormir como un bendito.

Desperté en la noche y de inmediato llamé por teléfono a Genaro para anunciarle mi llegada.

—Vente en el acto —me conminó—. Hay un concierto esta noche en casa. Berenson va a dirigir a Beethoven.

—¿Berenson?

—¿No lo sabías? Hace tiempo que vive y trabaja aquí. Es el pilar de los martes musicales que yo organizo.

No lo sabía, ni tampoco que en el Cuzco hubiera una filarmónica. Sin dilación me vestí, pedí un taxi y partí hacia la casa de Genaro. Era una residencia colonial, un poco deteriorada pero señorial, en el límite de la campiña y la urbe. Ante el portón había varios automóviles. Genaro me hizo pasar hasta el salón, donde me presentó a la treintena de invitados

---

[208] Cuzco («el ombligo del mundo») era la sede del imperio inca, situada en la sierra, a más de tres mil metros de altitud. Más que la rivalidad largamente alimentada con la capital del país, conviene retener aquí que se trata de la *provincia*.

—los melómanos cuzqueños— grupo heteróclito, donde estaba el subprefecto, dos militares, un sacerdote, algunas señoras, todos muy animados, copa o cigarrillo en mano, atendidos por mi hermana Mercedes.

—¿Y el maestro? —pregunté.

—Ahorita sale. Se está preparando.

A los pocos minutos apareció por una puerta lateral, batuta en mano, con el pantalón rayado y la chaqueta negra con que lo vi dirigir en Lima inolvidables conciertos. Pero su ropa estaba lustrosa y gastada, tan gastada como su propia figura, que me pareció lívida, doblegada, resumida. Genaro le alcanzó un vaso de cerveza, me lo presentó —ignoraba que yo lo conocía— y la reunión continuó como si nada mientras yo, mirando hacia un lado y otro, trataba de descubrir dónde estaría la orquesta y en qué lugar se realizaría el concierto. En esas casonas siempre había una capilla o un patio propio a estos eventos. Pero de pronto Genaro pidió silencio, los invitados tomaron asiento y el maestro se plantó ante nosotros, bajo el arco que daba a una terraza interior, que se iluminó en ese momento dejando ver detrás un claustro desierto. Genaro entretanto se había dirigido hacia un rincón donde —sólo entonces lo noté— había un moderno estéreo. Colocó una casette y puso en marcha el aparato. Al instante estalló el punzante comienzo de la quinta de Beethoven, al mismo tiempo que la batuta de Berenson surcaba el aire para acompañar el cuádruple gemido de las cuerdas con movimientos enérgicos e inspirados.

Durante el primer movimiento permanecí anonadado, sin despegar los ojos del *maestro* que, de tiempo en tiempo, se interrumpía para coger el vaso de cerveza colocado en una mesita a su alcance. Su mirada, desdeñando al público, vagaba por el cielo raso, sabe Dios contemplando qué celestiales visiones y en sus labios enjutos, entre su barba rala, flotaba una sonrisa estólida. Pero a medida que se prolongaba, el espectáculo se me volvió intolerable. En ciertos pasajes, sin embargo, los gestos del maestro eran convincentes y tuve por un momento la ilusión de estar ante el gran Hans Marius Berenson de mi juventud, la primera vez que lo vi en el Campo de Marte, ante una afinada orquesta. Pero era sólo una ilusión.

Estaba ante un pelele que mimaba[209] sus antiguas glorias por ganarse unos tragos, un poco de calor y algo de simpatía, en una ciudad donde tal vez no había filarmónica sino una que otra camerata en la que debía tocar el violín en matrimonios y entierros para hacerse un cachuelo[210].

«El zarpazo del destino»[211], me dije cuando los cornos retomaron el tema inicial, «¡pobre maestro Berenson!». Pero me consolé pensando que sólo tenían derecho a la decadencia quienes habían conocido el esplendor[212].

---

[209] Galicismo, imitaba.

[210] En Perú, trabajos pequeños y esporádicos.

[211] Ribeyro habló en alguna oportunidad de su deseo de escribir un cuento que se desarrollara con arreglo al *tempo* de la Sinfonía de Beethoven. Lo que en el relato queda de esta idea es la repetición del *tema*, con su correlato en la frase citada. Las cuatro notas iniciales repetidas en la sinfonía sirven, pues, de apertura y cierre para la historia del *maestro,* como ilustración del curso del destino.

[212] Los *Relatos santacrucinos* aparecen sin fechar, pero deben de corresponder a 1991, año de la vuelta definitiva de Ribeyro al Perú. Sólo «La casa en la playa», *Epílogo* del volumen, está datado: Barranco, 1992.

Colección Letras Hispánicas